PORSELEIN

Bettina Drion

Porselein

Voor mijn vader

'There's a crack in everything,
that's how the light gets in.'

LEONARD COHEN

Proloog

HIJ TWIJFELDE OF HIJ DE MAGERE BRUG ZOU NEMEN OF DE Blauwbrug, en eenmaal bij de eerste aangekomen wist hij dat hij de verkeerde keuze had gemaakt. Hoewel het nog vroeg in de ochtend was – de zon kwam net boven de daken uit – hoorde hij in de Nieuwe Kerkstraat het geluid van barse stemmen, driftig dichtgegooide portieren, schreeuwende kinderen en huilende vrouwen. Hij hield stil op de hoek van de straat en zag zo'n tien meter verderop een aantal Duitse soldaten met zware helmen die een groep joden voor zich uit dreven. Het ijzerbeslag onder hun laarzen klonk kil en hard door de straat.

De joodse gezinnen werden naar een vrachtwagen met een open laadbak geleid die iets verderop in de straat stond. In de groep zag hij een oud echtpaar strompelen, de man met een keppeltje op, de vrouw slepend met een paar loodzware koffers, hij zag een moeder met een kinderwagen, hij zag huilende meisjes en een jongetje met een gekooid parkietje dat hem afgenomen werd. Je kon zien dat ze verschillende lagen kleding over elkaar heen droegen, hoewel het kwik al tegen de twintig graden liep.

'Los, mach schon, du Schwein!' riep een Duitse soldaat die waarschijnlijk de leiding had, te zien aan de strepen op zijn schouders. Hij had een vrouw aan haar arm vast en duwde haar de laadbak in. De Duitser werd geassisteerd door enkele leden van de Amsterdamse gemeentepolitie, die erop toezagen dat alle mensen onder de zeiloverkapping verdwenen.

'Du Schwachkopf!' riep de soldaat tegen iemand van de gemeentepolitie. 'Dieser Transporter ist schon gerammelt voll, siehst du das denn nicht?'

Hij stapte van zijn fiets en staarde naar het tafereel dat zich voor zijn ogen afspeelde. Naast hem stonden enkele voorbijgangers, en tegenover hem, bij de Amstel, begon zich ook een groepje te vormen. Met lege blikken keken ze toe. Achter de vrachtwagen stonden nog veel meer wagens te wachten, allemaal met donkere overkapping.

Een tweede wagen werd gevuld. Zodra de politie de joden in de laadbak had geduwd en de Duitsers de zeilen hadden afgesloten, reed de wagen weg. Een derde kwam, en een vierde.

Hij keek op zijn horloge. Dirk zou wel boos zijn dat hij te laat was.

Toen de vijfde wagen bijna vol was, schoot er een klein meisje onder de overkapping vandaan. Een van de politiemannen wilde haar bij de kraag grijpen maar ze wist te ontkomen en rende weg in de richting van de dichtstbijzijnde huizen. In de vrachtwagen ontstond opwinding. De Duitse soldaat met de strepen op zijn schouders schoot naar voren. 'Scheisse, hole das Mädchen zurück, schnell!'

Hij stond nog steeds naast zijn fiets, als aan de grond genageld, de handgrepen van zijn stuur stevig omklemmend. Het meisje rende vlak voor hem langs – hij wendde zijn gezicht even af – en ze hield stil bij een van de huizen, hard bonzend op de deur. 'Doe open!' riep ze.

De motor van de vrachtwagen werd gestart. Nog meer geschreeuw. De politieman riep tegen de chauffeur dat hij moest wachten. De vrachtwagen reed een stukje achteruit en hield stil, vlak voor zijn fiets.

Gebiologeerd bleef hij naar het meisje kijken dat daar voor het huis stond, met haar knuistjes luid roffelend op de deur. Voorbijgangers rekten hun hals om het wat beter te kunnen zien; een gordijn werd verschoven, leek het, maar dat kon hij zich ook verbeeld hebben.

Uit de vrachtwagen klonk een vrouwenstem: 'Kom terug, Hendel, ze doen toch niet open!' Haar moeder, vermoedde hij.

De politieman kwam bij het meisje aan, greep haar ruw bij een arm, sleurde haar achter zich aan en duwde haar de vrachtwagen weer in.

'Ausweis!' Een barse stem klonk in zijn oor. Een van de Duitse soldaten liep op hem toe. De mensen naast hem haastten zich om weg te gaan.

'Ich...' zei hij. 'Ich muss nach meine Arbeit. Ich arbeite daarginds, auf die andere Seite von die Brücke. Ik nehme auch weleens de Blauwbrug – die Blaue Brücke bedoele ich, das macht mir nicht soviel aus. Maar omdat het so eine schöne Tag war, mit soviel Sonnenschein, dachte ich...'

'Es ist mir egal was Sie dachten. Ausweis, sofort!'

Hij liet zijn persoonsbewijs zien. 'Ich arbeite bij das Bevolkingsregister, daarginds.' Hij wees nogmaals in de richting van de Magere Brug. 'Das ist vlakbij Artis, pal daneben.'

'Das Einwohnermeldeamt. Ich weiss wo das ist. ' De soldaat gaf hem zijn persoonsbewijs terug en keek hem laatdunkend aan. 'Auf, los, schnell!'

Hij stapte op en fietste slingerend om een groep soldaten heen die bezig waren nieuwe vrachtauto's te vullen met joden. Sommigen stapten gedwee de laadbak in, anderen verzetten zich, heftig om zich heen slaand. Snel keek hij de andere kant op en fietste door.

‘Wat ben je laat’, bromde Dirk toen hij eindelijk op kantoor was aangekomen. ‘We zouden toch extra vroeg beginnen? Hier is je stapel.’ Hij legde een aantal Jodenregistratieformulieren naast de bak met stamkaarten op zijn bureau. Sinds de Duitsers aan de macht waren, hadden ze het nog drukker gekregen op het bevolkingsregister dan daarvoor. Binnen een jaar moest iedereen een persoonsbewijs hebben, alle joden moesten zich verplicht melden en een registratieformulier inleveren. En alle straatnamen, genoemd naar het koningshuis, naar bekende joden of socialisten, moesten worden vervangen. De meeste afdelingen maakten overuren en overal waren achterstanden, die nog eens vergroot waren door de verhuizing van het Singel naar de Plantage Kerklaan vorig jaar. Hijzelf was twee dagen geleden bij Dirk Jansen op de afdeling geplaatst om hem te helpen met een achterstallige klus: het verwerken van de binnengekomen Jodenregistratieformulieren op de stamkaarten. Dit had allang klaar moeten zijn. De baas van Dirk had hiervoor flink op zijn kop gekregen van zíjn baas, een NSB’er, en Dirk – die net was gepasseerd voor een promotie, had er flink de smoor in.

‘Ze waren bezig bij de Magere Brug.’ Hij legde een stapel kaarten voor zich neer en keek naar Dirk, die tegenover hem zat te werken. Dirk had een volle baard die eruitzag als een bruingrijs gemêleerd tapijt. Hij was moeilijk verstaanbaar en sprak met zijn lippen bijna gesloten onder zijn baard, waardoor het leek alsof er een muis onder het tapijt kroop. ‘Wie waren bezig?’ mompelde Dirk.

‘De Duitsers. Ik kon er niet door met mijn fiets.’

‘Ik zag ze ook. Bij de Van Woustraat stonden wel tien vrachtwagens. Het was al aangekondigd, vorige week. We hadden het er nog over tijdens de laatste kringbijeenkomst.’

‘Weet jij waar die joden precies naartoe worden gebracht?’

‘Ze hadden het over Duitsland. Ze gaan daar werken, onder politietoezicht, dacht ik. ’Dirk haalde zijn schouders op. ‘Ik weet het ook niet precies', murmelde hij en hij stak zijn hoofd in een bak met kaartjes.

Zijn collega was niet in de stemming voor een conversatie, dat was hem wel duidelijk. Hij schoof de kaartenbakken met de letters A tot en met C naar zich toe en legde de Jodenregistratieformulieren ernaast. Aan de hand van de informatie op de formulieren moesten ze iedere joodse stamkaart voorzien van een zwarte J en onderbrengen in een aparte collectie, de Jodenbak.

'Deze is klaar.' Hij zette de Jodenbak op het bureau van zijn collega. Dirk controleerde of hij geen fouten had gemaakt of per ongeluk kaarten over het hoofd had gezien.

Hij keek op zijn horloge; nog twintig minuten tot de middagpauze. Soms kwam zijn zoon Pietertje weleens langs in de middagschaft, als hij zijn broodtrommel thuis op het aanrecht laten staan. Dan liepen ze samen Artis in, onderwijl hun boterhammen opetend. In de gang klonk het gerinkel van de koffiekar; mevrouw Wetschrijvers was op de terugweg van haar ronde.

Een van de broers Arendtse stootte tegen hem aan op de gang toen hij 's middags van zijn pauze terug kwam. 'Zo, werk jij tegenwoordig bij Dirk Jansen op de afdeling?'

Hij deed net of hij niets hoorde en liep naar zijn bureau. De broers Arendtse moesten hem wel vaker hebben. Hij verdacht hen ervan gisteren zijn jas ergens anders te hebben opgehangen zodat hij moest wachten tot iedereen weg was voordat hij zijn jas weer terugvond. Als Arendtse of een van diens vrienden eraan kwam, moest hij zorgen dat hij geen koffie in zijn hand had, want voor hij er erg in had, duwden ze tegen hem aan en ging de hete koffie over zijn kleding. Niet alleen hem moesten ze hebben, ook de andere NSB'ers. Vooral Walt Arendtse, met zijn borstelige wenkbrauwen en het uiterlijk van een filmster, had een scherpe tong.

Dirk haalde zijn schouders op als hij er weleens over klaagde. 'Het is zo jammer dat de mensen niet begrijpen dat we beter met de Duitsers kunnen samenwerken dan tegen ze vechten. Ik probeer het duidelijk te maken, maar ze begrijpen het niet. Natuurlijk heb ook ik liever geen oorlog. Maar daar is nu eenmaal niets meer aan te doen.'

Inmiddels was hij bij B aangekomen. Baantje, Th.; Bartels, A.C.; Beemsterboer, P.J.; Beets, P.; Bennekom, J.A.M.; Benjamin, L.I. De laatste kaart legde hij voor zich, controleerde of er een Jodenregistratieformulier aanwezig was, drukte er met zijn stempel een grote J op en stopte hem in de Jodenbak. Als hij vanmiddag de C afhandelde, kon hij morgen beginnen met de D.

Hij pakte een volgende stapel. Tot nu toe was hij geen bekenden tegengekomen.

1

'Dus jij bent vernoemd naar de tweede naam van je oma.'

HET HUIS WAARIN IK WOON IS EEN VAN DE KLEINSTE HUISJES aan de kade. Het stamt uit het begin van de vorige eeuw en als je het ziet staan vanaf de overkant of vanuit een bootje, dan ziet het er dapper uit tussen de andere huizen op de kade, grote herenhuizen van drie of meer verdiepingen. Het huisje heeft witgepleisterde muren en een hoge erker met glas-in-loodramen. De voortuin is omheind door een scheefstaand hek waar lavendel en duizendschoon tussendoor slingert, en voor de erker staat een gietijzeren tuinbank.

Op dat gietijzeren bankje zat ik toen er een oude lichtblauwe Ascona voor de deur stopte. Een grote vrouw gekleed in een wijde witte broderiejurk met een kort spijkerjasje stapte uit. Haar oranje krullen waaiden langs haar gezicht terwijl ze haar portier dichtklapte. Het was Anke, de moeder van een schoolvriendinnetje van mijn dochter. Ze verontschuldigde ze zich dat ze zo laat was, er stond een file op de A10.

Ik liet haar binnen en hield het kralengordijn voor haar open dat de plaats inneemt van de kamerdeur die niet meer dicht kan, een van de vele gebreken van dit huisje. Ze kwam hier voor het eerst.

'Wat aardig van je dat Fleur hier mocht spelen.' Anke trok haar spijkerjasje uit en begroette haar dochter, die naast Sterre op de bank voor de televisie naar *Klokhuis* zat te kijken. Ze nam de kamer in zich op. 'Wat een gezellig huis, Susan. Heel sfeervol. Je woont hier nog maar pas, toch?'

'Ja, sinds een paar maanden. Mijn grootmoeder heeft hier altijd gewoond, de moeder van mijn vader.' Ik vulde een ijzeren ketel met water in het open keukentje. 'Ruim een jaar geleden overleed ze aan een hartstilstand. De ene dag stond ze nog pittig de was op te hangen in het washok hier achter het huis en de volgende dag was ze dood.'

'Ja, zo gaat dat met oude mensen.' Ze keek door het achterraam naar de tuin, waar een grote hortensia naast het washok bloeide.

Na mijn grootmoeders dood had het huisje een poos leeggestaan, totdat mijn vader en ik hadden besloten dat het tijd was om het op te ruimen. Terwijl mijn naderende scheiding in sliertten nevel boven de Zaanse fabrieksrook zichtbaar werd, transformeerden mijn vader en ik het huisje van mijn oma in het begin van een nieuw leven voor Sterre en mij. Intussen hingen er spinnenwebben als doorzichtige gordijnen voor de ramen en en troffen we in het washok op een oude zwarte kist een nestje pasgeboren kittens aan van Sandra, de lapjeskat van mijn autistische buurjongetje Oscar.Ik zette twee dampende koppen thee op de tafel in de achterkamer en hield haar een schaal met koekjes voor. Ze pakte er twee uit.

'Wat een mooi schilderij hangt daar.' Ze wees op een doek dat boven de schouw hing.

'Ja, dat heeft mijn grootmoeder geschilderd.'

'Goh, wat knap.' Ze stond op om het van dichtbij te bekijken.

Het schilderij was al oud. Hier en daar was de verf wat afgebladderd. Er stond een ouderwetse porseleinen pop op met een roodgeblokt jurkje aan en een heel wit huidje. Ze zat op een stoel met haar handjes uitgestrekt naar voren. Jammer genoeg was door de afgebladderde verf haar gezichtje niet meer duidelijk zichtbaar, en er stonden vage strepen doorheen waarvan ik me altijd afvroeg of ze bewust waren aangebracht. Rechtsonder stond in kleine lettertjes: '*Emma Suzanna, 1943*'.

'Dus jij bent vernoemd naar de tweede naam van je oma.'

Ik knikte.

Anke bekeek het schilderij aandachtig. 'Het is heel bijzonder. Ik vraag me af of het een pop moet voorstellen of een kindje. Ik bedoel: het is een pop, dat is duidelijk, maar het lijkt alsof ze het als een kindje heeft geschilderd.'

Geïntrigeerd volgde ze de contouren van het schilderij. 'Het heeft iets tragisch, door het effect van die strepen en de barstjes in de verf.' Ze keek me aan. ' Dus je grootmoeder was kunstenares', besloot ze.

Ik knikte vaag. Mijn vader en ik waren het schilderij tegengekomen tijdens het leeghalen van het huis. Het stond in het washok, met zijn rug tegen een zwarte kist met oude rommel uit het verleden van mijn oma. 'Dat is van voor de bevrijding. Dat heeft oma geschilderd', zei hij nadat hij een vluchtige blik op het doek had geworpen.

'Echt waar? Ik heb nooit geweten dat oma schilderde.'

'Na de oorlog niet meer. Toen begon ze met borduren en heeft ze nooit meer een penseel aangeraakt.' Hij pakte het schilderij op, liep ermee naar de stoep waar de spullen voor het grofvuil opgestapeld stonden en zette het tegen een volle vuilniszak.

'Niet weggooien, hoor! Ik wil het wel hebben.'

Hij haalde zijn schouders op. 'Mij best.'

De zon scheen door de erker naar binnen en toonde de stofdeeltjes op de buffetkast. De meeste spullen in het huis waren nog van oma geweest, zoals de grote eiken boekenkast, de fluitketel en het gammele Queen Annestoeltje dat alleen nog maar het gewicht van de kat van de buren kan dragen. Ik kon het niet over mijn hart krijgen ze weg te doen. Het was alsof ik daarmee de laatste resten van mijn oma zelf bij de vuilnisbak zette, alsof ze voor niets had geleefd.

Fleur klom bij haar moeder op schoot en aaide over de fijne rimpeltjes langs Anke's ogen. Ik vroeg me af hoe oud ze was; zeker wel een jaar of vijf ouder dan ik, zo tegen de veertig, schatte ik.

'Waar woonde je voordat je hiernaartoe kwam?' vroeg ze. Hoewel Anke en ik elkaar bijna elke dag zagen op het schoolplein van onze kinderen, die samen in groep vijf zaten, wisten we nauwelijks iets van elkaar.

'In Amsterdam.' Ik legde haar kort uit dat ik sinds een paar maanden gescheiden was en dat Rick, Sterre's vader, daar nog steeds woont.

'Ach ja', zei ze. 'Je kunt maar beter gelukkig zijn alleen dan ongelukkig in een uitzichtloze relatie, toch?'

Ik negeerde haar vragende ondertoon. 'Hoe was het bezoek aan je grootvader?'

'Hij lag te slapen toen ik aankwam. Hij is erg in de war, hij begint een beetje dement te worden. Ja, wat wil je, hij is al dik in de negentig.'

Anke is een prater. Voordat ze haar thee ophad, wist ik dat ze sinds anderhalf jaar gescheiden was en dat ze co-ouderschap had over haar dochters Fleur van acht en Lisa van vijftien, dat haar ouders sinds een paar jaar in Portugal woonden – het begon met overwinteren, maar nu is het ook overzomeren geworden – en dat haar grootvader in zorgcentrum De Kinker in Amsterdam woonde en dat hij het eten daar niet lekker vond en dat zij daarom elke vrijdag een grote pan tomatensoep voor hem meebracht met geraspte Parmezaanse kaas van de markt – die kraam tegenover de Hema – en dat hij hele onsamenhangende verhalen ophing en dat hij de laatste tijd steeds beweerde dat hij een NSB'er heeft laten oppakken in de oorlog.

'Een NSB'er laten oppakken?'

'Ja, dat zegt hij', antwoordde ze giechelend. 'Ik ben benieuwd wat ik volgende week weer van hem te horen krijg. Misschien beweert hij dan wel dat hij Robin Hood was die met gevaar voor eigen leven zijn liefje heeft weten te redden uit de klauwen van de vijand.'

Ze dronk haar laatste slok thee op. Haar blik gleed van de lila geborduurde sprei die over mijn bank ligt – ook een erfstuk van mijn grootmoeder – naar de helgroene gordijnen die in het verfbadje iets te knal zijn uitgevallen. 'Wat doe je voor werk?' vroeg ze.

Ik vertelde haar dat ik etaleuse was bij een decoratiebedrijf, DeCoco.

'Etaleuse', herhaalde ze. 'Dat verbaast me niets, te zien aan de inrichting van je huisje; al die kleuren en die artistieke spulletjes, erg creatief.'

Zelf werkte ze halve dagen op kantoor en daarnaast was ze freelance journaliste. 'Pas begonnen nog maar, hoor. Toen Bert en ik gingen scheiden heb ik een opleiding journalistiek gevolgd.' Intussen had ze haar eerste opdracht al gehad, vertelde ze. 'Een artikel over de gevolgen van het verdwijnen van kikkerdril in de vaargebieden rondom Amsterdam.' Ze keek erbij alsof ze het geheimzinnige verleden van een beroemdheid aan het licht had gebracht.

'Dat klinkt... interessant', zei ik.

Ze knikte. 'Ik hoop ooit nog eens een echt onderzoek te doen. Dingen boven water halen die niemand weet.'

'Algen en modder dus, in plaats van kikkerdril.'

Ze lachte een rij kaarsrechte, hagelwitte tanden bloot. 'Maar nu ik mijn eerste klus achter de rug heb, verwacht ik wel snel andere opdrachten.'

Ik stond op en pakte de lege kopjes van de tafel. Aan een gebrek aan zelfvertrouwen zou het niet liggen.

Ze keek me even aan. 'Ach, je moet toch wat te wensen hebben in het leven. Heb jij geen wensen dan?'

Een ruim appartement met hoge ramen en een Frans balkon, uitkijkend over de Amstel, en een orgelman op de hoek die vergeten oude liedjes draait, liedjes die hij en ik alleen begrijpen. Ik liep naar het halletje om haar spijkerjasje te pakken. Mijn haar bleef hangen in het kralengordijn.

'Een huis met een echte kamerdeur', antwoordde ik.

2

Emma heette ze.

ZE KWAM AANLOPEN VANUIT HET NIETS. ZE LIEP EEN BEETJE voorzichtig, alsof ze voor het eerst hoge hakken aan had. Hij luisterde naar het geluid van haar voetstappen op het plaveisel, het ritme van iemand die zoekt en zoekt, twijfelt en weer verder gaat.

Sam zat op een bankje aan het water, op de plek waar drie grachten samenkwamen, en hij mijmerde over stromingen en verbindingen en over de wind die langs het water streek en over de golfjes, kabbelend tegen de kant. Op zijn schoot lagen enkele notitievellen en een potlood met een scherp gesneden punt. Ooit wilde hij een roman schrijven, maar hij wist geen goede plot. Het enige waar hij aan dacht was dat van die stromingen en verbindingen en dat van het kabbelende water. Flarden, momentopnames. En aan het aarzelende ritme van haar hakjes: snel, snel, langzaam, snel, het ritme van een gedicht.

Ze kwam op hem toelopen en vertelde dat ze op zoek was naar een mevrouw die zelf poppen maakte. Porseleinen poppen. Ze was vergeten op welke gracht ze moest zijn. Emma heette ze. Emma van Boven.

'Kunt u me wellicht helpen?' vroeg ze. Ze nam haar hoed af en hield die met twee handen vast. Ik wil jou met van alles helpen, dacht hij en hij wees op de lege plek naast zich. 'Wilt u misschien even hier komen zitten?' Maar daarmee schrikte hij haar af. Haastig zette ze haar hoed weer op en dribbelde weg.

Een paar weken later maakte hij een ommetje in het Vondelpark met Hendrik Sliksma, die hij kende uit de tijd dat hij nog in Drenthe woonde. Hendriks ouders hadden een grote boerderij en Sam had samen met hem op de ambachtsschool gezeten, voordat zijn familie vanwege de werkloosheid en armoede naar Amsterdam was verhuisd.

Ze liepen weleens vaker samen op. Hendrik werkte bij een groot, net opgericht verzekeringskantoor aan de rand van het park. "Freeke en Co – 1933" stond er op een groot bord aan de voorgevel. Tijdens het wandelen kon hij oeverloos uitweiden over zijn baan en over zijn vrouw Riet, die uit de gegoede burgerij kwam. Sam zou nooit hebben geweten dat uitgerekend Emma ook een telg uit die gegoede burgerijfamilie was, als hij haar op een van die middagen niet had zien zitten op een bankje bij de vijver en op dat moment als aan de grond genageld bleef staan, zodat Hendrik, inmiddels vier passen verder, naar hem omkeek en vervolgens in de richting van zijn blik.

Dat zij daar zat, de jonge vrouw die sinds die eerste ontmoeting zijn gedachten beheerste, was niet de reden dat hij schrok. Het kwam door degene naast haar, een heer in een onberispelijk pak, met een onberispelijke gleufhoed in zijn hand. Hij streek even door zijn onberispelijke, achterovergekamde haar en gaf haar toen een kus. Op de mond.

Sam zag haar glimlachend naar de man opkijken en wendde zijn hoofd af. Hij wilde snel doorlopen, maar juist op dat ogenblik ontdekte Hendrik het tweetal en wuifde naar hen. 'Kijk, daar zitten Emma en haar vrijer. Emma is de zus van mijn vrouw. Ze willen zich binnenkort gaan verloven. Kom, dan stel ik je even voor.'

'Dat hoeft niet, hoor', sputterde hij nog tegen, maar Hendrik was al op weg.

3

'Een Yad Vashem-onderscheiding.'

'CO-OUDERSCHAP, WAT IS DAT?' HAD MIJN MOEDER GEVRAAGD toen Rick en ik besloten hadden definitief uit elkaar te gaan.

'Gewoon, dat de ouders na de scheiding ieder de helft van de zorg van hun kinderen op zich nemen.'

'En dan moet Sterre dus na drieënhalve dag met haar tasje en haar jasje bij Rick in Amsterdam worden afgeleverd...' Ze stak haar leesbril in het haar en keek me aan, een bezorgde trek om haar mond.

'Ja. Woensdag breng ik haar, en zaterdagavond brengt Rick haar terug. Als ze bij Rick is kan ik werken, en als ze bij mij komt heb ik alle tijd voor haar.' Ik ontweek mijn moeders blik. Als er ooit een wedstrijd was gehouden wie het grootste mededogen had, dan zou zij met gemak hebben gewonnen. Mijn moeder doet de nacht voor Koninginnedag geen oog dicht als het buiten regent omdat ze dat zo zielig vindt voor de kleine kindertjes die de volgende dag op een dekentje hun speelgoed willen verkopen. Laatst had ze meer dan een uur een paar Jehova's getuigen aangehoord, een man met zijn dochter, omdat ze het niet over haar hart kon krijgen de man af te wijzen. Zijn dochter keek zo trouwhartig naar hem op, en ze wilde hem geen figuur laten slaan in de ogen van dat meisje.

Omdat zowel Anke's kinderen als Sterre op de vrijdagen bij hun vader zijn, spraken we voor die week erna af samen iets te drinken bij De Koning, een klein bruin cafeetje in het centrum met uitzicht op de Zaan. Zij praatte voornamelijk en ik luisterde naar haar verhalen: over haar ex, de familie van haar ex, over mannen, over haar nieuwe veroveringen en haar droom, stukjes schrijven voor de krant. Voor ons op het tafeltje stonden twee glazen prosecco en een bakje pinda's.

Toen ze even stilviel vroeg ik: 'Hoe was het bezoek gisteren aan je grootvader?'

'Nou, hij is wel aan het malen hoor, hij had het deze keer niet over een NSB'er, maar over een vrouw op wie hij vroeger verliefd was.'

'Niet je oma?'

'Nee, dat denk ik niet. Ik geloof niet dat hij ooit verliefd is geweest op haar. Ze was al jaren zijn huishoudster en na een slippertje met hem raakte ze zwanger van een zoon, mijn vader.

'Dus het moet een andere vrouw zijn geweest...'

'Ja, nog voor zijn huwelijk, want hij is bij mijn oma gebleven tot haar dood, een jaar of tien geleden. Het was een goed mens hoor, daar niet van. Maar een beetje simpel.'

'Ach ja, vroeger bleven ze bij elkaar tot hun dood, ook al was de liefde voorbij.' Ik keek over het water, aan de overkant zwom een zwanenstelletje, het mannetje voorop, het vrouwtje erachter.

'Gelukkig leven wij niet in die tijd. Ik moet er niet aan denken.' Ze bladerde naar de laatste pagina van haar agenda en toonde me een lijstje. 'Aantrekkelijk' stond er aan de ene kant, en 'afknappers' aan de andere. Ik las met haar mee. Links stond: Interessant. Cultureel. Leider. Gevoelig, maar niet te. Lezer. Geld geen bezwaar maar niet noodzakelijk. Luisterend oor.

Classic FM. Oude Volvo. Rechts las ik: BMW. Zaans (of ander) accent. Heineken Musical Hall. Dow Jones Index. Telegraaf. Harde lach. Merkkleding. 100% NL.

'Denk je niet dat het moeilijk voor een man zal zijn om aan al jouw eisen te voldoen?' vroeg ik voorzichtig.

Ze haalde haar schouders op. 'Ach, ik ben best plooibaar. Als hij een BMW heeft en een accent, maar desondanks heerlijk kan zoenen, dan doe ik niet moeilijk.'

Naast ons zat een groepje mannen druk met elkaar te praten. Ze bestelden een meter bier om iets te vieren. Ze werkten vast in de bouw, te horen aan de woorden die ik opving. Daar was momenteel goed geld in te verdienen, want al die oude huizen langs de Zaan en in de Koog verloren hun stevigheid omdat de fundamenten, diep weggezonken in de Zaanse aarde, werden weggevreten door een kleine maar dodelijke bacteriënfamilie die de palenpest veroorzaakt. Het kon ook een beestje zijn; iemand had me ooit verteld dat er een soort torretje bestond dat zich een baan vrat in een van de vier meest essentiële palen onder je huis en zodoende langzamerhand je fundering, de grond onder je voeten, deed wankelen en al je zekerheden een voor een onderuithaalde. De ellende begon met scheuren in de muur, dan volgde lekkage van de goot, tocht door de kozijnen, mos in de badkamer en op een kwade dag was je hele huis ingestort, lagen je ramen aan scherven en was je toekomst in duigen gevallen. Door een torretje.

'Zeg, wat denk je...' Anke lachte alsof ze een binnenpretje had. Het was precies een week later en we hadden in hetzelfde cafétje afgesproken. '...word ik gisteravond laat, ik had net de kinderen in bed, gebeld door een wildvreemde man...'

Ik keek nieuwsgierig op. Giechelend bracht ze haar glas naar haar lippen en ze nam een slokje. 'Je zult het niet geloven. Het was een wat oudere man, ene Simon Daniëls. Hij was op zoek naar familieleden van de heer Hoffman, zo heet mijn grootvader. Hij had een paar jaar geleden ook al een poging gedaan om ons op te sporen, maar toen hij erachter was gekomen dat mijn ouders in Portugal wonen was hij daarmee gestopt. En nu kwam hij via de kleindochter van de naaister van mijn grootvaders vroegere gouvernante...' – ze moest even op adem komen – 'bij mij terecht.'

'En wat moest hij?' vroeg ik.

'Mijn grootvader heeft kennelijk het joodse gezin Daniëls gered in de oorlog en hij wil dat mijn grootvader daar een onderscheiding voor krijgt. Een Yad Vashem-onderscheiding. Wat een giller, hè!'

Ze keek naar de reactie op mijn gezicht. Ik wist niet precies wat het was, zo'n onderscheiding, maar wel dat het iets joods was. En iets goeds.

'Dat is geweldig', zei ik.

Ze glimlachte. 'Hij heeft dus met gevaar voor eigen leven dat gezin Daniëls gered...'

Ik kon het niet helpen, maar opeens schoot ik in de lach. 'Dus die oude demente grootvader van je is eigenlijk een held?'

Ze lachte mee en schudde haar krullen naar achteren. Terloops keek ze naar de tafel waar een paar mannen zaten. 'Mannen in pak' schreef ze op het lijstje in haar agenda, rechts.

'Maar weet je, Susan... Eerlijk gezegd verbaast het me niets. Toen hij het me vertelde, dacht ik: zie je wel. Ik heb altijd wel gedacht dat er iets waar moest zijn van wat mijn grootvader allemaal vertelde. En die Daniëls vroeg of ik hem van dienst wilde zijn bij de voorbereidingen. Er komt een receptie en daarna een diner. Eind juni, de laatste week voordat ik op vakantie ga.'

4

'Ik word schrijver.'

AAN HET EIND VAN DE ZOMER ZAG HIJ HAAR WEER. HIJ HAD IN die tussentijd al diverse malen theegedronken met Hendrik en Riet en hun zoontje Hans, en een enkele keer had Emma erbij gezeten met haar aanstaande verloofde.

Omdat hij al een poosje zonder werk zat, was hij vaak met zijn notitieblok op een bankje in het park te vinden. Iedere keer hoopte hij heimelijk dat hij haar misschien alleen zou tegenkomen. Hij had inmiddels de sfeer van het Vondelpark en het standbeeld van Herman Heijermans met grote precisie beschreven en sloot zijn schrift toen ze het bankje naderde.

Ze was in het gezelschap van haar zuster Riet en de kleine Hans. Het knaapje was een jaar of drie en hij had een bal in zijn handen, die hij af en toe op de grond liet vallen.

Terwijl Emma een heimelijke blik op zijn schrift wierp, sprak Riet hem aan. 'Dag mijnheer Warenaar, hoe maakt u het?' Ze was iets langer dan haar zuster en praatte honderduit, zo had Sam al tijdens de eerdere theepartijtjes ontdekt. Ze sprak met een deftige stem die af en toe een beetje uitschoot.

Emma keek hem aan. 'Loopt u een eindje met ons op, mijnheer Warenaar?'

'Welzeker, juffrouw Van Boven, dat zou me een genoegen zijn', antwoordde hij.

'Ik ga een kopje thee bestellen daarginds bij het Paviljoen', zei Riet tegen haar zuster. 'Wil jij even op Hansje passen?'

Emma gaf het jongetje een hand en liep een eindje met hem over het pad dat langs de vijver liep.

Sam ging naast haar lopen. Aan weerskanten van het pad stonden bomen die naar elkaar reikten als goede vrienden die elkaar de hand schudden. Het zonlicht scheen erdoorheen in duizend lichte vonkjes en de wind speelde met de bladeren. Hansje liep inmiddels voor hen uit. Hij plukte paardenbloemen en bukte iedere keer zo abrupt dat ze hun pas moesten inhouden. Achter hen klonk het getrappel van paardenhoeven. Een oude man op een paardenkar reed langs en knikte hen met fijngeknepen pretoogjes toe.

'Zou hij denken dat wij een paartje zijn?' vroeg Sam opeens. 'En dat dit onze jongen is?'

Ze boog zich snel voorover naar Hans, maar hij kon nog net een twinkeling in haar ogen ontwaren. De oude man keek nog even om en stak zijn hand omhoog als groet.

'Daar is Riet alweer', zei ze opgelucht.

Sam pakte de bal op en liep achter Emma aan naar het theehuis. Riet zette het dienblad op de tafel en schonk thee uit een dikbuikige emaillen theepot met een oor van vergulde rozenblaadjes. De damp sloeg van de kopjes omhoog en verdween in de lucht.

'Mag ik de dames trakteren op een sigaartje?' Sam haalde een blikken trommeltje uit zijn borstzak. De meisjes giechelden en stootten elkaar aan.

'Nee, dank u', zei Riet.

'Ja, graag', zei Emma. Ze boog zich voorover en terwijl hij haar een vuurtje gaf, trof hem weer die twinkeling in haar ogen, en hij wilde haar opeens heel graag in zijn armen nemen en kussen. Zo snel als de gedachte bij hem opkwam, duwde hij die weer weg.

Riet schoof haar stoel iets naar achteren en keek hen afkeurend aan. Emma had haar hoed naast zich op de tafel gelegd. Een briesje speelde met haar haren en blies een lok in haar gezicht. Ze leunde naar achteren en probeerde beschaafde kringetjes rook uit te blazen, wat haar niet lukte.

'Onze mannen komen eraan.' Riet wees in de richting van de ingang van het park. Hendrik stak met zijn slungelige loop schril af tegen de onberispelijk rechtop lopende aanstaande van Emma, die vriendelijk naar hen wuifde.

'Dag dames, dag heer', zei hij en hij nam zijn hoed af. Hij gaf Sam een stevige hand. 'Hoffman is de naam. Hoffman. Met twee effen en één n.' Hij had een dunne, strakke mond en kleine lichtblauwe ogen. Zijn haar was van boven strak achterovergekamd en bij zijn oren stonden enkele sprietjes wijduit, die hij voortdurend wegstreek. Nadat Sam zich had voorgesteld, wisselden ze enkele beleefheden uit. Vervolgens pakte hij de bal die in de struiken was gerold, en hij rolde hem naar Hansje terug. Ze bleven daar een tijdje mee doorgaan, en toen Hansje op een gegeven moment op Sam af kwam rennen, spreidde Sam zijn armen uit en gooide de jongen een eindje de lucht in. Hij gilde van pret en riep: 'Kijk, tante Emma, ik kan vliegen!'

Emma lachte en kwam op hen toelopen. Sam gooide het ventje nog een keer omhoog, en terwijl hij hem opving, dacht hij erover hoe het zou zijn als hij een zoon had waarmee hij naar het park zou gaan en die hij hoog in de lucht zou gooien terwijl zijn vrouw vertederd naar hen keek. Zijn vrouw Emma, bijvoorbeeld.

Hij schrok zo van die gedachte dat hij de bal een onbedoeld harde trap gaf. De bal rolde naar de vijver en kwam tot stilstand tegen de rietkraag. Emma liep op de bal af en Sam ging achter haar aan met Hansje op zijn schouders, die hem aan de oren trok alsof hij het paard van de schillenboer was.

Op het pad kwam de man met de paardenkar weer voorbij. De man schonk hun een veelbetekenende glimlach en ze lachten terug. Ze keek de kar na.

'Trouwens', zei ze toen, alsof er helemaal geen tijd was verstreken sinds hun vorige wandeling samen, en ze wees naar het knulletje op zijn schouders. 'Het zou onze jongen helemaal niet kunnen zijn. De onze zou krullen hebben.' Ze keek naar Sams krullende haar dat onder zijn pet vandaan stak.

'Je hebt gelijk.' Hij haalde diep adem en voegde er toen aan toe: 'Wij houden niet van glad haar, toch?' En hij dacht ondertussen aan het hoofd van Maarten Hoffman met twee effen.

Haar mondhoeken krulden. 'Nee, wij houden niet van glad haar.'

Riet riep naar hen dat de thee koud werd, en ze schoven bij het gezelschap aan. Tijdens het theedrinken luisterde hij naar Maarten Hoffman die met Hendrik verwikkeld was in een conversatie over de crisis in het land, en hij spitste zijn oren toen hij vernam dat Emma en Riet over een boek spraken dat Emma had meegenomen.

'Dus jij vond het niet zo vreemd, Emma, dat ze verliefd op Fabrice werd.' Riet roerde met haar lepeltje in de thee.

'Dat zeg ik niet.' Ze keek even op naar Hoffman. 'Ik zeg alleen maar dat ik het me best kan vóórstellen.'

'Ik vind 'r erg overdreven doen', zei Riet. 'Ze mag weleens flink wakker geschud worden, als je 't mij vraagt. Zo kwijnend, bah.'

Emma speelde met het oor van haar kopje. 'Dat is zo, ze leeft in haar eigen droomwereldje. Eerst verliefd op die Fabrice, en dan op die Vincent.'

'En dan Otto.' Riets stem schoot uit. 'Ik begrijp niet dat ze zo'n goede partij laat schieten. Zeker als je al een poos verloofd met hem bent... Wat vond jij daarvan?'

'Laat me raden, dames,' mengde hij zich in het gesprek, 'jullie hebben het over Otto Erlevoort uit *Eline Vere*?'

Ze keken hem verrast aan. 'Toevallig heb ik het net voorgelezen aan mijn tante Saar, bij wie ik inwoon. Ze heeft gezondheidsproblemen', verduidelijkte hij. Daarna keek hij schalks naar Emma. 'Ja, mevrouw Van Boven, wat vindt u van die Otto?'

Haar ogen ontweken hem en ze keek snel naar haar zus.

'Ik vond het wel een geschikte vent', antwoordde Riet in haar plaats. 'Hij was goed voor Eline, kwam uit een goed milieu en hield oprecht van haar.'

Hij knikte. 'Bovendien, ze was nou eenmaal met hem verloofd. En verlovingen verbreek je niet zomaar, ook al word je verliefd op een ander. Toch?'

'Ja, maar wellicht had ze te snel toegestemd in de verloving.' Emma's wangen waren rood.

Hoffman schoof zijn stoel naar achteren en legde zijn hand op haar wang. 'Wat ben je warm, meisje.'

'Het zonnetje schijnt ook zo heerlijk.' Ze haalde zijn hand van haar wang weg. 'Ik vertelde net welk boek ik aan het lezen was.' Ze legde haar hand op haar tas, waar ze het boek in terug had gestopt.

'Houdt u ook van lezen?' vroeg Sam aan de heer Hoffman met twee effen en één n.

'Ik hou me bezig met belangrijker zaken dan lezen, moet ik u zeggen, mijnheer Warenaar.'

'Maarten gaat binnenkort de zaak van zijn vader overnemen', zei Hendrik. 'Een zaak in fournituren. Linten, biesjes, knopen, allerhande naaigaren en nu ook naaimachines. Op de Ceintuurbaan zitten ze, al jaren. En hij heeft grote plannen, nietwaar, mijnheer Hoffman?' Sliksma sloeg zijn arm om zijn aanstaande zwager heen en keek daarbij naar Emma. Die keek naar beneden en draaide aan een lok van haar haar.

Terwijl Hendrik en Hoffman hun conversatie weer opnamen, schoof Sam zijn stoel een stukje dichter naar Emma toe. 'En u, juffrouw Van Boven, hebt u ook grote plannen?'

Ze hield haar hoofd iets schuin en keek hem met onpeilbare ogen aan. 'Ja. Ik word schilderes.'

De middagzon scheen over de toppen van de populieren bij de vijver. Een paar reigers vlogen af en aan met takjes in hun snavels. De kerktoren in de verte sloeg vier uur. Of vijf uur. Of zes uur. Het maakte niet uit. Hij zat naast Emma en het was zomer.

Terwijl hij van de thee dronk, deed hij zijn best haar blik te ontwijken, en hij probeerde in plaats daarvan het gesprek van Hoffman en Hendrik te volgen. Hoffman had een trage, deftige stem en hij sprak langzaam, alsof hij eerst zorgvuldig nadacht of ieder woord wel goed gekozen was. Hij vertelde over zijn plannen om na hun trouwen een huis in de buurt van het pand van zijn vader te kopen. Dan kon zijn Emma daar naar hartenlust knutselen en schilderen als zij het huishouden aan kant had. Dat vond hij geen probleem, 'want een vrouw moet ook iets nuttigs omhanden hebben, nietwaar, poedeltje?' Hij gaf haar een tikje tegen de wang. Ze keek gegeneerd naar Sam, alsof ze hoopte dat hij het 'poedeltje' niet gehoord had, en Sam deed alsof hij uitgebreid bezig was met het inschatten van de afstand tussen de muziekkapel en het theehuis.

Hoffman wendde zich tot hem. 'En u, mijnheer Warenaar, hebt u ook grootse toekomstplannen?'

Sam aarzelde om antwoord te geven. Hij was werkloos.

'...Of hebben deze reeds een invulling gekregen?' Hoffman keek Sam aan en zijn sympathieke blik trof Sam onaangenaam. Emma keek naar de tas op haar schoot en streelde de kaft van haar boek.

'Ik word schrijver', zei Sam.

En op dat moment, in het Vondelpark, voelde hij zich even de schrijver waar zij verliefd op werd. Toen de zon zo mooi in haar ogen scheen en de wereld vol beloftes was en hij die ellendige Hoffman wel voor zijn kop had willen slaan en Emma in zijn armen wilde nemen en hij zo zeker wist dat alleen hij haar begreep.

Vroeger schreef hij wel. Korte verhaaltjes die niemand mocht lezen, ofschoon ze best aardig waren. Ze woonden met het gezin op een beurtschip, zijn vader, zijn stiefmoeder en acht kinderen. 's Nachts verstopte hij zich stiekem achter de trossen op het voordek om zijn verhalen voor te lezen aan zijn moeder. Een aantal kende hij uit zijn hoofd.

Zijn moeder genoot van zijn verhaaltjes. Ze vond ze prachtig, dat wist hij zeker, al was ze dood. Het gaf ook niet dat hij sommige verhaaltjes wel tien keer vertelde, ze kon ze toch niet horen. Hij herinnerde zich een keer dat hij zo graag wilde dat ze hem antwoord gaf dat hij midden in de nacht uit volle borst een van zijn lievelingsverhaaltjes declameerde, hangend over de reling van het schip. Maar de enige die het hoorde was zijn vader, die boos uit het slaapvertrek kwam en hem aan de haren over het dek sleurde. Het was een verhaaltje over een jongen die zijn naam in iedere boom kerfde om er zeker van te zijn dat er nog iets van hem bleef bestaan nadat hij gestorven was. Het verhaal had overigens geen goede plot, vond hij zelf. Op de middelbare school had hij eens een opstel geschreven waar hij een tien voor had gehaald. Het ging over een jongen die onzichtbare lijnen tussen de sterren trok omdat hij twijfelde aan de bestaande sterrenstelsels, en in die lijnen probeerde hij woorden te vinden die de hemel wilde vertellen, in de hoop dat er wellicht een andere waarheid was dan die waar iedereen in geloofde. En een keer had hij op aanraden van zijn tante Saar een verhaaltje opgestuurd naar een tijdschrift. Dat was vlak nadat hij met zijn vader, stiefmoeder en alle acht kinderen naar de vieze bovenwoning in Amsterdam was verhuisd. Hij vond het helemaal niet erg dat daar voor hem geen ruimte was en dat hij moest intrekken bij zijn tante Saar, de zus van zijn overleden moeder. Tante Saar die elke dag met haar neus in de boeken zat, die hem met kleine gebaartjes en stembuigingen deed denken aan zijn eigen moeder, tante Saar die steeds minder buitenkwam en steeds slechter kon zien.

Maar luisteren kon ze wel, vooral naar zijn verhaaltjes, net als zijn moeder vroeger. Het verhaaltje dat zij het mooist vond ging over een kluizenaar die had besloten dat de wereld van verhalen interessanter was dan de echte. Hij begroef zich onder verhalen en kwam bijna nooit de deur uit, maar hij las over interessante onderwerpen en verre landen die hij nooit zou bezoeken. Hij droomde over woorden en letters die zich aaneenregen tot een lang touw, en toen hij besloot de woorden van dat touw op te schrijven, ontstond er zomaar een boek. Nadat het gepubliceerd was, leek het voor iedereen alsof hij een rijk en opwindend leven leidde, maar niemand wist dat hij zich iedere avond toedekte met kaften en pagina's en toen zijn kat – die was komen aanwaaien en weigerde weg te gaan ook al kreeg ze geen eten, alleen een schoteltje melk en af en toe een aai over haar ruggetje – doodging, drupten zijn tranen op de ontelbare bladzijden, en hij droogde ze met papier dat hij uit dubbel aangeschafte boeken scheurde. Na zijn dood wilde hij begraven worden naast de kat, in een hoekje van zijn eigen tuin en hij werd herinnerd als een wereldwijs man, en zijn tallozc bewonderaars eerden hem jaarlijks op het plein van het dorp, naast het standbeeld van een beroemde dichter, en ze noemden hem de Grote Wijze Man van Aramarswena. Dat was de titel van het verhaaltje, 'De wijze man uit Aramarswena'.

'Waar ligt dat eigenlijk?' vroeg tante Saar, die altijd op zoek was naar diepere lagen en verstopte aanwijzingen.

'Nergens. Ik heb het uit mijn duim gezogen. En nee, er zitten geen diepere lagen in. Ik zou het net zo goed "De domme man uit Aramarswena" kunnen noemen. Want wat de een wijs noemt, vindt de ander dom. Je kunt net zo goed over een grote kluizenaar schrijven als over een kleine. Of over een goede of een slechte.'

5

'Nee', beaamde Anke snel. 'Die man kan er ook niets aan doen.'

'IK GA ZONDAG NAAR HET ANNE FRANK HUIS. NU IK ZO DRUK bezig ben met de voorbereidingen voor het Yad Vashem-feest, wil ik me wat meer verdiepen in de oorlog. Ik ben daar alleen als klein meisje geweest.'

Anke en ik stonden op het schoolplein op onze dochters te wachten. Ze keek me aan. 'Heb je zin om mee te gaan? Dan nemen we Sterre en Fleur ook mee. Lisa kan niet, want zij heeft een kinderfeestje.'

'Ja hoor, ik heb toch niets speciaals te doen zondag.'

'Dat is mooi.' Ze knikte verheugd. 'We moeten wel zorgen dat we om drie uur klaar zijn, want ik moet nog een aantal dingen met Simon Daniëls doorspreken voor het feest.'

'Wat moet je er allemaal voor doen?'

'Ik heb de uitnodigingen verzorgd, er komen een man of dertig, en ik heb een zaaltje gereserveerd in hotel De Verre Einder op de Keizersgracht. Er komt een receptie en daarna een diner voor de familie en een paar vrienden uit het zorgcentrum. Ik heb gevraagd of het hoofd van dat zorgcentrum een praatje wil houden. Er worden nog meer speeches gehouden, maar dat regelt Simon Daniëls. En', haar ogen twinkelden, 'ik heb contact gelegd met een journaliste van het *Noordhollands Dagblad*. Het is best interessant voor een stukje in de krant. Wie weet. En anders is het goed voor mijn netwerk', besloot ze vrolijk.

Fleur en Sterre zaten tegenover ons in de trein naar Amsterdam en bladerden in de documentatie over het Anne Frank Huis die we hadden opgevraagd om ze voor te bereiden.

'Dus Anne Frank zat langer dan een jaar verstopt in het Achterhuis.' Sterre keek me aan alsof ze het niet geloofde. 'En ze mocht niet buiten spelen.'

'Nee, want dan zouden ze worden opgepakt.'

'Door wie dan?' vroeg Fleur.

'Door de Duitsers.'

'Maar ze zijn dus wel opgepakt?'

'Ja. Door mensen die samenwerkten met de Duitsers. NSB'ers waren dat. Nederlandse mensen die aan de kant van de Duitsers stonden.'

Ze waren er stil van. Ik zocht in mijn tas naar een pepermuntje en bood Anke er ook een aan. Ze schudde haar hoofd en vroeg of ik volgende week woensdagavond iets te doen had.

'Nee. Alleen Sterre naar Rick brengen.'

'Dat is toch in Amsterdam?'

'Ja.' Ik keek haar vragend aan.

'Zou jij met me mee willen gaan naar die Yad Vashem-receptie? Mijn zus kan niet, ze heeft gisteren haar achillespees gescheurd tijdens het hockeyen en ze kan geen stap zetten. En anders zit ik in mijn eentje tussen die oude knarren.'

Ik haalde mijn schouders op. 'Mij best. Ik ben toch al in Amsterdam.'

Bij het Anne Frank Huis kregen de meisjes een papier met een speurtocht van de baliemedewerkster. We stonden in het kantoor van mijnheer Kugler, de man die het bedrijf van Otto Frank leidde toen de familie Frank ondergedoken was. 'Wat voor tijdschrift nam mijnheer Kugler altijd mee voor Anne?' Fleur keek vragend naar haar vriendinnetje.

'Een filmtijdschrift', antwoordde Sterre. 'Dat is nummer C.'

Op de muur stond een fragment uit het dagboek. '26 mei 1944 – ...Kugler die de kolossale verantwoording van ons achten soms te machtig wordt en die bijna niet meer spreken kan van ingehouden zenuwen en opwinding...'

'Zo moet mijn grootvader zich ook hebben gevoeld. Ik heb zo'n bewondering voor de mensen die hun nek hebben uitgestoken in de oorlog,' zei Anke, die naast me was gaan staan.

Achter onze dochters aan klommen we de trap op naar het Achterhuis. Ik wees Sterre op de boekenkast. Ze was diep onder de indruk. 'Dus daar had Anne Frank zich verstopt.'

Ik knikte. Nog steeds was ik gefascineerd door die kastdeur. Een heel huis achter zo'n kast ; alleen het idee al had iets magisch. De gedachte dat alles wat in het dagboek van Anne Frank staat echt gebeurd is, gaf een vervreemdend gevoel. Alsof je in een boek bent beland, in een spookachtige nachtmerrie, en er dan achter komt dat je niet droomt.

De meisjes bekeken de filmsterrenplaatjes op het kamertje van Anne en de rare wc die je alleen maar 's nachts mocht doortrekken. In mijn eentje liep ik door naar de zolder. Op de muur las ik een tekstfragment. 'Om een toekomst op te bouwen moet je het verleden kennen – Otto Frank '67.' Nadenkend ging ik de trap af naar beneden.

Vanaf de overloop hoorde ik de stemmetjes van de meisjes die met Anke voor het raam van de achtertuin stonden te kijken naar de kastanjeboom.

'Waarom zit dat eromheen?' vroeg Fleur. Ze wees naar de stalen constructie die moest voorkomen dat de boom omvalt.

'De boom is ziek.'

'O. Ik wist niet dat bomen ook ziek konden worden', zei ze.

De kastanjeboom raakte me. Misschien omdat hij ziek was. Of zij, ik denk graag dat het een zij is. Ze is oud en wordt gestut als een oude grande dame met een wandelstok en krijgt medicatie om haar aftakeling tegen te gaan. Ze wordt kunstmatig in leven gehouden opdat zij ieder voorjaar met opgeheven hoofd haar witte kaarsjes kan laten branden.

'De kastanjeboom hoort echt bij het Achterhuis', zei Anke tegen me, over de hoofden van onze dochters heen.'

'Ja. Zelfs de naam staat symbool voor haar leven. Je kunt er gemakkelijk de naam An uit halen. Blijft over: "kastje – wat het Achterhuis toch is geweest.'

Sterre was er ook niet gerust op. 'Maar mama, straks waait hij om. Waarom halen ze hem dan niet weg?'

'Ik denk dat ze hem laten staan omdat ze de herinnering aan het lot van de joden levend willen houden. We kunnen ervan leren', zei ik.

'Wat kunnen we ervan leren?' vroeg ze.

Ik keek in de vragende ogen van mijn dochter. Hoe kun je zulke zaken uitleggen aan een kind van nog geen acht jaar? 'Dat we mensen die een ander geloof hebben niet anders moeten behandelen.'

Ze keek nadenkend voor zich uit. 'Zoals Achmed en Jazir in onze klas? Die moeder van Jazir heeft een hoofddoek om. En ze spreekt niet eens Nederlands.'

'Precies.'

Buitengekomen liepen we naar het café op de hoek van de Westermarkt en we bestelden een ijsje. De meiden luisterden naar het geklingel van de Westertoren en voerden kleine stukjes van hun ijshoorntje aan een paar duiven op het terras.

Anke boog zich naar me over. 'Wist je dat de grootvader van Evert van Straten uit de activiteitencommissie een NSB'er was? Zijn ouders hadden een juwelierszaak op de Zaandijk, maar je zag er nooit iemand in de winkel. Iedereen wist dat ze fout waren geweest in de oorlog.' Ze zegt het fluisterend. 'De zoon van die NSB'ers, de vader van Evert dus, is vrij jong overleden. Ze denken dat hij zelfmoord heeft gepleegd.'

Ik schoof wat dichter naar haar toe. 'Evert... Je bedoelt toch niet die vader van Isabel uit 3b? Die met dat baardje en dat brilletje?'

'Ja, die.'

'Echt waar? Goh, dat zou je ook niet zeggen. Ik bedoel...' haastte ik me te zeggen, 'die man kan er natuurlijk ook niets aan doen.'

'Nee', beaamde Anke snel. 'Die man kan er ook niets aan doen.'

6

'Maar het klonk precies of ze zei: het is uit.'

HET WAS INMIDDELS HERFST GEWORDEN. EMMA HAD HIJ SINDS die theekransjes in het Vondelpark niet meer gezien, maar op een middag, toen hij terugkwam van een bezoek aan de drogist om een zakje hoofdpijnpoeders te halen voor tante Saar, zag hij haar lopen. Ze liep aan de overzijde van de gracht, zonder chaperonne, net als die eerste keer. De regen kwam met bakken uit de lucht vallen. Hij draaide zich om, liep sluipend naar de brug, en daar aangekomen deed hij net alsof de ontmoeting toeval was.

'Dag Emma.'

'Dag mijnheer Warenaar.'

Aan haar geschrokken houding merkte hij dat ze hem liever had willen ontwijken. Hij had haar al enkele malen aangespoord hem bij de voornaam te noemen, maar dat vond ze zeker te familiair.

'Hoe gaat het met je?'

'Wel goed. En met u?'

'Prima. Ik heb even een boodschap gedaan bij drogisterij Gelderman en ben nu net op weg naar huis.' Ze zweeg en liep met haastige passen voor hem uit, alsof ze achtervolgd werd.

'Mijn tante Saar, bij wie ik inwoon, is ziek.'

'Wat naar voor haar.'

'Ja, dat is het zeker. Het is maar goed dat ik bij haar inwoon. Mijn oom is namelijk enkele jaren geleden overleden, tijdens een reis op een tanker voor de Nederlandsch-Indische Tank-Stoomboot Maatschappij. Dat is een tanker met een stoomturbine en ze vervoeren kolen. Niet alleen kolen, maar ook olieproducten. Ze waren op weg naar...' Wat ratel ik, dacht hij.

'O', zei ze alleen.

Hij keek haar van opzij aan. 'Wat een regen, zeg.'

'Ja, al dagen. Het wordt maar niet droog.'

De straat was glad en grauw. Hij stapte in een plas en voelde het water langzaam door zijn linkerzool naar binnen komen.

'Gaat het wel goed met je? Je ziet eruit alsof iets je op het hart drukt', probeerde hij.

'Het gaat prima met me.' Ze liepen nog een tijdje zwijgend verder. Zijn rechterzool was ook lek, ontdekte hij. Zijn passen maakten een soppend geluid en hij hoopte dat ze het niet hoorde.

'Wat voor boek ben je op het moment aan het lezen?' vroeg hij ten slotte.

Zelfs dat hielp niet. Ze zette de kraag van haar mantel omhoog en drukte haar hoed steviger op haar hoofd.

Zwijgend liep hij naast haar. 'Al-tijd-is-Kort-jak-je-ziek' zong het irritant door zijn hoofd, op het ritme van hun voetstappen. Hij probeerde aan iets anders te denken en versprong met zijn voet om de cadans te verstoren, maar het lukte niet. Na een poosje zei Emma dat ze moest oversteken en ze wenste hem een goedenavond. Maar hij zei geen goedenavond terug, want hij wilde niet dat hun wegen zich zouden scheiden. En juist toen ze de straat in liep, riep hij haar na: 'Hoe gaat het met je verloofde?'

'Vast wel goed', zei ze.

Maar het klonk precies of ze zei: 'Het is uit.'

De klok in de vestibule sloeg acht langzame slagen toen Sam bij huize Sliksma aanbelde. Hendrik had hem gevraagd hoe het ervoor stond met de arbeid; hij was nog steeds zonder werk. Hendrik had hem gezegd dat hij maar eens een avondje langs moest komen; hij kon wellicht iets voor Sam regelen.

'Want ik heb zoveel contacten', zei hij, en hij glimlachte breed, waardoor zijn snor nog groter werd dan normaal. 'Via de NSB. De Nationaal-Socialistische Beweging', voegde hij er nogal overbodig aan toe, en keek om zich heen alsof die contacten zich allemaal om hem heen bevonden en ademloos naar hem opkeken.

'Weet je wat, kom zaterdagavond maar even langs. Dan gaat Riet toch naar de zang.'

'Uitstekend, uitstekend', antwoordde Sam, want hij wist dat Emma ook op het zangkoor zat en dat ze er altijd samen met haar zuster heen ging.

De familie Sliksma bewoonde de benedenwoning van een statig pand langs een van de grachten in de stad. Er lagen kostbare tapijten op de grond in de hal en zelfs de slagen van de klok klonken duur.

Sam luisterde naar de verstervende galm van de bel en wachtte tot de deur geopend zou worden. Hij was vol goede moed. Iedere dag van de week had hij zich voorgesteld dat Emma daar zou zitten, alleen uiteraard, want het was uit, en dat ze hem stilletjes zou observeren en dat ze ongemerkt iets dichter naar hem toe zou schuiven. En dan zou hij haar vragen wie haar van de zangavond zou halen en zou hij aanbieden haar op te wachten, vervolgens zou zij hem dankbaar toelachen en dan zou hij...

Riet trok haar neusje op toen ze Sam binnenliet. Sam volgde haar door de vestibule waar een grote kroonluchter het vertrek verlichtte. Toen hij over de drempel van de glazen salondeur stapte, keek hij recht in het gezicht van Maarten Hoffman.

Hij was zo verrast dat hij even de tijd nodig had om te herstellen. Omslachtig deed hij zijn jas uit en gaf die aan Riet, die hem aan de kapstok hing. Hoffman zat in een grote leren fauteuil, met zijn armen losjes over de leuningen, en keek Sam bedaard aan. Naast hem zat Emma. Haar haar was streng uit het gezicht naar achteren getrokken en ze zat met haar handen ineengevouwen op haar schoot, rondjes draaiend met haar duimen.

Riet trok een stoel voor Sam bij, maar hij bleef staan omdat hij plotseling de aandrang voelde zo snel mogelijk weer te vertrekken. Het gezelschap keek hem vragend aan. Ten slotte stak hij zijn hand uit naar Emma's aanstaande omdat die het dichtst bij hem zat, en drukte die vormelijk.

'Dag mijnheer Hoffman.'

'Zeg maar Maarten', zei hij met een droge glimlach. Emma zat naast hem en Sam stak zijn hand naar haar uit.

'Dag ehhh...' Hij durfde opeens niet 'Emma' te zeggen. Maar ze vulde het voor hem in terwijl er een verlegen glimlach om haar lippen verscheen. Vervolgens stond ze op en liep ze Riet achterna, die de kleine Hans in bed ging leggen.

Hij stond nog steeds naast de stoel en verplaatste het gewicht van zijn ene been naar het andere. Op een glanzend notenhouten dressoir tegenover de rookstoel stonden enkele fotolijstjes die hij nauwgezet bestudeerde. Maarten liep met langzame passen naar het raam en leunde met zijn beide handen op de vensterbank.

Hendrik kwam naast Maarten staan en kuchte even. 'Ik had laatst een landdag van de Nationaal-Socialistische Beweging. Het was in Utrecht en ik kan jullie wel vertellen: ik was zeer onder de indruk. Het was laaiend druk, er werden zelfs extra treinen ingezet om de mensen op de plaats van bestemming te krijgen. We hadden allemaal een zwart uniform aan en we liepen in marsorde naar de jaarbeurs. En dan te bedenken dat de organisatie nog maar twee jaar bestaat. Er is zoveel interesse naar. Die Mussert, die heeft echt iets te zeggen. Wat vind jij van die beweging, Maarten?'

Hoffmans rug zweeg.

Hendrik ging verder, op gezwollen toon. 'In deze tijd van armoede en werkloosheid is het nodig dat er iemand opstaat en het belang van het volk onderstreept. Kijk, jij hoeft je niet zo druk te maken. Jij hebt je schaapjes op het droge, maar omdat jouw zaak toevallig goed loopt, wil dat niet zeggen dat je je ogen moet sluiten voor degenen die het minder hebben. Wat jij, Sam?'

Sam bestudeerde juist een kiekje van Hansje en zette het haastig terug. 'Hij heeft interessante ideeën. En het is altijd goed om de aandacht op de minderbedeelden te houden.'

'Dat ben ik met u eens, mijnheer Warenaar', zei Hoffman. 'Maar dat hoeft niet alleen maar door middel van de persoon Mussert. De man heeft veel aanzien in bepaalde kringen, maar ik zal u zeggen, de mensen bij ons in de...'

Sam keek naar Hoffmans onberispelijke colbert en dacht aan zijn onberispelijke zaak en aan zijn onberispelijke haren. Wat deed hij eigenlijk hier, die gladjanus?

'Och kom, mijnheer Hoffman,' zei hij, 'de eerste christenen, daar was ook iedereen tegen. Men is vaak bang voor mensen met een krachtige uitstraling. En hebt u enig idee waarom?'

Hoffman zweeg, aangevallen.

'Jaloezie, mijnheer Hoffman, jaloezie. Zodra iemand iets nieuws te vertellen heeft, denken de mensen dat er een addertje onder het gras moet zitten. Kenmerkend voor de calvinistische geest, nooit eens oprechte bewondering durven tonen. De kracht van de leider herinnert hen aan hun eigen middelmatigheid. Het is niet goed of het deugt niet.' In het vuur van zijn betoog maaide Sam met zijn linkerarm het kiekje op de grond. Het viel op het kleed.

'Excuseer, Hendrik.' Haastig zette Sam het portretje terug. Het was niet gebroken.

'Geeft niet, makker.' Hendrik, nam het gesprek enthousiast over en ging verder over de organisatie. 'En we hebben zelfs een eigen groet.' Hij keek hen een voor een trots aan.

‘O ja?’ Hoffman keek verveeld.

‘Ja, Hou Zee!’ Hij ging staan, sloot zijn voeten tegen elkaar en terwijl hij met een gladgestreken gezicht zijn arm recht vooruitstak, bulderde hij nogmaals: ‘Hou Zee!’

‘Ssstt, Hendrik’, zei Riet, die haar hoofd om de hoek van de achterkamer stak. ‘Straks maak je de kleine jongen nog wakker.’

De dames waren inmiddels klaar om te vertrekken naar zangles en Hoffman stond ook op. Ze namen afscheid van Sam en hij bleef achter met Hendrik, die hen uitgeleide had gedaan en plaatsnam in de fauteuil tegenover hem.

Sam stak een sigaret aan en blies de lucifer langzaam uit.

‘Zit die Hoffman ook op zangles?’ vroeg hij.

‘Nee.’ Hendrik duwde met zijn onderlip een draadje tabak naar buiten, of een verdwaalde snorhaar. ‘Maar hij brengt de dames erheen. En dat is erg genereus, want gezien de omstandigheden...’

Sam ging rechtop zitten. ‘Wat bedoel je?’

‘Emma heeft de verloving uitgesteld. Wist je dat niet? Ze wil er nog eens goed over nadenken, had ze gezegd. Wij vinden het allemaal heel spijtig, want hij was zo’n goede partij voor haar. Zelfs Riet begrijpt ’r eigen zus niet. En ze gingen toch ook al bijna twee jaar met elkander om... Enfin, ’t is jammer.’

‘Ja, erg jammer.’

Hendrik zette twee borrelglaasjes op tafel neer en schonk er jenever in.

‘Maar waarom brengt hij de dames dan toch naar zangles?’ Sam speelde met een losgetrokken draadje van de stoelbekleding.

‘Hij wil beslist niet dat Emma ’s avonds in het donker over straat gaat. Hij is nogal beschermend, zie je.’

‘Of hij denkt: ik probeer het gewoon weer.’

‘O nee’, antwoordde Hendrik verontwaardigd. ‘Zo is hij niet. Het is een heer. Hij zal geduldig wachten tot Emma zelf weer avances maakt, al duurt het z’n hele verdere leven, daar durf ik een eed op af te leggen.’ En hij drukte met kracht zijn sigaret uit in de staande asbak naast de leuning van zijn stoel, alsof hij daarmee zijn uitspraak bezegelde.

Nadenkend dronk Sam van zijn borrel. Hij vroeg zich af hoe hij in contact kon komen met Emma nu zij onder de bescherming bleef van Maarten Hoffman. Hendrik begon weer over zijn stokpaardje, de Nationaal-Socialistische Beweging. Tijdens het luisteren bestudeerde Sam zijn bovenlip, waarop de rode snorharen olijk op en neer wipten, als de borstels van een nijvere bezem, en af en toe knikte hij instemmend als om aan te geven dat hij het volledig met hem eens was. Door zijn hernieuwde vriendschap met Hendrik zou hij dichter bij Emma komen, en toen Hendrik hem vroeg ook lid te worden van de beweging, zei hij zonder aarzelen ja.

'Dat is fijn, maat.' Hendrik zou het lidmaatschap wel even in orde maken. Sam moest een maandelijkse donatie doen, als dat geen probleem was – hij keek hem even voorzichtig aan – en hij moest enkele papieren invullen, maar daar zou hijzelf wel even achteraan gaan.

Sam hoorde de klok in de vestibule tien uur slaan en keek uit het raam. Het viel hem opeens met schrik in dat Hoffman zijn ex-schoonzus weleens aan de deur zou kunnen afzetten, om daarna zelf Emma thuis te kunnen brengen. Van die gedachte werd hij onrustig en hij vergat bijna waarvoor hij was gekomen, totdat Hendrik er zelf over begon.

'Ik heb misschien wel een betrekking voor je. Een echte, bedoel ik.' Hendrik voelde even aan het uiteinde van zijn snor en boog zich naar hem toe.

Sam veerde op in de stoel waar hij steeds dieper in weggezakt was. 'Dat is mooi, man. Waar?'

'Bij het bevolkingsregister, bij de expeditiebediening. Er werken daar een paar NSB'ers die ik heb ontmoet tijdens het laatste defilé. Ze hebben het erg druk. En op den duur zullen er misschien wel kansen zijn om op te klimmen...' Hij keek Sam veelbelovend aan.

Terwijl Sam de woorden van Hendrik op zich in liet werken, dacht hij aan het vooruitzicht een echte baan te hebben. En dan ook nog eens geen arbeidersbaantje, maar op kantoor. Ze dronken nog een glaasje en Hendrik vertelde over de kringbijeenkomst die de volgende maand zou worden gehouden. De bel klonk. Hendrik liep naar de vestibule.

'Dag heer en dames!' Door de glazen salondeur zag Sam tot zijn ergernis dat Hoffman ook binnengekomen was. Hij hielp Emma met het uittrekken van haar mantel en legde zijn hoed op de plank boven de kapstok.

'Kan ik jullie nog een drankje aanbieden?' vroeg Hendrik. Hij ging hen voor naar de achterkamer, waar de kachel brandde. Sam zag Emma aarzelen voordat ze plaatsnam. Ze koos een stoel zo ver mogelijk van Hoffman vandaan.

Riet dronk haar glaasje leeg en begon over de zangavond. Hoe goed de baspartij klonk. En hoe mooi de partituur was. En hoe aardig de dirigent. 'Zo'n interessante man! Vind je ook niet, Hendrik? Bernhard Osendal heet hij. Jij kent 'm toch?'

'Jazeker', zei Hendrik met een rollende r. 'Een charismatische man!'

'Zullen we er nog ééntje nemen?' vroeg Riet even later. Terwijl ze de glazen volschonk zong ze een liedje over een overspelig paartje. Hendrik tikte met zijn vingers op de maat. Emma giechelde en keek naar Hoffman, die strak voor zich uit keek.

'Hebt u een mooie stem, mijnheer Warenaar? Zingt u weleens?' vroeg Riet terwijl ze van haar vierde glaasje nipte.

'Rita!' Hendrik keek zijn vrouw aan. 'Straks ga je nog vragen of de heer Warenaar meegaat naar de repetities!'

'We hebben nog wel een tenor nodig', zei Emma zachtjes. Haar wangen kleurden hoogrood.

'Maar dat is toch juist iets voor jou, Maarten?' zei Riet en haar stem schoot een octaaf omhoog bij het woordje 'jou'.

'Maarten houdt niet van zingen', zei Emma snel. 'Bovendien heeft hij een bas.'

Hoffman glimlachte zuinig.

Sam greep zijn kans. 'Dames, ik ga volgende week met jullie mee. Mag dat, mijnheer Hoffman?' voegde hij eraan toe en terwijl hij zich afvroeg waarom hij dat zei, voelde hij zich opeens belachelijk.

'Uiteraard, mijnheer Warenaar', antwoordde Hoffman op ondoorgrondelijke toon, en hij streek over zijn hoofd alsof hij door zijn gladde haren in toom te houden zichzelf net zo onberispelijk kon voordoen als zijn kapsel was. Sam zag Emma ernaar kijken en wist zeker dat ze hetzelfde dacht als hij.

Tijdens de zangrepetities die hij met ingang van de week erop iedere zaterdag bijwoonde, zorgde Sam ervoor dat hij vlak bij Emma in de buurt stond en soms, als hij voldoende moed had verzameld, sprak hij haar aan. Vaak stelde hij zijn vraag zo onhandig dat het gesprek al snel daarna volkomen doodviel. Ook zij durfde geen avances te maken. Misschien liet zij zich te vaak afschrikken door Riet, die haar kansen om Emma weer te koppelen aan de geduldig wachtende Hoffman met de week zag slinken. Of kwam het door Bernhard Osendal, de dirigent met het toverstokje die Sam iedere keer aan de praat hield over muziek of over zijn stokpaardje, het nationaalsocialisme?

Sinds zijn eerste ontmoeting met Emma was hij zo geïnspireerd geraakt dat hij wel tientallen liefdesgedichten voor haar had geschreven, die hij bewaarde op de buffetkast in de voorkamer onder een oranje gebloemde geëmailleerde vaas van een zus van oom Stijn, die haar familie had verlaten om te trouwen met een losbandige arbeider en die daardoor haar erfstuk was misgelopen. Soms nam hij een paar gedichten mee naar de zangvereniging, maar hij durfde er nooit een aan haar te geven en legde ze na afloop weer terug onder de vaas.

De maanden die volgden leken eindeloos lang te duren, de stapel gedichten die hij voor Emma maakte begon te groeien en de emaillen vaas begon te wankelen en zou zeker zijn gevallen, als ze niet waren begonnen met het repeteren van een stuk voor de feestavond van de plaatselijke majoretteverenigìng '*Een stokje voor*' en samen het liefdesduet hadden moeten instuderen. Want tijdens het zingen vergaten ze de rest van de wereld. Na de uitvoering waren ze niet meer te houden, en toen ze de kerk uit liepen, knoopten ze hun mantels niet eens dicht en renden ze alsof het was afgesproken naar een bankje in de steeg vlak bij haar huis alsof dat al die tijd op hun komst had gewacht. Hij kuste haar wangen en haar mond en daarna wilde hij maar één ding: volledig in haar verdwijnen en in haar opgaan, en zij zat op de leuning en hij stond voor haar, en hij vertelde haar dat hij met haar wilde trouwen en zij keek hem eerst even aan alsof ze niet geloofde dat een liefde als deze kon bestaan, maar hij overtuigde haar ervan dat het zo was en knoopte haar bloesje los en zei haar dat het niet uitmaakte of de mensen hen zouden zien of horen en dat ze zich niet hoefde te schamen voor haar borsten die, nadat hij haar beha had losgemaakt, zo zacht en schuchter tevoorschijn kwamen als hertjes aan de rand van het bos, en hij wilde ze aaien, troosten, lokken om ze maar zo dicht mogelijk bij zich te hebben, tegen zijn hart gedrukt, en juist die schuchterheid maakte hem wild van verlangen en toen zij één werden op dat bankje en het uitschreeuwden van geluk, klonk haar stem nog luider dan de zijne, en nadat hij haar beha weer had dichtgemaakt, haar hemdje in haar rok had gestopt en haar broekje over de dijen omhoog had gestroopt, voelden zij pas hoe koud het was, hun benen klam van het vochtige hout, en toen pas werd hij zich bewust van zijn broek op zijn knieën in het witte maanlicht en zij zei het geeft niet, alsof ze zijn ontreddering aanvoelde, en hij kleedde zich aan en de knoop ging niet goed dicht en daar moesten ze beiden zenuwachtig om lachen.

Het was zo intiem, die avond op dat bankje. Het was zo mooi, tot het moment dat ze hem plotseling aankeek, verwilderd, en fluisterde: 'Maar Maarten dan, hij...'

Maar hij kuste haar woorden weg en kuste haar lippen en

kuste haar hals en fluisterde heel zachtjes in haar oor: 'Vergeet die Hoffman. Hij past niet bij je, Emma, en dat weet je zelf ook.'

Ze lachte en duwde zijn hoofd uit haar hals.

'Je kietelt me', zei ze.

7

'Ze bedoelde je achtergrond, je afkomst of het gezin waar je uit komt.'

'IK VIND ROZE TOCH MOOIER.' MIJN COLLEGA JOCHEM STREEK zachtjes over de knalroze laag tule die hij in zijn armen hield. Ik stond op een ladder, bedolven onder een laag gele tule die we aan het plafond van de etalage van een cadeauwinkel moesten bevestigen. Jochem is homosexueel en een van de liefste mannen die ik ken.

Mijn werk werd steeds belangrijker voor me toen het tot me door begon te dringen dat mijn huwelijk in het slop was geraakt. Ik vond troost in de stoffen, in de vormen en de kleuren die ik gebruikte om de etalages mee te decoreren. Ook al stortte een deel van mijn leven in, er was altijd weer die lege etalage die wachtte om tot leven te worden gewekt. Die etalage die ik kon verfraaien zoals ik dat zelf wilde, die zich aan mij openbaarde als ik ervoor stond. Alsof een magische stem me influisterde hoe ik de materialen moest combineren, alsof het ontwerp al in mijn hoofd zat en ik alleen nog maar die stem hoefde te volgen om de juiste combinaties te maken. Hoe slechter het tussen Rick en mij ging, hoe meer ik vluchtte in die zelfgeschapen wereld van kleuren en vormen. Ik kreeg grotere opdrachten, mijn klantenkring breidde zich uit en de omzet van mijn bedrijfje steeg. De avonden dat Sterre naar bed en Rick weet ik waar was, haalde ik uit de gangkast de vierkanten glazen mal die ik gebruikte om fantasie-etalages mee te ontwerpen. Keer op keer richtte ik hem opnieuw in, ik modelleerde en decoreerde de mal tot het resultaat in de buurt kwam van wat er in mijn verbeelding was ontstaan.

Jochem had ik ontmoet op een beurs in Gent. Zijn vriendelijke ronde gezicht en zijn opgewekte natuur vielen me tijdens het werken al op, en na afloop stortte ik in een café op het plein van de Sint Bataafskathedraal mijn hart bij hem uit over mijn relatie. Toen ik thuiskwam gaf ik Rick de keus: zij eruit of ik eruit. Ik vermoedde al een aantal maanden dat hij een verhouding had, maar ik had tot dan toe de confrontatie niet aan willen gaan. Rick begon te huilen, hij kon niet kiezen tussen mij en die ander. Ik hakte zelf de knoop door en zette de echtscheiding in gang. Door alle problemen was ik niet meer in staat mijn eigen bedrijf te runnen en via Jochem kwam ik in loondienst bij DeCoco, een Frans decoratiebedrijf met een eigen stijl: elegant en eigenzinnig, met zachte kleuren en verrassende materialen; een knipoog naar *de roaring twenties* van Coco de Chanel en de Franse rococostijl. Het verbaasde me hoe weinig moeite ik had met voor een baas te werken. De rust, het vaste salaris, het ontbreken van de administratieve rompslomp en de mogelijkheid een hypotheek te krijgen voor een eigen huis voor Sterre en mij was zo veel belangrijker. Ook het hebben van een vaste collega als Jochem, iemand met wie je kunt lachen, met wie je kunt gezellig kunt keuvelen over onbelangrijke onderwerpen, deed me goed.

Voorzichtig klom ik van de ladder. Jochem had de roze tule als een sjaal om zich heen gedrapeerd. Naast hem stond een doos met dennenappels, die we zilver moesten spuiten. Hij pakte er een uit. 'Had ik je verteld dat ik laatst bij een workshop was waar we dennenappels moesten verbranden?'

'Heb je daar tegenwoordig ook workshops voor?' Ik zette de ladder aan de kant. Het was tijd om naar huis te gaan.

'Ja. De workshop heette "Materie is energie". De vrouw die de workshop gaf is een aanhangster van de theorieën van Helena Blavatsky. Ken je die?'

'Was dat niet een of andere mystica?'

'Klopt. Zij was een theosofe uit de negentiende eeuw. Materie is energie, volgens haar theorie. Als energie vrijelijk kan stromen, dan leidt die ons vanzelf naar de goede weg. Volgens de vrouw van de workshop moet je dus op zoek gaan naar oude energieblokkades in je onderbewuste. De theorieën deden me trouwens ook een beetje denken aan de ideeën van Jung. In die workshop gingen we onderzoeken of we zelf oude energieblokkades hebben. En dat deden we door...' Hij reikte naar de mand en haalde er nog een appeltje uit. 'Het verbranden van dennenappels.'

'Echt?' Ik schoot in de lach.

Hij ging onverstoorbaar verder. 'De achterliggende gedachte is dat energie en materie samenvallen. Je eigen energie smelt samen met de materie van de dennenappel. Bij het verbranden van de appel is de materie verdwenen, maar de energie niet. En die energie kun je aflezen in de as van de appel.'

'Dat is dus het DNA van de dennenappel.'

'Ja, zo zou je het kunnen zien. Het is een blauwdruk van je ziel, en het heeft een volstrekt unieke vorm, volgens de vrouw van de workshop dan. Het brengt je op het spoor van je eigen energieblokkades.'

'Bijzonder. Als je erin gelooft...'

'Het belangrijkste is natuurlijk de interpretatie. Je moest zelf vertellen wat je in de vorm van de as zag. Dat gaf aan wat er in je onderbewuste leefde. Je heimelijke wensen, verlangens, of verborgen angsten en blokkades. Maar niet alleen dat; het ging ook om angsten die misschien nog wel verdergaan dan je eigen leven.'

'Verder dan je eigen leven? Sorry Jochem, maar ik vind het volslagen nonsens.'

'Ze bedoelde je achtergrond, je afkomst of het gezin waar je uit komt. Blokkades die ontstaan zijn door iets wat in het verleden heeft plaatsgevonden. Ach, het is ook wel een beetje nonsens. Je moet het met een flinke korrel zout nemen.'

Ik grinnikte. 'En wat was de blauwdruk van jouw ziel?'

'De vorm leek wel op een tentje. En ik hou helemaal niet van kamperen. Maar toen zei iemand dat het ook een omgekeerde zak patat kon zijn. Dat leek me meer voor de hand liggen.' Hij sloeg met zijn vlakke hand op zijn dikke buik.

'Weet je waarom ik er niet in geloof, Jochem? Als je het nu nog een keer zou doen, dan zou er iets anders uit komen. Kom, we gaan opruimen en naar huis.'

Hij speelde met de dennenappel en keek me aan. We waren nog als enigen in de winkel.

Ik keek hem waarschuwend aan. 'Nee, dat doen we niet.'

'Waarom niet? Dan gaan we jou ook eens ontleden. Kijken wat voor verborgen geheimen er in jouw ziel huizen.' Hij pakte een schotel uit het keukentje.

'Nee, Jochem, ik doe niet mee.'

Met een aansteker stak hij het dennenappeltje in brand. Gefascineerd keek ik ernaar en wachtte tot de vlammen gedoofd waren. Er bleef er een zwart hoopje as over. We tuurden er boven en keken elkaar aan. 'Ik wil niet veel zeggen, maar het lijkt wel weer een omgekeerde zak patat.'

Gebiologeerd keek hij naar het schoteltje. 'Dat is wel sterk, zeg. Precies dezelfde vorm.'

'Nu moet je dus echt aan de lijn...'.

'Ha ha, niet grappig. Nu jij.'

Ik koos met zorg een dennenappeltje uit en hield de vlam van de aansteker eronder. Langzaam brandde het appeltje af. Het kromp in elkaar als een verdrietig kindje; het hoofdje gebogen, de knietjes geknikt en de zwartgeblakerde teentjes braken een voor een af. Op het schoteltje lag nu een kogelrond zwart hoopje as. Behalve een rondje kon ik er geen vorm in ontdekken. Hoopvol tuurden we er met zijn tweeën boven.

'Het lijkt wel een eh... torretje.' Jochem keek me voorzichtig aan.

Een torretje. Was dit de blauwdruk van mijn ziel? Hoe langer ik keek, hoe duizeliger ik werd.

'Ja, of een kogel...' Jochems stem klonk me vreemd en vervormd in de oren. Alsof ik op de bodem van een diepe put zat en hij ergens ver van bovenaf naar me riep.

'Wat vind je zelf eigenlijk, Susan? Het gaat erom wat jij erin ziet... Suus?'

Ik veegde de hoopjes as van het schoteltje in de prullenbak en ruimde de spullen in de etalage op. 'Ik ga naar huis. Zie je maandag weer.'

'Flauw hoor.'

8

"En ze leefden nog lang en gelukkig..."

VOOR DE PLECHTIGHEID HAD EMMA EEN TROUWJURK AAN VAN witte broderie die de naaister van Riet had gemaakt. De jurk had een lage hals die was afgezet met kant; de baleinen liepen strak langs haar taille en de zijden stroken kwamen op de grond. Even boven het kraagje, op het zachtste plekje in haar nek, zat een vlek die ze verborg met een tersluiks gebaar van haar hand. Het restant van een zuigzoen die hij haar enkele dagen daarvoor had gegeven, toen ze in het portaal van haar ouders afscheid namen en ze hem afhield omdat ze bang was dat een van haar ouders hen zou horen. Riet had de zuigvlek proberen te bedekken met een sjaaltje van een restje stof dat de naaister nog uit de prullenmand had weten te vissen, maar Emma weigerde het om te doen omdat het stonk. Vervolgens had haar moeder er een zalfje op gesmeerd en daaroverheen een huidkleurige poeder aangebracht. Ma Van Boven was allerminst blij. Ze vond het toch al zo snel gaan, ze kende Sam nog geen jaar en nu al werd hij haar schoonzoon. Ze keek hem verwijtend aan.

'Nou, dan zien ze maar dat ik je liefheb. Is dat zo'n schande?' fluisterde hij, zodat alleen Emma het kon horen.

Ze lachte, maar haar moeder draaide zich op haar hakken om en liep de hal uit.

'Vind je me mooi?' vroeg ze terwijl ze hem onzeker aankeek.

'Ik vind je prachtig.' En dat was ook zo, maar hij vertelde er niet bij dat hij haar veel mooier vond met haar haren in de war en een afgezakt schouderbandje of, nog mooier, in bed nadat ze de liefde hadden bedreven.

Na de huwelijksvoltrekking was er een feestmaal in taveerne De Twee Gebroeders. Het hele feest was bekostigd door de vader van Emma, een grote man met een buik van enorme omvang. Als een koning liep hij door de menigte, met schoonzoon Hendrik Sliksma in zijn kielzog. De familie Van Boven was in groten getale aanwezig. Neven, nichten, achternichten en zelfs de ongetrouwde zuster van Emma's opa, die een opzichtige wrat op haar rechterooglid had. Haar zusjes Gonda en Riet voelden zich het stralende middelpunt, al zagen ze eruit als de stiefzusters van Assepoester. De familie Warenaar hield zich angstvallig afzijdig en zat op een kluitje aan een grote ronde tafel met een rood tafelkleed, vlak bij de bar. Sams kleine broertjes keken hun ogen uit, en iedere keer wanneer de barjuffrouw een bestelling kwam opnemen keken ze haar met open mond aan en vergaten ze antwoord te geven. Zijn oudere zuster Sjaan ontfermde zich over hen en zorgde ervoor dat zij handjes gaven en de bruidstaart niet met hun vingers in hun mond propten.

'Goh, Sam', zei ze toen hij bij haar kwam staan, en ze kneep hem even in zijn schouder. 'Jij hebt me toch wel een heel goede partij getrouwd, hoor. Zeg, ik heb eens zitten kijken, maar heeft die Emma van je toevallig geen ongetrouwde broer?'

Hij lachte. 'Ook jij komt ooit aan de man, Sjaan.'

'Nou, hoe vlugger hoe beter. Ken ik eindelijk eens het huis uit.' Ze zweeg en ze keken in de richting van hun vader en stiefmoeder, die met een afgunstige blik in hun ogen zaten te kijken naar de versieringen aan het plafond, de bloemen in de vazen op de tafels en de prachtige linten aan de jurken van de vrouwen die dansten op de vloer.

De familie Van Boven had een zangstukje ingestudeerd, dat ze met enkele leden van de zangvereniging opvoerden terwijl ze in een kring om het huwelijkspaar heen stonden. Daarna droeg de moeder van Emma een gedicht voor over het leven van de kleine Emma als sprookjesprinses die nu de Ware had ontmoet. De familie van de Ware deed niets dan drinken en binnensmonds commentaar leveren, dat Sam woordelijk van de gezichten kon aflezen, ook al stond hij aan de andere kant van de zaal.

De vrijer van zijn andere zusje Jannetje had zich een stuk in zijn kraag gedronken en werd uiteindelijk door hun vader naar buiten gegooid, waar hij lallend steentjes tegen het raam gooide totdat zelfs Sams stiefmoeder zich ongemakkelijk begon te voelen en tegen haar man schreeuwde dat hij er iets aan moest doen, en toen hij niet opstond deed zij het, en de hele familie Warenaar volgde haar naar buiten en kwam niet meer terug.

'Hendrik, omdat we zwagers zijn...' begon Sam op een avond. Hendrik kwam regelmatig langs bij Emma en Sam, die sinds hun trouwen bij Sams tante Saar inwoonden. Emma ging, direct als ze Hendrik zag aankomen, in de voorkamer zitten om tante gezelschap te houden. Hendrik en Sam rookten een sigaartje in de achterkamer. Hendrik zat boordevol interessante verhalen over de NSB, die Sam graag aanhoorde. Hij was één keer met Hendrik meegegaan naar een kringbijeenkomst, maar omdat het lidmaatschap van de NSB voor ambtenaren sinds eind 1933 door de regering was verboden, moest Sam zich tevredenstellen met verhalen uit de tweede hand.

Hendrik keek zijn zwager vragend aan.

'Ik zit ergens mee.'

Er was iets aan hun schoonvader dat Sam tegenstond. Het was of het aanzien van Sams betrekking als ambtenaar niet hoog genoeg was voor de dochter van Emanuel Franciscus Maria van Boven, die al jaren rentenierde dankzij de opbrengsten die hij had verkregen door de lucratieve verkoop van zijn handelsbedrijven. En om Sam eens goed in te wrijven dat hij niet voldoende verdiende om zijn eigen vrouw te onderhouden, financierde pa allerlei aankopen voor hen waar Sam helemaal niet blij mee was.

Toen hij het echter voorzichtig aankaartte bij Hendrik, wuifde die al zijn bezwaren weg. 'Met zijn geld heb je mooi die kamer kunnen opknappen. Want het was maar een armoedig zootje toen tante Saar er nog alleen in woonde. Ik zei nog tegen Riet, ik zei goh, zal er wel genoeg ruimte zijn als er kinderen komen? Die donkere achterkamer... Nu ziet het er in ieder geval nog een beetje bewoonbaar uit, met dat kleed op de grond. En wat te denken van die nieuwe tafel... Je mag die ouwe wel dankbaar zijn. Het is een beste man.' Hij stopte even en leek te aarzelen. 'En Sam... Zeg maar niet tegen hem dat ik bij de NSB zit. Hij heeft een hekel aan die rechtse lui en hij vertrouwt de boel in Duitsland niet.'

'Als het érgens financieel voor de wind gaat, dan is het wel in Duitsland', wierp Sam tegen.

'Ja, maar schoonpa heeft altijd al een hekel aan de Duitsers gehad. Vast nog overgehouden van de Eerste Wereldoorlog. Enfin, voor de goede verstandhouding is het misschien beter als we het er niet te veel over hebben. Het zou alleen de sfeer maar verpesten, en het is een beste man, die ouwe.'

'Dat vind jij, maar...'

'Wat zegt Emma er dan van, dat hij zoveel voor jullie betaalt? Het is tenslotte haar vader. Riet bijvoorbeeld vindt het best prettig.' Hij grinnikte. 'En ik ook, moet ik zeggen.'

'Ik durf het haar niet vragen.'

Hendrik keek hem aandachtig aan. 'Kijk maar uit, Sam, dat Emma geen vaderskindje wordt. Dan heb jij straks niks meer te zeggen thuis, kameraad.' En hij sloeg Sam ferm op de schouder.

Een poosje dacht Sam na over wat Hendrik had gezegd. En op een dag, toen hij thuiskwam uit het werk, bedacht hij dat Hendrik gelijk had; Emma moest wel duidelijk weten wie de baas in huis was. Hij gooide de deur van de slaapkamer open waar Emma een piepklein ateliertje voor zichzelf had ingericht en riep: 'Emma, die eettafel gaat ons huis uit!'

Verwonderd legde ze haar kwast neer en liep achter hem aan de kamer in. Er zat een veeg verf schuin over haar wang.

'Ik wil niet langer dat jouw vader zich bemoeit met onze geldzaken. En ik wil ook geen spullen van jouw vader in mijn huis.'

'Het huis van tante Saar', verbeterde ze.

'Ik bedoel, ik wil geen spullen meer in huis die door jouw vader zijn bekostigd. Ik ben geen armoedzaaier. Wat denkt hij wel.' Hij liep naar de tafel en haalde de kandelaar en de asbak ervan af.

Ze kwam naar hem toe. 'Bedaar eens even, Sam.' Er hing een lok voor haar gezicht. Ze veegde die weg en er bleef wat rode verf in haar haar hangen.

'En als jij zo aan mooie spullen hecht, dan... dan...'

'Welnee. Ik ben Riet niet. Maak je toch niet zo druk. Het zijn gewoon zware tijden. Ik hoorde dat er nu ook een staking bij het vervoersbedrijf is. Er zullen vast wel weer betere tijden komen. En tot die tijd roeien we met de riemen die we hebben.'

'Kom eens hier', zei hij dankbaar. Ze boog naar hem toe. 'Er zit een kloddertje verf in je haar, lief.'

Ze raakte in verwachting. En al werd alles in het leven minder, kaler en leger, in haar groeide iets en dat gaf haar licht, en het licht bedekte de scheurtjes in het behang en de sleetse plekken in het kleed. Ze maakten ruimte voor een wiegje en kregen een oude commode van haar moeder die ze zelf schuurden en schilderden. Al was het hartje winter, Emma gaf warmte als een zonnetje met haar opbollende buik die bijna niet te verbergen was. Haar tengere lijfje werd vol en weelderig en hij kon niet van haar afblijven als ze 's avonds naar bed gingen. Ze bedreven de liefde alsof er een extra dimensie was toegevoegd nu er een klein wezentje in haar groeide. Ze bloeide als een roos en was aantrekkelijker dan ooit. Hij hield van de geurtjes die ze bij zich droeg, de geluidjes die ze maakte en haar blik die zo vol verwachting was. Er was zoveel meer Emma om van te houden dat het leek of de wereld zich verdubbelde en zijn liefde voor haar ook. Soms was hij jaloers op dat kleine wezentje dat ze onder haar hart droeg omdat het zoveel dieper in haar zat dan hij ooit zou kunnen komen en dan wou hij dat hij het was, dat ongeboren kind, beschermd en veilig op het mooiste plekje van de wereld, diep in haar.

Toen hun zoon Pieter geboren was, kwamen Emma's ouders regelmatig op visite. Ze kregen een door oma geborduurde lap met een ooievaar erop en daaronder 'Pieter Warenaar – 17 mei 1936'. Pa Van Boven keek van zijn vrouw en zijn dochter naar zijn kleinzoon. 'Vind je niet dat hij sprekend op mij lijkt?' zei hij trots.

Sam ergerde zich mateloos. 'Het is soms net alsof ze niet willen weten dat ik de vader ben', mopperde hij tegen Emma toen ze even alleen in de keuken waren. Ze had een verjaardagstaart gemaakt en was bezig met de garnering. Pieter was net een half jaar geworden en ze vond dat er een half kaarsje op de taart moest komen, maar daar had Sam haar van af weten te houden omdat Pietertje, al was hij dan vreselijk intelligent voor zijn leeftijd volgens zijn opa, nog geen kaarsjes uit kon blazen

'Die intelligentie', had pa Van Boven gezegd, wachtend op zijn stuk taart. 'Dat hebben alle Van Bovens. Intelligentie is aangeboren. En, niet te vergeten, het is erfelijk.'

'Als het aan je vader lag, heeft Pieter alle goede eigenschappen van jou en alle minder goede eigenschappen van mij', bromde hij.

'Ach, je moet niet op alle slakken zout leggen.' Ze nam een likje van de slagroom die ze aan het kloppen was. 'Hij bedoelt het goed.'

Hij keek naar haar gezicht dat sedert de zwangerschap iets voller en rustiger was geworden. Aandachtig bracht ze een toefje slagroom op iedere taartpunt aan en sneed vier stukken van de taart. Het grootste stuk was voor haar vader.

'Laat toch, Sam. Hij is trots.' Ze porde Sam met haar elleboog in zijn zij om hem op te monteren, maar hij bleef opstandig in de keuken staan, en toen ze langs hem liep met het dienblad pikte hij snel de kers van zijn schoonvaders taartje.

Simon Daniëls, hun joodse buurjongen, speelde vaak bij hen voor in de straat. Hij was gek op de kleine Pieter en was erbij toen hij zijn eerste stapjes zette. Ook later, toen Pieter een kleuter was, kon hij het goed met het kleine ventje vinden. Simon had een zwerfkatje met drie pootjes en zat op het stoepje van zijn huis toen Sam en Emma op het punt stonden naar het strand te vertrekken. De kat lag op zijn schoot.

'We gaan een dagje naar het strand. Ga je mee, Simon?' vroeg Sam.

Hij dacht even na. 'Nee, want ik wil Morah niet alleen laten. Ze is net een beetje aan me gewend geraakt.'

'Dan neem je haar toch mee.' Emma kwam naar buiten met een tas proviand. 'In het fietsmandje of zo.'

Simons blik gleed van de poes naar het mandje en Sam zag hem kijken. 'Emma neemt je maar in het ootje, Simon.'

Pietertje was ook naar buiten gekomen en hij begon 'Simon moet mee!' te roepen en aan zijn arm te sleuren.

Dus Simon ging mee, met de poes in het mandje van de fiets, bedekt onder een geel met blauw geruite theedoek die hij nog even stiekem uit de keuken van zijn moeder had gepikt omdat zij het niet mocht weten.

Het strand van Zandvoort was breed en wit en de zachte lentewind streelde het helmgras in de duinen. Ze zochten een plekje waar ze beschut konden zitten. Hendrik en Riet waren ook gekomen met hun zoontjes Hans en Cor. Ze hadden broodjes en koffie meegenomen en een groot kleed waarop ze met zijn allen gingen zitten.

Sam ging een eindje wandelen langs de zee, met zijn zoon aan de hand. Bij de waterkant vond hij een klein, half vermolmd kistje en daarin verzamelden ze schelpen en andere spullen die waren aangespoeld. Ze hadden hun broekspijpen opgerold en af en toe spoelde een golf over hun blote enkels. Dan sprongen ze omhoog tot de golf zich weer terugtrok. Pieter liep een eindje achter Sam, en toen hij zich omdraaide zag hij dat Pieter zijn blote voetjes in de sporen van zijn eigen voeten plaatste.

'Als jij later groot bent, knul, zijn jouw voetsporen net zo groot als die van mij.'

'Als ik later groot ben, bent u dan weer klein geworden?'

'Nee, dat kan niet. Een mens wordt wel groter, maar niet kleiner. Alleen groter en wijzer.'

Emma kwam naast hen lopen. 'Ik zoek scheermesjes, van die lange dunne schelpen met een gekarteld randje. Daar wil ik thuis iets van maken. Help je mee zoeken, Pietertje?'

Pieter kroop tussen Sam en Emma in en gaf hun allebei een handje. Nadenkend keek hij naar zijn vader op. 'Pa, wordt u later net zo groot als ome Hendrik?'

'Nee, Pietertje, ik word niet meer groter.'

Pieter stond stil en nam hem op van top tot teen. 'En ook niet meer wijzer?'

Emma schoot in de lach. Sam schopte een steen weg. 'Wijzer wel, Pietertje. Wijs en groot hebben niets met elkaar te maken.'

'Je moet niet zo bot reageren, Sam.'

'Ik reageer niet bot, ik probeer hem iets uit te leggen. Ga jij maar schelpen zoeken.'

Hans en Pieter waren begonnen een zandberg te scheppen. Sam ging naast Simon op het kleed zitten, die zijn poes angstvallig in de gaten hield. Ze zat ineengedoken tegen hem aan en durfde geen poot uit te steken. Hendrik kwam naast hem zitten en vroeg hoe zijn poes heette.

‘Morah, dat is toch een joodse naam? Ben jij joods?’

‘Ja, maar daarvoor hoef ik me niet te schamen, zegt mijn moeder.’

Hendrik gaf hem haastig gelijk. ‘Niemand hoeft zich te schamen voor zijn afkomst. We zijn allemaal mensen, nietwaar, Sam?’

Riet at het laatste stukje van een opgerolde koude pannenkoek op. ‘Hoe is het op je werk, Sam?’

‘Prima.’ Sam was inmiddels bevorderd van expeditiebediende tot schrijver van de burgerlijke stand. ‘Ik hou nu de veranderingen op de stamkaarten bij aan de hand van opgemaakte geboorte-, huwelijks- en overlijdensakten’, legde hij uit. ‘Op het moment is het erg druk; we gaan namelijk binnenkort van het gezinskaartensysteem over op het persoonskaartensysteem, en dat geeft een hoop extra werk.’

‘Hm, dat is interessant’, zei Riet afwezig en ze streek met een langzaam gebaar een paar korreltjes zand van haar been.

‘Zeg, ken jij de broers Arendtse? Volgens mij werken die ook bij het register. Gonda is nog eens een blauwe maandag verliefd geweest op een van hen, die kleinste, die met dat slepende been. Walter heet hij, of was dat nou die andere?’

‘Gerrit, bedoel je. Die heeft een slepend been. Walter was die knappe. Ze werken op de afdeling naast ons.’

‘Gerrit ja, zo heette hij, Gerrit. Goh, het had mijn zwager wel kunnen worden!’ Ze stiet een gilletje uit en klopte het zand van haar mouw.

‘En de mijne’, zei hij.

Riet dacht hierover na en slaakte toen weer een gilletje: ‘En die van Hendrik!’

Hendrik keek op. ‘Wel jammer dat je geen lid meer mag zijn van de NSB. De bijeenkomsten zijn erg nuttig, zeker nu er zoveel onrust is in Nederland. Mussert zegt dat we de strijd aan moeten binden met het rooie monster. En hij vindt dat de democratie de eenheid van het land versplintert.’

Sam knikte en Hendrik ging verder. 'Er is geen gemeenschappelijk fundament meer en daar komt alle ellende vandaan. Kijk maar naar Duitsland. Daar gaat het goed, want daar bundelen ze hun krachten. Ze zorgen voor een duidelijk leiderschap en dat is wat de mensen willen.' Hendriks gezicht was rood aangelopen, net als de keren dat hij bij Sam in de voorkamer praatte over zijn NSB-bijeenkomsten.

Sam knikte instemmend. 'Vroeg of laat zullen ze dat hier zelf ook wel inzien. Daar ben ik heilig van overtuigd.'

Hendrik speelde met zijn camera terwijl hij verder vertelde over volk en vaderland. Hij had net een paar foto's gemaakt van de bootjes die in de zee lagen te dobberen in de deinende golven van het opkomende water. Boven de horizon tekenden zich donkere wolken af.

Emma kwam terug met het kistje, dat tot de rand toe gevuld was met scheermesjes, en ging naast Pieter zitten. Hendrik stootte Sam aan. 'Wil jij misschien een kiekje maken, Sam?'

Emma hielp Pietertje met het maken van de zandberg. Zorgvuldig egaliseerde ze het zand met haar handen en drukte er schelpjes op, in nette rijtjes onder elkaar. Sam pakte de camera van Hendrik en op het moment dat hij het knopje indrukte keek ze op, haar ogen samengeknepen tegen het zonlicht.

Simon bood aan een foto te maken van hen allemaal. Als dat mocht van Hendrik, voegde hij eraan toe. Omdat hij niet van zijn kleed af wilde, en Pieter alleen op de foto wilde als de berg er ook op kwam, moesten ze allemaal in een rare kronkel staan om erop te komen. Hendrik, bang voor zijn camera, sprong op en nam het toestel van Simon over, en juist voordat de camera klikte verloor Riet haar evenwicht en viel tegen Simon aan, die op zijn beurt Sam meesleurde in zijn val. Emma riep nog tegen Hendrik dat hij even moest wachten, maar toen was de foto al gemaakt.

Toen ze thuiskwamen stonden Riet en Hendrik voor de deur op hen te wachten. Emma vroeg of ze nog even een glaasje brandewijn wilden drinken in de achtertuin. De tuin had ze na het overlijden van tante Saar vol geplant met trosrozen en vrouwenmantel. In het midden stond de grote lindeboom met stevige, knokige takken en daarachter, op een braakliggend stukje grond, lag een doolhof dat Sam voor Pieter had gemaakt van ligusterhaagjes. Ze waren nog maar klein, kwamen net tot Pieters middel, maar als hij er op zijn knietjes tussen kroop kon je hem bijna niet meer zien. Het was zijn favoriete verstopplek. Onder het raam van het huis, naast het kolenhok, stond een bankje dat Sam had gemaakt met behulp van oude planken en enkele tijdens een winterstorm afgebroken takken.

'Goh', zei Riet. 'Het is natuurlijk wel sneu dat die tante Saar overleden is, maar jullie hebben wel geluk dat jullie hier van de huisbaas mochten blijven wonen.'

'Ja', zei Emma. 'Maar ik had liever gehad dat ze nog een tijdje was blijven leven.'

'Enfin, jullie hebben er een fijn stukje grond bij', zei Riet en ze keek opgeruimd de tuin in. 'Hé, wie zullen we daar hebben... Is dat Maarten Hoffman niet, aan de overkant?'

'Sst, niet zo schreeuwen.' Emma hield haar vinger op haar mond. 'Ja, dat klopt, zijn oude gouvernante woont hier recht achter. Die van die porseleinen poppen, weet je wel? Ik ben er weleens op bezoek geweest.'

Sam pakte een houten krukje en ging erop zitten, met zijn rug naar Hoffman toe.

'Wat doet ze met poppen?' vroeg Hendrik.

'Ze maakt ze zelf. Ze beschildert de gezichtjes en maakt jurkjes van tule en satijn. Maarten verkoopt ze in zijn winkel. Ze zijn vreselijk duur, die poppen.'

'Is hij inmiddels al eens getrouwd, die Maarten?' ging Hendrik verder. 'Ik heb hem nooit meer gesproken sinds...'

Hij keek Emma even aan en er viel een onbehaaglijke stilte.

'Ja, dat weet ik niet, hoor', mompelde ze.

'Nee', wist Riet te vertellen. 'Hij is nog steeds niet getrouwd, dat weet ik van mijn Duitse naaister, die ook weleens bij hen kwam.'

'Misschien is hij geschikt voor je zuster, Sam', opperde Emma. 'Die is ook nog steeds niet aan de man.'

Voordat Sam kon antwoorden, kwam Riet ertussen. 'Mijnheer Hoffman is beslist geen partij voor Sjaan.' Ze tuitte haar lippen en sloeg haar armen over elkaar. Abrupt stond Emma op, pakte de glazen en zette ze op het dienblad, inclusief het glas van Riet, dat nog niet helemaal leeg was.

De scheermesjes die Emma had verzameld plakte ze met lijm op een vierkant stuk hout dat ze in het schuurtje van tante Saar had gevonden. Ze maakte er de stralen van een grote zon van en in het hart maakte ze een tekening van houtskool, naar het voorbeeld van de foto die Sam op het strand van haar en Pietertje had gemaakt en die Hendrik voor hen had afgedrukt. In het hoekje rechtsonder tekende ze een mannenfiguurtje dat iets in zijn hand had dat een camera moest voorstellen.

'Zolang we ons geen echte kunst kunnen permitteren, hangen we dit maar op. Ik weet wel een plaatsje, hier boven ons bed', zei ze toen ze het hem liet zien.

'Emma, dit zijn wij, met z'n drietjes bij elkaar, mooier kan kunst toch niet zijn?' Hij legde haar op het bed, ging boven op haar liggen, wreef met zijn lichaam tegen haar aan en fluisterde in haar oor: 'Ik ken een man die getrouwd is met de meest bijzondere vrouw van de wereld. Ik ken een vrouw die de mooiste kunstwerken maakt die er bestaan. Ik ken een jongetje dat de gelukkigste ouders van de wereld heeft...'

Ze lachte; ze was dol op zijn verhaaltjes. 'En, hoe gaat het verder?'

'Weet ik nog niet, ik wil nu iets anders doen, iets wat veel belangrijker is dan verhaaltjes.' Hij schoof zijn armen onder haar bloesje en maakte het haakje van haar beha los.

'Ah, toe...' plaagde ze hem en ze hield zijn handen tegen.

'Goed dan, maar alleen het eind: "En ze leefden nog lang en gelukkig..."'

9

Het zit in de familie, had Rick eens gezegd.

HET WAS EEN VAN DE EERSTE WARME ZOMERDAGEN VAN HET jaar. Ik installeerde me in een tuinstoel in de schaduw van de treurwilg aan de rand van het water. Aan een van de takken hing een touw waarmee de kinderen boven het water schommelden, om zich er dan met een plons in te laten vallen. Het was druk aan de kade, de kinderen waren vanmiddag vrij. Door mijn zonnebril zag ik de groepjes mensen op een ligstoel of onder een parasol die genoten van de kinderen in het water en van de pleziervaartuigjes die voorbij voeren. Het deed me denken aan een schilderij van Georges Seurat, *La Grande Jatte*. Zo moet het er hier vroeger uit hebben gezien, dames flanerend onder een parasolletje en moeders die genieten van hun kroost in het water. Alleen was dit niet de Seine maar de Zaan. Ik keek door mijn oogharen en verbeeldde me dat ik in de tijd van Seurat leefde. Als je zijn schilderijen bekeek, kon je je bijna niet voorstellen dat de wereld waarin hij leefde net zo banaal of misschien zelfs banaler was dan die van ons. Als Seurat nu leefde, had hij heus die lelijke vrachtwagen die op het eind van de kade stond niet geschilderd of de paarse opblaaskrokodil waarop Sterre lag te zonnen, noch de afplakpleister op het brilletje van Oscar, onze autistische buurjongen. Waarschijnlijk had hij niet eens een brilletje, glazen min vijf, geschilderd. Of zelfs geen Oscar.

Tine, de moeder van Oscar, vertelde me laatst dat hij alleen maar oranje eten eet. 'Dus elke dag kopen we wortelen, paprikachips en sinaasappels.'

'Dat is toch niet gezond?' had ik ongerust gevraagd.

'Nee.' Ze lachte. 'Maar we laten hem lekker zijn gang gaan. Hij krijgt zijn vitamines binnen, en dat is het belangrijkste. En de laatste tijd experimenteert hij ook met rood- en bruintinten, zoals gebakken aardappeltjes en ketchup gemengd met mayonaise. Dat is een grote stap in zijn ontwikkeling, zegt zijn arts. Een paar jaar geleden, tijdens het WK voetbal, was hij helemaal van slag. De hele wereld was opeens oranje, daar kon hij niet tegen. Ik heb hem toen zo veel mogelijk binnengehouden. Maar die oranjekoeken, daar waren we wel blij mee, ik had er meteen dertig pakken van ingeslagen.'

Ik keek naar Oscar, die samen met Sterre ergens om lachte. Zijn tanden leken wel een beetje oranje uitgeslagen. Ze speelden met het etuitje dat Sterre in haar handen had. Daar zaten Barbie en Ken in. Sinds het co-ouderschap van Rick en mij had Sterre van alles dubbel: pyjama's, radio's, kledingkasten, sportschoenen, dekbedden, fietsen. Alleen van dat etuitje had ze er maar één, en daarom moest dat iedere keer mee heen en weer. Als ze het kwijt was, raakte ze in paniek. Laatst was Rick er speciaal voor teruggekomen uit Amsterdam, om half een 's nachts, want ze wilde niet zonder slapen. Ze had de poppen gekregen toen we nog bij elkaar waren. Barbie Susan en Ken Rick. Ze zitten nogal krap in het etuitje, maar ze laat altijd een stukje van de rits open voor de frisse lucht, zegt ze. Het mooie lange blonde haar van Barbie had ze afgeknipt en met een viltstift bruin gekleurd, waarschijnlijk omdat ze dat blonde te veel vond lijken op het kapsel van Ricks nieuwe vlam.

'Mama?' Sterre wapperde met haar handje voor mijn gezicht. 'Je zit te staren', zei ze beschuldigend. 'Ik zei dat ik even met Oscar meega om een ijsje te halen.'

Ik knipperde met mijn ogen. 'Sorry', zei ik automatisch. 'We gaan wel over een half uurtje naar papa, hoor. Ik moet naar een feestje.'

'Een feestje van wie?'

'Van de opa van Fleurs moeder.'

Terwijl ze naar de ijscoman liepen, draaide ik me weer om naar de Zaan. Hoe vaak zou oma Emma hier over het water hebben zitten staren? Sinds ik in haar huisje woonde, besefte ik hoe weinig ik van haar af wist. In tegenstelling tot mijn moeder, die vol anekdotes zit over haar jeugd, haar ouders, haar broers en zussen, vertelde mijn vader nooit iets over vroeger. En oma zelf was ook geen prater geweest. Het zit in de familie, had Rick eens gezegd toen ons huwelijk al bergafwaarts ging. Mijn oma was veel op zichzelf, ze kreeg ook maar weinig bezoek. Rick en ik gingen weleens in de zomer bij haar langs, op de fiets vanuit de Pijp, Sterre in het zitje achterop bij Rick. Soms waren mijn ouders er ook. Eén keer heb ik oma's zuster Riet daar gezien met haar man Hendrik. Ik wist niet eens dat ze een zuster had. 'Zelfs twee', had mijn vader gebromd op een toon van wat-hebben-we-eraan. Verder kwam er niemand.

Een week na haar laatste verjaardag had mijn vader haar gevonden, in het washok achter het huis, naast de oude zwarte kist die in de hoek stond. Naast haar lag een bakje knijpers, een ervan had ze nog tussen haar inmiddels stijf geworden hand. Waarschijnlijk kon ze niet meer goed bij het waslijntje en is ze, terwijl ze op de zwarte kist wilde stappen, overvallen door die hartstilstand. Ik heb het knijperbakje meteen weggegooid toen ik hier kwam wonen. Wat ik ook meteen deed was het schilderen van de muren van dat washok. Hemelsblauw. Op de donkere stenen grond, op de plek waar zij was gestorven, legde ik een kleedje. En op de blauwe muur, recht tegenover de zwarte kist, hangt nu haar portret.

'Dag oma', zeg ik soms als ik het washok binnenloop. Ze zegt nooit iets terug. Maar ze was toch al geen prater.

10

Ze dacht even na. '...De duivel'

OP EEN WINTERAVOND, BEGIN 1940, KWAM HENDRIK SLIKSMA langs om zijn wagen te laten zien. Het was een rode Nash Cabriolet met een lichte kap die als een harmonica naar achteren gevouwen kon worden. Hendrik toeterde voor het raam en Sam trok zijn jas aan om naar buiten te gaan. De halve buurt stond nieuwsgierig om de wagen heen; enkele buurjongetjes keken aandachtig naar het openstaande luik in de achterbak waaronder zich twee zitplaatsen bevonden. Morah, de poes van Simon, sprong op de motorkap en begon uitgebreid haar ene voorpoot te likken, maar Hendrik joeg haar eraf alsof hij bang was dat ze zijn wagen ergens mee zou besmetten. Ze kwam op haar drie grijze kattenpootjes terecht en hinkte met opgeheven staart weg.

'Wou je mee, Sam, voor een ritje?' riep hij met een brede lach op zijn gezicht, zijn ellebogen leunend op het grote stuur. Sam knikte, liep tussen de kinderen door en stapte via de treeplank de auto in.

'Mag ik ook een keer mee, mijnheer Sliksma?' vroeg Simon met een verlangende blik in zijn ogen.

'Jij? Maak dat je wegkomt!' snauwde Hendrik. 'Wat denk je wel.'

Simon kromp ineen en dook snel weg tussen de kinderen op de straat.

'Allemaal aan de kant!' bulderde Hendrik met zijn hoofd door het open raampje, en de buurtkinderen stoven weg. Onder luid getoeter reden ze de gracht af. Een paar kinderen renden achter de wagen aan om op de bumper te klimmen, maar Hendrik gaf vol gas.

'Waar gaan we naartoe?' riep Sam boven het geraas van de motor uit.

'Naar Osendal.'

'Naar wie?' schreeuwde hij terug.

'Bernhard Osendal, je weet wel, die dirigent van de koorvereniging van Riet en Emma.'

'Ja, die ken ik wel. Ik ben toch ook een tijdje lid geweest van het koor?'

Hendrik keek hem even aan alsof hij dat niet meer wist.

'Jazeker. Een aantal maanden zelfs. Tot ik vaste verkering met Emma had. Toen was het niet meer nodig.' Sam keek grinnikend voor zich uit..

'Jij bent wel een uitgekookte, Sam.'

'Ik? Nee hoor. Ik heb veel geleerd op de zangrepetities. En Emma en ik zingen vaak samen, ik eerste en zij tweede stem. Vooral als er een mooie opera op de radio is.'

Hendrik keek hem aan om te zien of hij het meende of niet.

'Kijk maar voor je, Hendrik, anders rijd je nog iemand aan met die mooie auto van je.' Sam deed het deurtje van het handschoenenkastje open en dicht en trommelde met zijn vingers een wijsje mee dat hij in zijn hoofd had.

'Wat ga je doen bij die Osendal?'

'Ik moet iets afgeven. De vlag van het vendelzwaaien voor groep 19. Die treden op tijdens het eerstvolgende defilé.'

'Dus hij zit nog steeds bij de NSB? In de tijd dat ik op zang zat was hij daar ook al mee bezig. Hij is vast een of andere hoge pief daar.'

Hendrik knikte. 'En hij heeft een prachtig huis, net buiten de stad. Vrijstaand.'

'Is hij getrouwd?'

'Ja, en hij heeft een mooie vrouw. En dan bedoel ik echt mooi. Ze heeft een accent, want ze is een Duitse.'

'O?'

'Bijzondere mensen zijn het, Sam. Vooral als je ze wat beter kent. Ze komen allebei uit Duitsland, hoewel hij geloof ik wel een echte Nederlander is. Ze hebben ook een zoon, van een jaar of zestien. Zullen we nog even een rondje langs de dijk? Dan maak ik hier een draai.'

'Uitstekend. Als je maar niet te laat komt.'

'We hebben geen tijd afgesproken. Ik kom daar wel vaker, kind aan huis, mag ik wel zeggen.' Nonchalant draaide Hendrik het stuur met één hand. 'Geert heet hij, die zoon. Het schiet me opeens te binnen.'

'O.' Sam keek naar de bomen langs de dijk. 'Hoe lang wonen ze al in Nederland?'

'Tien jaar, denk ik. Misschien iets langer.'

Hendrik minderde vaart. 'We zijn er. Kijk eens wat een huis.'

'Nou, je hebt niets te veel gezegd.'

Bernhard Osendal praatte zoals hij dirigeerde. Alsof zijn dirigeerstokje aan zijn armen vastgekleefd zat en hij de passie met hocus-pocusachtige gebaren uit het diepst van zijn ziel toverde.

Maria, de vrouw van Osendal, vroeg of ze iets te drinken voor hen kon inschenken.

Sam had nog nooit zo'n mooie vrouw gezien. Ze was een grote, rijzige gestalte en had lang, steil donkerbruin haar met hier en daar een zilveren streep erin. Ze zei "drienken" in plaats van "drinken" en Sam glimlachte. 'Graag, mevrouw. Een glas spuitwater, alstublieft.'

'U mag wel Maria zeggen. Dan mag ich auch Sam zeggen?' Ze keek hem vanachter haar lange donkere haren aan.

'Natuurlijk, Maria.'

Maria stond op en verdween naar de keuken. Sam luisterde naar Osendal en keek naar de kostbare spullen in het vertrek. De avondzon scheen door de hoge vensters op het mahoniehout van de piano. Osendal vertelde over de Grieken en de verschillende volksstammen. Vaag herinnerde Sam zich dat van zijn schooltijd, maar het meeste daarvan was hij al vergeten. De dirigent ging verder en vertelde uitgebreid over het belang van het voortbestaan van de mens en hoe belangrijk de zuiverheid van het ras daarvoor was.

Hendrik knikte instemmend. 'Anders wordt het een zootje.'

Wat Osendal zei sloot aan bij wat Hendrik had verteld over de NSB-avonden en de speeches van Mussert, vond Sam. Alleen kon Osendal er veel mooier over verhalen. Hij vertelde hoe belangrijk het was om een doel na te streven en daar niet van af te wijken.

Sam keek naar zoon Geert, die onafgebroken naar zijn vader luisterde, met een blik vol respect. Osendal vertelde met zoveel vuur dat zijn vrouw hem waarschuwend een tikje op zijn schouder gaf.

'Ja', zei ze verontschuldigend tegen hen. 'Als hij erstmal begint te praten, dan draaft hij maar door.'

Osendal lachte schaapachtig. 'Speel jij maar wat voor de heren, Maria, dan schenk ik een glaasje jenever in.'

Hij verdween naar de kelder om een fles te halen. Zijn zoon ging achter hem aan. Maria nam met ruisende rokken plaats achter de piano en begon te spelen.

Terwijl Sam luisterde naar de vervoerende tonen van de pianomuziek, moest hij onwillekeurig aan zijn eigen vader denken. Hij zag hem voor zich, leunend tegen de versleten deurpost van het huis, zijn overhemd half opengeknoopt, met zijn voet schoppend tegen een niet-bestaand steentje op de grond. Sinds hun noodgedwongen verhuizing naar Amsterdam kon zijn vader nauwelijks aan werk komen en Sam stopte hem af en toe wat geld toe. Zijn vader stopte dat dan diep weg in de zak van zijn broek alsof niemand het mocht zien.

'Zie je,' zei Hendrik triomfantelijk toen ze aan het eind van de avond naar de auto liepen, 'wat een bijzondere mensen het zijn?' Hij haalde een pakje Northstate-sigaretten uit zijn binnenzak, bood Sam er een aan en begon de motor aan te slingeren. Diep inhalerend dacht Sam na. Hij blies de rook de hemel in, keek naar de fonkelende sterren aan de hemel, zag de vurige blik van Osendal voor zich en opeens kreeg hij zin om hoog in de lucht te vliegen.

Toen de oorlog begon, waren Sam en Emma voorbereidingen aan het treffen voor Pieters vierde verjaardag. De wereld stond op zijn kop, maar het dagelijks leven ging gewoon door. Ze volgden het nieuws in de krant over de bezetting door de Duitsers, over de vlucht van de koninklijke familie naar Engeland, het bombardement op Rotterdam, NSB'ers werden gearresteerd voor landverraad en sommigen zelfs gedood. De bezetting werd overal besproken, op straat, bij de bakker, op het werk. Iedereen luisterde naar de oorlogsgeruchten, die rondzoemden als bijen in een te warme zomerlucht.

Maar Pieters verjaardag ging gewoon door. Sam had een bal voor hem gekocht, een echte leren. 's Middags nam hij Pieter mee naar het Vondelpark om te voetballen. Ze fietsten ernaartoe, Pieter op het zadeltje op de stang van zijn fiets. Onderweg kwamen ze Duitse legersoldaten tegen met zware helmen en met shag in hun mond. Die zwaaiden hen vriendelijk gedag en Sam en Pietertje zwaaiden terug.

'Zet dat ding toch eens af', zei hij korzelig tegen Emma die vlak bij het radiotoestel zat. Iedere keer als hij thuiskwam zat ze te luisteren naar Radio Oranje, een illegale zender die vanuit Londen opereerde. De krakende stemmen op de radio maakten de oorlog, die nu al een paar maanden voortduurde, hinderlijk aanwezig in hun huis. Sam trok zijn overhemd uit en slingerde het over het toestel heen.

'Als we 'm niet zien, Em, dan bestaat het ook allemaal even niet. Er zijn nog andere dingen dan de oorlog. De liefde, bijvoorbeeld.' Hij nam haar mee door de keuken en liep door de openstaande deur de tuin in.

'Kom eens hier bij me.' Hij liep naar het bankje naast het kolenhok en ze kwam naast hem zitten.

'Nu even niet luisteren naar het geronk van de vliegtuigen. Hoor je de merel?'

Haar gezicht lichtte op. 'Ja, ik hoor hem.'

'Goed luisteren. Er is een andere merel, daar aan de overkant op het dak. Hij geeft antwoord, hoor je dat? Oorlog of geen oorlog, Em, wat er ook gebeurt, de merel zal altijd zingen.'

Emma legde haar hoofd op zijn schouder en staarde naar de hemel die zachtgeel werd door de aarzelend vallende schemer. 'Zie je daar de eerste ster al verschijnen?' zei ze.

'Ja, ik zie 'm. Het is de poolster.'

'Die lui daar in Engeland, die hebben mooie praatjes, nietwaar, mijnheer Warenaar?' zei juffrouw Wetschrijvers. Elke dag als ze rondging met haar kar kwam ze even een praatje maken. Ze was klein en waggelde als een kalkoen door de gangen van het kantoor, haar gewicht van haar ene been naar haar andere verplaatsend, waarbij soms de koffie klotste in de pot en het kannetje melk trilde op het blaadje. Er was steeds een andere groep die het moest ontgelden bij haar: waren het niet de joden, dan waren het de socialisten of de democraten die maar wat 'anrommelden'.

Ze zette de koffie op Sams bureau neer en sloeg haar vlezige armen over elkaar. 'De koningin is lekker het land uit gevlucht en zit ons daar in Londen op haar luie krent te bevelen wat wij moeten doen. Maar wij zitten mooi met de gebakken peren. Ik zou ook wel willen vluchten en mijn onderdanen vanuit de verte willen commanderen. Tss.'

'Voor hen is het ook geen eenvoudige situatie, juffrouw Wetschrijvers', begon Sam.

'O, mijnheer Warenaar', viel ze hem in de rede. Ze keek hem kritisch aan en hield haar hoofd schuin. 'Weet u wat het met u is? U hebt voor iedereen begrip. U zou zelfs nog begrip hebben voor...'

Ze dacht even na. '...De duivel!'

Ze lachte en de koffiekopjes rinkelden op de kar. 'Maar dat mag ik wel, hoor, mijnheer Warenaar. Niets is erger dan die lui die maar oordelen over anderen.'

11

'Ik ben familie. Michiel Arendtse.'

DE RECEPTIONISTE VAN DE VERRE EINDER WEES ME DE WEG naar het zaaltje waar de Yad Vashem-receptie werd gehouden. Aan het eind van een smal gangetje klonk geroezemoes van stemmen achter een deur. Stilletjes glipte ik het zaaltje in. Het was er bloedheet. Een gemêleerd gezelschap luisterde naar een vrouw in een donkerblauw mantelpak die op het podium een speech voordroeg. Het gemeenteraadslid van stadsdeel West, vermoedde ik.

Naast haar, op een stoel, zat een stokoude man met een wandelstok. Hij keek met een verraste blik naar het publiek, alsof hij vergeten was waarvoor het gekomen was. Hoewel hij zat, kon ik zien dat het een lange man was. Hij had zijn schouders opgetrokken en zijn handen ineengevouwen onder zijn kin. Magere ellebogen staken uit een groen gestreept overhemd met korte mouwen, en zijn dunne lippen waren vertrokken in een voortdurende grimas. Op zijn hoofd zaten enkele sprietjes grijswit haar, die hij steeds met een nerveus gebaar naar achteren streek.

De volgende spreker was de directrice van het zorgcentrum De Kinker, waar mijnheer Hoffman woonde. Daarna betrad Simon Daniëls het podium. Hij was een magere man, met een dikke bos golvend haar dat nog opmerkelijk zwart was voor zijn leeftijd, en hij had een flinke neus. Hij vertelde dat hij in de oorlog Hoffmans achterbuurjongen was geweest. Als kind van twaalf had hij ondergedoken gezeten in het souterrain van Hoffmans gouvernante. Hoffman huurde in die tijd een kamer op de eerste verdieping van het huis en zorgde ervoor dat zij te eten kregen. Dankzij de goede zorgen van Hoffman was het joodse gezin de laatste jaren van de oorlog veilig doorgekomen. Daniëls en zijn zusje Leba waren de enige nog in leven zijnde gezinsleden.

Ik stond achter Daniëls' familieleden, sommige in traditioneel joodse klederdracht. Ze gaven fluisterend commentaar, goedkeurend mompelend of heftig gesticulerend. Daniëls wees tijdens de laatste zin van zijn speech op een vrouw die vooraan stond en er ging een luid applaus op. Hoffman nam een grote bos bloemen van Daniëls in ontvangst. Hij was zichtbaar ontroerd door het verhaal, alsof hij het nu pas voor het eerst hoorde.

De officiële uitreiking van de onderscheiding werd door een rabbi gedaan. Gekleed in een zwarte mantel en met een keppeltje op stond hij achter het spreekgestoelte. Toen de man was uitgesproken, liep ik naar Anke. Ze stelde me fluisterend voor aan haar ouders en aan een jonge vrouw naast haar stond. Het was een journaliste van het *Noordhollands Dagblad*, Conny Rademakers.

'Straks laat ik je ook even kennismaken met mijn grootvader', zei ze zacht.

Anke's grootvader kreeg onder luid applaus de Yad Vashem-oorkonde uitgereikt. Hij bestudeerde het document aandachtig, vanaf vandaag was hij officieel 'Rechtvaardige onder de Volkeren' en zijn naam zou worden gebeiteld in een muur in Jeruzalem. Met een beverige hand streek hij over de oorkonde. Vanuit mijn ooghoeken zag ik dat Anke tot tranen toe geroerd was.

Een fotograaf nam enkele foto's van Hoffman en Daniëls samen. Anke vroeg of zij ook op de foto mocht. Ze bracht haar haren snel in orde en blikte bevallig naar de camera.

Ik schuifelde tussen de mensen door naar de deur, waar af en toe wat frisse lucht binnenkwam. Vlak bij de opening zat een oude man in een rolstoel, vermoedelijk een van Hoffmans medebewoners van het zorgcentrum. Naast hem stond een man van een jaar of veertig. Vast zijn kleinzoon; ze hadden dezelfde borstelige wenkbrauwen.

'Wat is het warm, hè.' De man glimlachte naar me. Ik zwaaide met een denkbeeldige waaier voor mijn gezicht. 'Ontzettend.'

'Bent u ook familie van mijnheer Hoffman?' vroeg hij.

'Nee hoor, ik ben een vriendin van zijn kleindochter.'

'O.' Hij keek alsof hij vond dat hij iets stoms gezegd had.

'Nou ja, het had natuurlijk gekund. En u?'

Hij gebaarde naar de man naast hem in de rolstoel, die druk bezig was met het rollen van een shagje. 'Michiel Arendtse. Ik ben familie van deze meneer.' Hij gaf me een hand en draaide zich om naar de oude man: 'Niet opsteken hoor, dat mag niet. We gaan straks wel even naar buiten.'

De man in de rolstoel was de broer van Michiels grootvader. Gerrit Arendtse heette hij, Ger voor vrienden en bekenden.

'Kent u mijnheer Hoffman al lang?' vroeg ik.

Hij stopte zijn gerolde shagje weer terug in het pakje. 'Sinds enkele maanden, jongedame. Wij spelen weleens een potje schaak. Met een borreltje erbij. Een potje schaak.'

'Mijn oom woont nog maar kort in het zorgcentrum.' Michiel keek me aan en vervolgde. 'Wat vond u van de plechtigheid?'

'Indrukwekkend. Het is goed om eens stil te staan bij wat zich allemaal voor kleine drama's hebben afgespeeld in de oorlog. Ik bedoel...' haastte ik me te zeggen, '...naast alle grote verhalen die we al kennen.'

Hij glimlachte. 'Ik begrijp wat u bedoelt.'

'Vroeger...' kwam de oude Arendtse ertussen. 'Vroeger...' Hij pakte de armleuningen van zijn rolstoel beet alsof hij het stuur van een Harley vasthield en zo weg wilde rijden. Hij maakte zijn zin niet af.

'Hoe oud was u tijdens de oorlog, mijnheer Arendtse?'

'Dertig, toen de oorlog was afgelopen, jongedame.'

'U bent vast een van de oudste hier in dit gezelschap.'

Hij wees naar Hoffman. 'Hij is nog ouder.'

Ik glimlachte. 'En wie wint er met schaken?'

Aan het gezicht van de oude Arendtse zag ik dat hij dit geen leuke vraag vond. Ik wisselde een blik met Michiel. Hij had pretogen.

'Vroeger...' begon Arendtse weer.

'Hebt u altijd in Amsterdam gewoond?'

'Jazeker. Ik werkte op het bevolkingsregister. Plantage Kerklaan, naast Artis. In de oorlog...'

'In de oorlog had u vast veel te maken met de Duitsers, op dat bevolkingsregister.'

'Jazeker, juffrouw. Mijn broer Walt...' Hij nam een slokje jus d'orange en morste op zijn overhemd. Michiel nam het glas uit zijn hand en veegde de vlekken zorgvuldig droog met een servet.

'Zo heette mijn grootvader', legde Michiel uit. 'Ze werkten allebei bij het bevolkingsregister. Mijn eigen grootvader is omgekomen in de oorlog.'

De oude Arendtse knikte heftig.

'Zat uw broer ook in het verzet?' vroeg ik hem.

Hij speelde met het pakje shag op zijn schoot. 'De Duitsers waren de baas over alle overheidsinstanties, niewaar. Ze vroegen voortdurend inlichtingen over de bevolking bij ons op. Dat deden ze, die zwijnen. En die moesten wij verstrekken, die gegevens. Maar het was bijna een sport om die gegevens onvindbaar te maken. Een sport ja, dat was het. Maar je moest uitkijken, niewaar. Als je je werk niet goed deed, werd je ontslagen of zelfs vervolgd. Dat was een risico. Een groot risico, ja. Want je had die NSB'ers, niewaar, die konden je erbij lappen. En dat is wat er met mijn broer is gebeurd. Denken we.'

'Denken we?' Ik keek Michiel aan.

'We weten niet precies wat er is gebeurd. Mijn grootmoeder was in verwachting van mijn vader toen haar man omkwam. Oom Ger heeft ze in huis genomen.'

'Ik heb ze in huis genomen. Ja, dat doe je dan, niewaar. Een beste knul was het, die Walt. Beste knul.' Hij reikte naar een glas dat op de tafel stond. Michiel gaf het hem aan. Een dame met een schaal vol bitterballen en kaassoufflés liep langs. Zwijgend pakten we een hapje van de schaal.

Aan de andere kant van het zaaltje zag ik Anke en Daniëls naast de journaliste staan. Ze gebaarde naar me.

'Ik loop even naar mijn vriendin', zei ik tegen de mannen. 'Het was fijn kennis te maken.'

'Insgelijks', mompelde de oude Arendtse met zijn mond vol bitterbal. Hij wees op zijn pakje shag. 'Gaan we even roken buiten?'

Michiel pakte de handvatten van de rolstoel vast en keek nog even op naar mij. 'Misschien tot later.'

Ik knikte. Mijn wangen gloeiden opeens.

12

'Zie je, Sam, daar gaat het om.
Geloof en vertrouwen.'

MARIA, DE VROUW VAN OSENDAL, HAD SAM GEVRAAGD OF HIJ van biljarten hield, en toen Sam dit bevestigde zei ze verheugd dat het wellicht een aardig idee was wanneer hij nog een keertje langskwam, ze hadden een biljart in de kelder staan. Osendal stelde voor elkaar te tutoyeren en Sam voelde zich gevleid.

De dirigent kon goed biljarten, bijna net zo goed als hij kon praten. Elke keer als hij de stoot moest maken, laste hij langdurige pauzes in waarin hij, leunend op zijn keu, uitvoerig sprak over de situatie in Nederland sinds de bezetting.

'Ik zal je zeggen, Sam, ik heb de klassieken bestudeerd en ik zweer je, wij moeten iets doen. Ik heb veel gelezen, van Plato tot Nietzsche en ik kan je verzekeren, de mensen zitten in een grot, te wachten tot er iets gebeurt. Maar er gebeurt niets. De democratie maakt het land tot een versplinterd geheel, er is geen vuur meer, alleen maar geschipper tussen de golven. Wij moeten boven de golven uitsteken, op weg naar het licht, en dat lukt ons niet zolang wij blijven schipperen. Er moet een vaste koers komen en een kapitein op het schip dat nu maar dobbert in de oceaan. En vergeet niet, ons Nederland is maar een landje, een meertje vergeleken met de oceaan van Europa. Als wij niets doen, worden wij overstroomd door internationale krachten. Zolang wij niets doen, bang in onze huisjes blijven zitten, niet durven te leven, gaan wij ten onder. Het leven is een speelbal tussen chaos en orde of, om met Nietzsche te spreken, een gevecht tussen Dionysus en Apollo, van water en grond, en wij bevinden ons nu op drijfzand.'

Hoe verhevener Osendal praatte, hoe meer Sam zweeg. Hij ging beter biljarten, dat wel. Maria kwam af en toe naar beneden om te vragen of ze nog een glaasje in kon schenken en verdween dan weer de keldertrap op, geruisloos als een poes. Soms dreven enkele tonen van haar pianospel naar beneden en riepen een mystieke sfeer op.

'Wat is je doel, Sam, in het leven?' Osendal legde de keu neer op de tafel en keek hem aan.

Schrijver worden. Maar dat zei hij niet hardop. Zelfs niet meer tegen Emma, die zijn droom inmiddels leek te zijn vergeten.

'Gelukkig zijn.'

Osendal scheen het antwoord goed te keuren. 'En hoe denk je dat te kunnen bereiken?'

'Door goed voor mijn vrouw en kinderen te zorgen. Door liefhebbend te zijn.'

Osendal keek hem aan alsof hier geen speld tussen te krijgen was en knikte instemmend. Sam ging verder.

'Wat hebben we nodig om gelukkig te zijn? Een beetje geld, zodat we nieuwe meubels kunnen kopen. Een broertje of zusje voor Pieter, als ons dat gegeven is. Gezondheid natuurlijk, zodat we onze kinderen kunnen zien opgroeien. En wat spaargeld, zodat we onze Pieter kunnen laten studeren, als hij wil.' Wat zou hij dat prettig vinden, als zijn zoon ooit naar de hbs zou kunnen. En daarna misschien naar de universiteit.

Osendal keek hem kritisch aan. 'Maar "gelukkig zijn" is wel een heel nauw begrip, Sam. Het lijkt een beetje op eigenbelang, niet?' Hij glimlachte fijntjes. 'Zo van: als ík maar gelukkig ben, de rest kan me niet schelen.'

Sam schrok. 'Dat bedoelde ik niet. De rest kan me wel schelen.' Hij dacht aan Pieter en Emma en aan de armoe van zijn eigen familie.

'Maar wil je dan niets betekenen voor de mensen? Wil je niet dat álle mensen beter worden, dat álle mensen gelukkig worden? Dat is toch geluk in het meervoudige?' Hij leunde iets dichter naar hem toe. 'Dat is een droom, Osendal, zul je zeggen. Maar een droom heb je nodig, Sam, zal ik dan terugzeggen. Om je doel te kunnen bereiken heb je een droom nodig. Zonder droom kun je nooit je hoofd boven het maaiveld uitsteken, zul je nooit tot wasdom kunnen komen, maar sterven als een onbeduidend mannetje. Wij zijn het als mens verplicht onze stempel op deze aarde te drukken. Om te laten zien dat we geleefd hebben. Het verschil tussen woorden en daden. Actie.' Hij sprong op, en met een krachtige stoot maakte hij een carambole.

Maria sloeg de toetsen van de piano harder aan en een onheilspellende sfeer verspreidde zich door het huis, als de brandlucht van een smeulend vuur.

'*Lohengrin*. Van Wagner.' Osendal keek naar boven, waar de muziek vandaan kwam. 'Hou je van filosofie of literatuur?' vroeg hij.

'Van filosofie weet ik niet zoveel, maar ik hou wel erg van lezen.'

Osendal leek het biljartspel te zijn vergeten. Ze zaten op twee hoge krukken die Osendal had gevonden tussen wat oud meubilair dat bedekt onder witte lakens in de kelder was opgeslagen.

'Gobineau, ken je die? En Chamberlain?'

Sam haalde beschaamd zijn schouders op.

'Chamberlain was getrouwd met een dochter van Richard Wagner. Heeft interessante ideeën opgeschreven over het recht van de sterkste. Zijn ideeën waren gebaseerd op die van Darwin, maar dan toegepast op de mensenrassen. En Rousseau, ken je Rousseau?'

Sam schudde nauwelijks merkbaar zijn hoofd en concentreerde zich op het spel. Hij stond 1-0 achter. De naam Rousseau kende hij wel, maar hij had geen idee wat die precies geschreven had.

'Rousseau was een bekende filosoof in de tijd van de verlichting. Hij meende dat een land een leider nodig heeft, zoals een gezin een vader. Hij schreef ook over het patriottisme.' Hij knikte overtuigend terwijl hij sprak en boog zich naar Sam over. 'De meeste mensen weten niet wat ze moeten doen, Sam. Ze zijn de leiding kwijt. Ze zijn als kinderen zonder ouders. En dat is heel begrijpelijk. De regering is gevlucht.'

Sam zweeg.

Osendal ging verder, fluisterend. 'Weet je wat er gebeurt als er geen sterke leiding is? Complete anarchie, Sam.' Hij onderbrak het spel en liep de keldertrap op naar de bibliotheek. Hij kwam terug met een stapeltje boeken in zijn armen. Schiller, Herder en Fichte, las Sam op de ruggen.

'Dan leer je iets van de Duitse cultuur. En zul je ook iets van de Germaanse afstamming weten. Dat is belangrijk. En dan begrijp je het grotere geheel, zodat je de dingen die nu gebeuren op de juiste manier kunt interpreteren.'

'Zeer bedankt', antwoordde Sam terwijl hij de boeken in de papieren zak deed die Osendal erbij had gegeven.

'Dan zie je ook hoe kleinburgerlijk het Nederlandse volk denkt. Hoe het zich met hand en tand verzet en terug wil naar het oude, veilige, neutrale kneuterlandje. Jij beseft dat dit niet meer kan, Sam. Maar zij niet. Zij zien het belang van het volk op een hoger niveau niet. Zij beschermen het oude.'

Hij pauzeerde even. 'En Sam, vertel mij eens, wat is er goed aan het oude? Hoe was het leven voordat de Duitsers het overnamen? Hoe was het bij jou thuis?'

'Ik ben de op een na oudste. Mijn moeder is overleden toen ik zes jaar was. Zij liet mijn vader met vier kinderen achter.'

'Wat deed je vader?'

'Hij was beurtschipper. Nu is...'

'Dus jullie woonden op de boot.'

'Ja.'

'Dus jij had niet veel vriendjes.'

'Nee. Ja, eentje', herinnerde Sam zich. 'Daar trok ik vaak mee op. Het was de zoon van een handelaar. Hij had een keer een voetbal van me geleend en die heb ik nooit meer teruggekregen.' Hij glimlachte toegeeflijk bij de herinnering.

'Waarom niet?'

Hij haalde zijn schouders op. 'Hij had de bal verkocht.'

'Hoe heette dat vriendje?'

'Salomon Cohen.'

'Aha', zei Osendal. 'En jij dacht: dat was een kwajongensstreek?' Hij keek Sam peilend aan en kwam met zijn gezicht iets dichterbij. Maria begon weer te spelen.

'Of niet?' vroeg Osendal. 'Of was het soms... een *jodenstreek*?'

Sam wist niet of hij ja of nee moest antwoorden en zweeg. Ze luisterden naar de laatste tonen van Maria's pianospel, die ijl in de verte verstierven.

'Dus jij hebt drie broers of zusters.'

'Nee, nog meer. Mijn vader hertrouwde en kreeg met zijn nieuwe vrouw nog vier kinderen.'

'Had je een aardige stiefmoeder? En hoe was je eigen moeder?'

Zijn gevraag begon Sam op de zenuwen te werken. Via zijn tante Saar had hij wel het een en ander over zijn eigen moeder gehoord, maar daar wilde hij niets over kwijt.

'Kun je het goed vinden met je vader?'

Aarzelend begon Sam te vertellen over zijn vader; dat hij zijn baan als beurtschipper verloren had en met zijn gezin naar Amsterdam moest verhuizen, dat hij bij de werkverschaffing zat voordat de oorlog was begonnen, en plotseling ratelde Sam erop los, dankbaar dat hij het bij iemand kwijt kon.

'Heb je hem verteld over het Duitse Rijk?'

Sam gaf geen antwoord. Zijn vader noemde de Duitsers koleremoffen die met hun poten van ons land moesten afblijven.

‘Wist je dat werklozen gratis lid kunnen worden van de NSB?’

‘Ja, dat wist ik.’

‘Heb je dat tegen je vader gezegd?’

‘Ja’, loog Sam.

‘En wat zei hij?’

‘Niets.’ Hij vrat nog liever droog brood, zou hij hebben gezegd.

‘Gelooft jouw vader in God?’

‘Vroeger wel.’

‘Nu niet meer?’

Sam dacht even na. ‘Nee.’

‘Waarom niet, denk je?’

Hij wist het niet. Of ja, hij wist het wel, maar hij hoefde niet alles te vertellen. Weer haalde hij zijn schouders op.

‘Waarom denk je dat hij niet meer gelooft?’ hield Osendal aan.

‘Misschien is hij zijn vertrouwen kwijt?’

‘Juist! En waaróm is hij zijn vertrouwen kwijt?’

‘De sociale ellende. Armoede, denk ik.’

‘Dus zijn eerdere vertrouwen in God is eigenlijk op niets gebaseerd geweest?’

‘Weet ik niet.’

Osendal pakte zijn keu, stootte af en raakte de witte bal, die rakelings langs de rode scheerde.

‘Waaraan kun je merken dat God bestaat?’

‘Aan een gevoel van vertrouwen?’ poogde Sam.

Osendal leunde op zijn stok. ‘En als er nu eens een leider zou opstaan die ervoor zorgde dat het allemaal weer goed komt? Zou jouw vader dan weer vertrouwen hebben?’

‘Ja, ik vermoed van wel.’

‘Net als in God?’

Sam zweeg nadenkend.

‘Zie je, Sam, daar gaat het om. Geloof en vertrouwen.’

Osendal stond nog steeds voor, ook al praatte hij meer dan

dat hij biljartte. Maria was inmiddels naar beneden gekomen en keek toe.

'Gehst du manchmal naar NSB-bijeenkomsten?' vroeg ze.

'Nee, ik ben wel even lid geweest, heel lang geleden. Maar omdat ik ambtenaar was...'

'Nu de Duitsers aan de macht zijn, kun je toch auch wieder lid worden?'

'Dat zou kunnen.' Sam dacht aan Emma, die niets van de NSB moest weten.

Osendal keek hem aan. 'Het zou zoveel beter zijn als de NSB-ers zouden opkomen voor hun overtuigingen. Ze zoeken sterke mensen. Intelligente mensen, die zich met hart en ziel inzetten voor de zaak. Die zijn er te weinig, Sam. Die zijn er te weinig.'

'Dat kan zo zijn, maar overtuigingen mogen geen problematische rol binnen het huwelijk vormen', zei Sam zo neutraal mogelijk. Hij boog voorover, stootte tegen de bal en maakte een punt. Het stond gelijk.

'O, ik begrijp het.' Osendals toon werd vriendelijk.

Maria leunde tegen de biljarttafel.

'Ik begrijp het', herhaalde ze de woorden van haar man. 'Vechten voor een goed huwelijk ist das Allerwichtigste. Vielleicht nog wichtiger dan vechten voor een goede zaak.'

Sam knikte dankbaar. 'Emma wil graag een tweede kind', voegde hij er in een opwelling aan toe. 'We hebben al een zoon van vier jaar; Pieter.'

'Das ist ja schön! Lijkt hij op jou?' vroeg Maria.

'Ja, maar hij heeft de ogen van mijn vrouw. Het is een pienter ventje. Mijn vrouw hoopt dat we ook ooit een dochter krijgen.'

'Een dochter.' Osendal knikte goedkeurend. 'Wel, laten we hopen dat jullie kinderen mogen opgroeien in het mooie, solide Duitse Rijk. Proficiat!'

Toen Sam laat op de avond naar huis ging, voelde hij zich duizelig. Hij probeerde helder te denken en zich te concentreren op Emma en Pieter, maar die zaten in een wankel, schommelend bootje en dreven steeds zijn hoofd uit. Hij begon te zwalken, botste bijna tegen een lantaarnpaal op en liet de stapel boeken die hij van Osendal geleend had op de grond vallen. Gelukkig lag Emma al te slapen toen hij thuiskwam en hij verstopte de boeken achter het kolenhok.

13

Ik lachte, maar schrok van
de smekende blik in zijn ogen.

'DUS U HEBT DAAR VAN HET VOORJAAR VAN 1943 TOT MEI 1945 ondergedoken gezeten.' Conny had een notitieblokje in haar handen, waarop ze driftig aantekeningen maakte.

Daniëls knikte.

'Hoe zijn jullie bij de heer Hoffman terechtgekomen?'

'Dat weet ik niet precies. Het gebeurde in de avond, dat weet ik nog wel. Het regende en ik was boos op mijn ouders, want ik mocht mijn poes niet meenemen.'

'U wist niet waar u naartoe werd gebracht?'

'Nee, dat wist ik niet. Ik was erg bang. Later pas begreep ik dat we ondergedoken zaten in het huis schuin achter ons.'

'U herkende mijnheer Hoffman?'

'Nee. We hadden nooit veel contact met de mensen in de straat achter ons. Ik wist dat er een oudere vrouw woonde, maar meer ook niet.'

'En hebt u enig idee hoe jullie aan eten kwamen?

'Dat kregen we van Hoffman. Maar ik weet niet hoe hij eraan kwam. Misschien door mensen uit de buurt.'

'Het moet vreselijk zijn geweest, zo lang opgesloten te hebben gezeten...'

'Ja. Maar er was wel een lichtpuntje. Morah – dat was onze poes – kwam na een paar maanden langs. Waarschijnlijk heeft de buurvrouw naast ons hem te eten gegeven. De poes kon door een gat in hun schutting naar ons toekomen.'

'Het lijkt Anne Frank wel', Anke huiverend.

Daniëls sloeg er geen acht op. 'Die kat heeft de hele oorlog overleefd. En dat terwijl ze maar drie pootjes had. In 1948 werd ze aangereden door de aardappelboer.'

'Mochten jullie weleens naar buiten?'

'Nee, natuurlijk niet, dat was veel te gevaarlijk.'

Conny knikte haastig, als om recht te zetten dat ze een verkeerde vraag had gesteld. Ze keek naar het groepje joodse mensen dat vlak naast hen stond. 'Allemaal familie?'

'Allemaal familie. Kinderen en kleinkinderen van mijn zus en van mij. Die zouden er niet zijn geweest als Hoffman niet zo heldhaftig had opgetreden in de oorlog.'

'U bent een gelukkig mens.'

'Ik ben een gezegend mens.' Hij knikte ons toe en voegde zich weer bij zijn familieleden.

'En nu', zei Anke terwijl ze me aan mijn arm trok, 'stel ik je voor aan mijn grootvader.'

We liepen naar het achtergedeelte van het zaaltje, waar de oude Hoffman aan een tafeltje zat. Hij had net een interview met Conny achter de rug en het zweet parelde op zijn voorhoofd. Hij boog zich licht naar voren, pakte mijn hand en legde zijn grote handen om mijn hand heen.

'Dag jongedame', zei hij met een trage, gedistingeerde stem. Hij keek me intens aan. In zijn kleine bleekblauwe ogen waren gesprongen rode adertjes te zien.

Nadat we een glaasje jus d'orange hadden besteld, zei Anke: 'Ik loop even met Conny mee. Ik wil haar nog even spreken voordat ze weggaat. Ik ben zo terug.'

Gretig liep ze achter de journaliste aan, haar oranje lokken dansten op haar rug.

Hoffman had nog steeds zijn handen om mijn hand. Hij had een eigenaardige blik in zijn ogen gekregen. 'Hoe maakt u het, juffrouw?'

'Heel goed, mijnheer Hoffman. Ik ben onder de indruk van uw mooie onderscheiding. Het is niet niks wat u gedaan hebt.'

Hij schudde zijn hoofd en keek alsof hij zich even niet meer kon herinneren wat het ook alweer was dat hij gedaan had. Hij sloot zijn handen iets steviger om mijn hand. Ik kreeg het benauwd.

'Een mooie oorkonde hebt u daar.' Ik worstelde mijn hand los en wees op het document dat voor hem op de tafel lag.

Met tegenzin verplaatste hij zijn blik.

'Het moet voor u wel een bijzondere dag zijn. En dan ook nog een feestelijk diner, zo meteen...'

Hij greep mijn hand weer vast. 'Bent u ook bij het diner, juffrouw?'

'Ja, mijnheer Hoffman, ik ben er ook bij.'

Hij keek opgelucht, blij als een kind zelfs, en liet mijn hand los. 'Wilt u alstublieft naast me komen zitten, juffrouw?'

Ik lachte, maar schrok van de smekende blik in zijn ogen. 'Natuurlijk, mijnheer Hoffman, maar ik denk dat Anke een tafelschikking gemaakt heeft.'

'Anke?' Onzeker keek hij om zich heen.

'Ja.' Ik wees naar zijn kleindochter die op ons af kwam lopen. Een denkrimpel verscheen boven zijn wenkbrauwen.

'Komen jullie mee?' vroeg Anke. 'We gaan aan tafel; het feest gaat beginnen!'

14

'Alsof iemand anders het stokje vasthoudt...'

'SAM, WAT IS DIT?' ZE STOND IN DE KEUKEN MET DE PAPIEREN zak in haar handen.

'Dat zijn boeken.'

'Ja, dat zie ik ook wel. Het zijn Duitse boeken. Van wie zijn die?'

'Van Bernhard Osendal.'

'En hoe komen die hier?'

Sam zat te broeden op een aannemelijke verklaring. Uitgebreid plakte hij het laatste vel distributiebonnen voor de komende week in en legde de bonnen op een stapeltje.

Emma zette de kolenemmer terug in het hok en keek hem aan. 'Het is een man van vergezichten, Sam, die Osendal. Dat gevoel had ik tijdens de zangrepetities al. Zulke mannen kun je maar beter mijden. Hij weet het mooi te brengen, hij preekt over idealen, maar intussen zijn wij bezet door Duitsland. Dat is de realiteit. Wat zal er van Nederland terechtkomen? De Duitsers zijn hier nu al bijna een jaar en ik denk niet dat ze snel zullen vertrekken.'

Ze roerde in een pan bietensoep die op het fornuis stond. Hij keek naar haar rug. Pietertje zat naast hem te tekenen en keek beurtelings van hem naar Emma, alsof hij wilde begrijpen waar ze het over hadden. Sam ging op de tafel zitten en schommelde met zijn voeten heen en weer.

'Er zal een groot rijk komen, Emma. En daarin zal Nederland opgenomen worden. Wij stammen af van de Germanen en alleen daarom al zullen wij onze rechtmatige plaats in het grote rijk krijgen. Kijk, een landje als Nederland betekent niets in de wereldpolitiek. Het is onbeduidend, kleinburgerlijk en simpelweg niet opgewassen tegen internationale krachten.'

'Je spreekt nu net als die Osendal van je', snoof ze en ze draaide zich naar hem toe. 'En daarbij, het kan wel zo wezen, maar ik heb dat "kleinburgerlijke" altijd erg prettig gevonden. En die crisis hadden we ook wel overleefd als Duitsland ons land niet was binnengevallen. Nu is er angst en onrust. Ik merk het ook aan Pieter, hij is uit zijn doen en slaapt slecht. Wat heb ik met wereldpolitiek te maken als ik mij hier in huis niet meer prettig voel?'

'De Duitsers hebben het beste met ons voor', legde hij uit. 'Zoveel herrie schoppen ze niet, sommigen zijn zelfs vriendelijk. Voor hen is de situatie ook nieuw. Het is begrijpelijk dat iedereen de eerste tijd wat onwennig is.'

'Hm.' Met een stuurs gezicht voegde ze wat bonenkruid en peterselie uit de tuin aan de soep toe. 'Nu misschien, maar wat als de oorlog langer duurt? En die Hitler, ik vertrouw hem niet. Hij heeft mij te veel macht. Kijk nu eens wat hij doet, hij verovert het ene land na het andere. En ik geloof er niets van dat de mensen er gelukkiger op worden. Er vallen zoveel doden.'

'Maar hij heeft Duitsland wel uit een economische crisis geholpen. Alle mannen hebben een baan, ze komen zelfs mensen tekort om het werk te doen! De meeste mensen krijgen een auto, stel je voor, een auto! De man geeft de mensen hoop. De mensen zien weer licht aan het eind van de tunnel. Hij heeft Duitsland voorzien van een stevige basis, en daarop kunnen ze voortbouwen. En dat is hij met Nederland, als deel van het Derde Rijk, ook van plan.'

'Hm. Je gaat wel gemakkelijk voorbij aan de minder mooie kanten van zijn leiderschap. Ik hoorde laatst...'

'Je moet niet zoveel waarde hechten aan geruchten. Die zijn aangedikt door tegenkrachten, zo gaat dat. Bovendien, het is nu eenmaal zo: Hitler regeert over ons land. Tegenwerken heeft geen zin. Wat kun je doen in je eentje?'

Ze stond op haar tenen om de pot vermicelli van de hoogste plank boven het aanrecht te pakken. Hij sprong van de tafel en deed het voor haar.

Die avond sloot ze zich op in de slaapkamer waar de schildersezel stond en daar bleef ze uren schilderen. Aan het eind van de avond kroop hij naast haar in bed en zocht onder de dekens naar haar voeten, die altijd zo koud aanvoelden, maar ze trok ze weg. Hij wilde haar vertellen dat hij zich weer wilde aansluiten bij de NSB, maar ze draaide haar rug naar hem toe. Hij wilde haar vertellen over zijn reis naar Drenthe de dag daarvoor, samen met Hendrik in de Nash. Hij wilde haar vertellen hoeveel beter de boeren het daar hadden sinds de Duitsers aan de macht waren gekomen. Hij wilde haar vertellen hoe ze met zijn allen in het voorhuis van de grote boerderij hadden gezeten; hoe Hendriks moeder appeltaart had gebakken, waarna ze met de knechten en de dienstmeisjes om de grote tafel hadden gezeten en gesproken hadden over de NSB, en dat Hendrik uitvoerig verslag had gedaan van de arrestatie tijdens de Februaristaking, waar een van zijn kameraden de dood had gevonden, en hoe ze allemaal hadden meegeleefd. Hij wilde haar vertellen hoe Hendriks vader eruitzag, met zijn kogelronde gezicht en zijn haar dat altijd rechtovereind stond, en hoe hij had geholpen met het op de kar zetten van de zakken aardappelen, zijn kiezen op elkaar geklemd en zijn wangen rood van inspanning, en dat hij er nog tien kilo suikerbieten bij had gedaan, voor het geval dat. Hij wilde haar vertellen dat Hendriks vader vlak voordat ze vertrokken hem nog even tegen zich aan had gedrukt en had gezegd: doe vooral de groeten aan je vader, Sam. Maar het enige wat hij tegen haar fluisterde was 'welterusten'. En toen sliep ze al.

Waar hij ook over nadacht, niet alleen die nacht maar vele volgende nachten, was wat er met de joden gebeurde, vooral na de staking in de Jordaan in februari.

'Die geruchten over de joden, dat is propaganda, jongen', had Osendal gezegd. 'Er gebeurt niets ergs met de joden, ze krijgen alleen een andere plaats toebedeeld. Joden zijn een volk zonder vaste plaats. Zij kunnen, gewiekst als ze zijn, overal wel aarden. En vergeet niet: Duitsland is zeer zwaar gestraft na de Grote Oorlog, en daar konden de joden weliswaar niet zoveel aan doen, maar je zult het met me eens zijn dat zij tot de weinigen behoorden die daar profijt uit trokken. Nou, die situatie moet nu rechtgetrokken worden. Het uitverkoren volk kan best een toontje lager zingen. En bovendien, waarom zouden zíj het uitverkoren volk of ras zijn? Als we het dan toch over uitverkoren hebben, neem dan de Ariërs. Dat is in elk geval een zuiver ras.'

'Maar mensen zijn mensen. Geen enkel mens is minder of meer waard dan de andere', had Sam ferm geantwoord.

'Rustig Sam, rustig. Je hebt gelijk. Het is fijn dat je er zo over nadenkt. De meeste mensen komen niet verder dan: "de Duitsers zijn onze vijand, dus zij zijn fout en wij zijn goed." Maar jij, Sam, jij denkt dieper na. Om de rassenleer te begrijpen moet men beseffen dat alles is ontstaan vanuit een natuurlijke orde. Er is evenwicht in de kosmos. Alles heeft zijn eigen plaats en ieder moet zijn plaats kennen. Deze natuurlijke orde is nu ernstig ontwricht. En wat moet er dan gebeuren?'

Sam was even stil. 'Als die ontwricht is, dan moet die hersteld worden.'

'Precies. En dat is precies wat Hitler van plan is: herstellen. Niet vechten, niet moorden, maar beter maken.'

'Hm', zei Sam. 'Maar waarom moeten er dan doden vallen?'

'Waar gehakt wordt, vallen spaanders. Om orde te krijgen moet er eerst chaos ontstaan. Vanuit die chaos zal een nieuwe eenheid verrijzen, het Derde Rijk. Maar om orde in de chaos te scheppen, moet er een eenheid gevormd worden. Dat is van het hoogste belang, eenheid op alle fronten. Mussert zegt: na het vaderland is de familieband het sterkst. Daarom is het belangrijk om ook als familie een ideaal uit te dragen. Verdeeldheid in de familie is net zo erg als verdeeldheid in het land.'

'Emma, ze doen ook veel voor vrouwen, hoor.'

Ze zat met haar knieën opgetrokken in een van de fauteuils verdiept in een roman en reageerde niet.

'Emma.'

'Ik hoor je wel', zei ze terwijl ze een bladzijde omsloeg.

'Ze doen ook veel voor vrouwen, zei ik.'

'Ik hoef geen Leidend Beginsel.' Ze legde haar boek op het tafeltje naast de lamp en stond op om een stofdoek te pakken.

Sam zat in de andere fauteuil, met zijn voet leunend op een van de planken van de boekenkast, en volgde haar met zijn ogen. Hij hield ervan naar haar bewegingen te kijken als ze bezig was. Met een roodgeruite doek stofte ze de schoorsteenmantel af.

'Waarom niet?'

'Ik wil me niet met de politiek bemoeien.'

'De wereld is in oorlog en jij stopt je hoofd in het zand?'

'Ik stop mijn hoofd niet in het zand. Ik voel gewoon niks voor die beweging van jou.'

'Het is mijn beweging niet.'

'Maar jij staat wel achter de uitgangspunten van die beweging.'

'Je kunt beter ergens voor kiezen dan... schoorsteenmantels afstoffen.'

Beledigd draaide ze zich naar hem om, haar vuisten in haar zij.

'Het spijt me, zo bedoelde ik het niet', zei hij snel. 'Ik wil alleen maar zeggen, Emma, dat het een zootje is hier in Nederland. En dat was al zo voor de oorlog. Ik wil zo graag wat doen. Ik denk erover weer lid te worden.'

Ze liep naar het raam en klopte met gedecideerde slagen haar stofdoek uit. 'Er komt geen aanplakbiljet van de NSB in mijn raam.'

'Óns raam.'

'Ons raam.'

'En je zegt er niets over tegen Pieter. Ik wil niet dat hij gepest wordt.'

'Pieter moet ook leren om met pesterijen om te gaan.'

'Dat leert hij wel als hij zijn eigen keuzes mag maken en er geen van jou opgedrongen krijgt.'

'Emma', begon Sam.

'Ja?'

'Ik wil helemaal geen ruzie met jou. Ik wil helemaal geen keuzes maken waar jij niet achter staat.'

'Sluit je dan niet aan bij die NSB. En blijf bij die nare Osendal uit de buurt. Hij is de bron van alle ellende.'

'Waarom moet ik altijd doen wat jij wilt? Waarom ben je zo eigenwijs?'

'Ik ben niet eigenwijs. Jíj bent eigenwijs.'

Misschien was dit wel een van de offers die hij moest brengen: zwijgen. Hij meldde zich weer bij de NSB als lid. En hij zweeg. Hij ging naar kantoor, deed zijn werk, was een goede echtgenoot en een goede vader, maar hij was er toch ook niet helemaal. Want hij zweeg.

Emma sloot zich steeds vaker op in de slaapkamer, waar ze haar geïmproviseerde atelier had. Het stond inmiddels vol met schilderijen en 's nachts rook de kamer naar terpentijn. Ze had geen specifieke stijl of voorkeur. Soms tekende ze Pieter, een moment dat zijn duim gedachteloos uit zijn mond gleed. Of ze schilderde de kastanjeboom in de tuin, met afhangende takken en bladeren als donkere, krachteloze handen. Alleen hij mocht ze zien, maar pas als ze helemaal klaar waren en niet zonder haar uitdrukkelijke toestemming. Altijd was hij getroffen door iets in haar schilderijen.

'Waarom hang je er niet een in de kamer?' vroeg hij haar eens.

Ze haalde haar schouders op. 'Te intiem. Bang dat iemand er met zijn blik iets aan beschadigt.'

'Ik begrijp je niet.'

'Het voelt alsof ik het blootstel aan de buitenwereld.'

'Maar dat geeft toch niet?'

'Ze verraden me, de schilderijen. Ze kleden me uit. Ik moet ze beschermen.'

Hij kon haar niet overtuigen. De schilderijen kwamen de slaapkamer niet uit. Ze vond ze zelf ook nooit mooi genoeg. Soms zag hij dat ze zelf schrok van het resultaat. Was ze avonden aaneen aan het schilderen geweest, bijna bezeten, dan vroeg ze aan hem: 'Heb ik dit gemaakt, Sam?' Soms raakte ze daarna in geen maanden een penseel aan. Alsof ze bang was.

'Het penseel verandert me, Sam. Het is een toverstokje, het dompelt me onder in een wereld waar ik niet wil zijn. Ik wil vrolijke dingen schilderen, Sam. Net als na ons trouwen. Maar op de een of andere manier worden ze steeds maar zo... Alsof iemand anders het stokje vasthoudt.'

15

'Dat is maar goed ook, mijnheer Hoffman.
Boontje komt om zijn loontje.'

HET YAD VASHEM-DINER WERD IN EEN APARTE ZAAL GEHOUDEN, achter het restaurant. Het was een kleine zaal, het lage plafond werd met donkerbruine balken gestut en de muren waren behangen met een druk bloemetjesbehang. Het was hier nog warmer dan in het zaaltje van de receptie. Op de vensterbank, voor de beige vitrage, stonden groene vaasjes met neprozen.

De meeste stoelen om de drie grote tafels waren al bezet toen ik binnenkwam. Anke zat links van haar grootvader aan de lange tafel. Aan zijn rechterhand zat de vader van Anke. Michiel nam plaats aan de tafel bij het raam, met zijn rug naar me toe. Ik vond nog een vrij plaatsje aan de middelste tafel, naast de moeder van Anke.

Terwijl de ober onze glazen vulde, knoopte ik een gesprek met haar aan over hun huis in Portugal. Het ligt in Sintra, vlak bij Lissabon, vertelde ze. Of ik daar weleens geweest was?

Ik knikte. Samen met Rick en met Sterre, toen ze nog maar twee was. Met de jogger de steile heuvel over en het oude stadsgedeelte bekijken, en tegen de avond eten bij kleine restaurantjes en slenteren langs de Taag. De rivier van Slauerhoff. Van Pessoa, Cristina Branco, de Fado. De rivier van verlangen.

We kregen soep opgediend, kreeftensoep met spekjes. Anke's moeder begon te praten met de vrouw aan haar andere kant, een van de familieleden van Simon Daniëls. Ze hadden het over de verschrikkingen die de joden hadden moeten meemaken in de oorlog en over de bewonderenswaardige rol van haar schoonvader in het verzet. 'En dat jullie dat nooit hebben geweten...' zei de joodse vrouw.

'Ja, praten over de oorlog deed je niet zo snel. Wij hebben hem er nooit over gehoord. Alleen het laatste jaar af en toe. Maar ja, hij raakte een beetje in de war, en dan neem je het allemaal niet zo serieus.' Anke's moeder lachte verontschuldigend.

Tussen de gasten door keek ik Michiel op de rug. Vochtige krulletjes haar sprongen over het boordje van zijn overhemd heen. Aandoenlijk. Zijn overhemd was niet gestreken. Zou hij geen vrouw hebben die hem daarop wees?

Er werd op mijn schouder getikt. Het was Anke. 'Mijn grootvader vraagt of je naast hem wilt zitten.' Ze giechelde er een beetje bij. Terwijl we van plaats wisselden, fluisterde ze: 'Als je er genoeg van hebt, moet je me maar even een seintje geven, hoor.'

Mijnheer Hoffman keek verheugd op toen ik links van hem aanschoof. Hij boog zich naar me toe. 'Je... Mag ik "je" zeggen?'

'Natuurlijk, mijnheer Hoffman.'

'Je lijkt zo op iemand.'

Verrast keek ik hem aan. 'Is dat zo?'

Hij knikte. 'Iemand die ik heel lang geleden heb gekend.' Hij staarde over de vaasjes met neprozen heen naar buiten.

Ik wist niet wat ik moest zeggen.

'Nog voor de oorlog.'

Ik knikte beleefd. 'Dat is zeker lang geleden.'

Hij sneed een stukje ossenhaas door. Zijn hoofd bewoog langzaam op en neer. 'Heel lang.'

'En leeft ze nog steeds?'

'Ik weet het niet. Ik heb haar nog eenmaal gezien, na de oorlog. Toen was ze ongeveer net zo oud als jij nu.' Zijn gezicht vertrok pijnlijk terwijl hij aan die laatste ontmoeting dacht. Hij nam een slokje water.

'Ze was bijna mijn verloofde, in 1933. Ze maakte heel mooie schilderijen. En ze had prachtig golvend haar. Net als jij.'

Ik lachte verlegen.

Hoffman zette zijn ellebogen op tafel en vouwde zijn knokige vingers in elkaar. Terwijl de glazen nog eens werden bijgevuld, legde hij een beverige hand op mijn arm. Ik schrok ervan. Hij trok zijn hand snel terug, streek over de gladde sprietjes haar op zijn hoofd en boog zijn gezicht naar me toe. 'Ze heeft alleen een vergissing gemaakt.'

Ik zette mijn glas wijn neer. 'U bedoelt uw verloofde?'

'Aanstaande verloofde. Ze verbrak de aanstaande verloving; ik had de ringen al uitgezocht. In '33 was het. Herfst '33. Ze ontmoette iemand anders, een vreselijke vent, en daar is ze nog geen jaar later mee getrouwd. Een schurk, dat was het.' Met een klap zette hij zijn drankje op tafel.

'Ja, dat zijn pijnlijke dingen, mijnheer Hoffman.' Meewarig keek ik naar de lijnen in zijn gezicht.

'Maar ik heb hem teruggepakt', zei hij met een sinistere blik in zijn ogen. 'Ik héb hem teruggepakt.'

'Dat is maar goed ook, mijnheer Hoffman. Boontje komt om zijn loontje.'

'Hij was in de oorlog bij de NSB. Ja, zo eentje was hij wel. Niet te vertrouwen, een geboren verrader. Het is toch een speciaal slag, dat NSB-volk. Ik had het zo met haar te doen. Ik wist dat ze spijt zou krijgen van haar keuze en dat ze dan weer bij me zou komen. Zíj moest nooit iets hebben van de NSB, zij is meer ons soort mensen, gewoon eerlijk, recht door zee. En na de oorlog, op die kar in Amsterdam, met haar kaalgeschoren hoofd en dat bekogelen... Ik heb het met mijn eigen ogen gezien. Vreselijk.' Hij schoof zijn bord, nog halfvol, opzij.

'Ja, voor de vrouwen moet het vreselijk zijn geweest', vulde ik aan. 'Zeker als je er niets mee te maken wilde hebben.'

Hoffman mompelde voor zich uit. 'Afschuwelijk is het geweest, voor haar. Ik heb haar nog een keer opgezocht, na de oorlog. Toen ze uit het werkkamp kwam.' Weer vertrok zijn gezicht toen hij aan die laatste ontmoeting dacht.

Michiel stond op van de tafel en duwde de rolstoel van zijn opa's broer de zaal uit. Terwijl hij onze tafel passeerde, lachte hij even naar me. Achter het oor van de oude man zat een opgerold shagje.

Ik keek hem na. Toen hij achter de deur verdwenen was, prikte ik wat salade op mijn vork en ik wendde me weer tot Hoffman. 'En hij dan, die NSB'er?'

Anke liep naar me toe. 'Zal ik je aflossen?'

'Nee, laat maar. Laat maar even.'

Hoffman grijnsde. 'Ik heb 'm teruggepakt, die vent. Ik kwam erachter van wie hij zijn opdrachten kreeg en ik heb zijn naam doorgegeven aan de illegalen.' Tevreden knikkend pakte hij zijn mes en vork op en schoof zijn bord naar zich toe. 'Hij is opgepakt, zijn verdiende loon.' Met kracht sneed hij een stukje ossenhaas in tweeën. 'Afschieten moeten ze al die NSB'ers. Afschieten!'

Een paar mensen in de zaal keken verschrikt naar hem om.

'Rustig maar, pa', zei Anke's vader aan de andere kant naast hem.

'Honderdduizenden waren er. Meer dan honderdduizend van die bloedzuigers. Ze hadden allemaal afgemaakt moeten worden na de oorlog, die smerige landverraders.'

Ik legde mijn hand op zijn arm. Onder zijn perkamenten huid voelden zijn spieren tot het uiterste gespannen.

'Maar wat is er dan gebeurd met die NSB'er?'

'Hij is geëxecuteerd, heb ik later gehoord. Zijn verdiende loon.' Hij keek tevreden. Weer legde hij zijn oude hand op mijn arm en drukte die even. 'Zijn verdiende loon. Echt waar, Emma, geloof me.'

Ik kreeg het opeens koud. Heel koud. Terwijl de gasten dooraten en de ober langsliep om te kijken of alles naar wens was, galmden de laatste woorden van Anke's grootvader na in mijn hoofd. Mijn oma die in haar jonge jaren had geschilderd. Mijn oma die haar man verloor in de oorlog. Mijn oma, vol humor, maar gesloten als een oester. Mijn oma op wie ik zo leek. Mijn oma Emma.

'Ik heet Susan, mijnheer Hoffman', wist ik met moeite uit te brengen.

Met knikkende knieën liep ik de gang door naar buiten. Op het donkere terras hoorde ik gemompel van gasten die zaten te roken. Gloeiende uiteinden van sigaretten, lichtpuntjes van schijnveiligheid. Ik leunde tegen de koele stenen van de muur. Mijn knieën trilden zo erg dat ik bijna niet rechtop kon staan.

'Ook even een luchtje scheppen?' Een stem klonk uit het donker. Michiel stond opeens naast me. Achter hem, aan het tafeltje zag ik de omtrek van Ger Arendtse en het brandende puntje van zijn sigaret.

Ik wist geen zinnig woord uit te brengen.

Hij keek over de gracht naar de bomen langs het water. 'Een mooie avond om te wandelen, vind je niet?'

Ik knikte.

De man in de rolstoel wenkte hem om weer naar binnen te gaan. Michiel keek me nog even aan. 'Ga je mee naar binnen?'

Ik schudde mijn hoofd. 'Ik kom zo.'

Michiel duwde de rolstoel over de drempel en keek nog even om, maar ik deed alsof ik het niet zag. In mijn hoofd spookten allerlei vragen rond.

Ben ik de kleindochter van een landverrader? Heb ik het bloed en de genen van een verrader? Mijn vader... zou mijn vader het weten? Natuurlijk, hij moet negen of tien jaar geweest zijn toen de oorlog was afgelopen. Zal mijn moeder het weten?

Kan zij het níét weten? En mijn broer Frank dan? En die zus van oma, tante Riet die nooit langskwam?

Misschien was het allemaal niet waar. Ik schudde mijn hoofd alsof ik het vreselijke vermoeden daarmee uit mijn gedachten kon verjagen.

Het hoefde niet waar te zijn. Er waren wel meer vrouwen met golvende haren die van schilderen hielden. Er waren wel meer vrouwen die hun man in de oorlog hadden verloren. Er waren wel meer oma's die Emma heten. En die Hoffman, die was hartstikke seniel. Hij was al dik in de negentig, hij zou waarschijnlijk nog maar een paar jaar te leven hebben.

Argwanend keek ik naar de pratende, rokende en drinkende mensen. Een vrouw keek in mijn richting en glimlachte vriendelijk. Of leek dat maar zo?

Direct nadat de laatste gang was opgediend verliet ik het restaurant. Ik vermeed Hoffman bij het weggaan en nam zelfs geen afscheid van Anke.

16

'Jouw verhaaltjes lopen toch altijd goed af?'

'HOE IS HET MET MAARTEN?' VROEG RIET OP GEDEMPTE TOON. 'Is hij nog weleens bij zijn gouvernante?'

Emma was bezig thee in te schenken, en Sam stond naast Riet bij het raam van de achterkamer te kijken naar de jongens die in de tuin aan het spelen waren.

Ze liepen achter de poes van Simon Daniëls aan, die door een gat in de schutting naar de achterburen kroop, het huis waar Maarten Hoffmans gouvernante woonde.

'Ja hoor, hij huurt daar al een tijdje een kamer, ongeveer anderhalf jaar nu, sinds de oorlog is begonnen.'

'Hij zou toch het pand van zijn vader overnemen? Dat vertelde hij toen hij nog verloofd was met Emma', zei Riet.

'Bíjna verloofd', corrigeerde Sam. 'Ik weet het niet. Hij harkt wel iedere week keurig haar tuintje aan. Elke maandagmorgen. Slaat geen centimeter over. En als het zomer is, komt hij bij haar zitten en dan drinken ze thee in de tuin. Keurige man, echt waar.'

'Je moet niet zo smalend over hem praten, Sam', zei Emma, die naast hen kwam staan.

'Ik praat niet smalend over hem, integendeel. Het is de ideale schoonzoon, als je 't mij vraagt. Jammer dat-ie geen vrouwtje kan vinden.'

Emma deed net of ze het niet hoorde. Ze draaiden zich weg van het raam en de aanblik op het huis achter hen en gingen bij Hendrik zitten, die in de voorkamer *Volk en Vaderland* zat te lezen.

'Lekkere thee, Emma. Net echte thee.' Riet deed haar best om het gesprek op gang te krijgen.

'Ja. Heerlijk.' Emma keek haar ongeïnteresseerd aan.

'Het aardappelenrantsoen is nu ook weer teruggebracht', vervolgde haar zuster. 'Wie kan er nu rondkomen van anderhalve kilo per week!'

Emma knikte kort en keek strak voor zich uit.

'Dat is wel erg weinig, vind je niet?'

'Vreselijk.'

Riet keek naar de jongens achter in de tuin. 'Wat is het toch fijn dat onze kinderen zo lief met elkaar kunnen spelen, hè.'

'Zeker.' Emma pakte een boek uit de kast en sloeg hem open.

'Kun je nog wel een beetje rondkomen, Emma?'

'Ja hoor.'

'Niet dat ik me ongerust maak, hoor, maar pa vroeg het laatst ook al. Hij vond je er zo bleekjes uitzien. En de kleine Pieter begint ook al aardig uit zijn kleren te groeien, zei ma.'

'Het gaat prima.' Emma keek haar zuster afgemeten aan. 'Maak je geen zorgen.'

'Nee hoor, ik maak me geen zorgen. Wist je trouwens dat ik me inzet voor de NSB Winterhulp? Laatst heb ik samen met een kamske vitamine en levertraan uitgedeeld aan de schoolkinderen in de armste wijken van de stad. We zijn druk bezig met het breien van sjaals en wanten voor de mannen aan het Oostfront. Ik heb al drie paar oorwarmers gebreid en nu ben ik bezig met een polsmof. Heb jij nog restjes wol over die ik kan gebruiken?'

Emma gaf nu helemaal geen antwoord meer. Ze richtte haar aandacht weer op haar boek.

'Emma heeft een slechte nacht achter de rug', vergoelijkte Sam.

'Ja,' Riet knikte begrijpend, 'het is ook zo onrustig, 's nachts, met die ronkende vliegtuigen zo laag boven de stad.'

'Hier, Sam. De *VoVA*.' Hendrik gaf *Volk en Vaderland* aan zijn zwager. Hendrik begon over het verbod dat de Duitsers sinds kort hadden doen uitgaan op het bezit van een radio, en daarna over de conflicten binnen de top van de NSB, maar Emma keek hem zo vernietigend aan vanachter haar boek, dat hij halverwege een zin zijn mond sloot.

'Ik kom morgen voor spertijd wel even bij je langs, Hendrik', zei Sam tegen zijn zwager toen hij bij de deur stond om hen uit te zwaaien.

'Waarom moet jij vanavond naar Hendrik? Gisteren was je ook al weg.' Ze had net de tafel afgeruimd en was bezig met de vaat. De kopjes vielen met een nijdig gekletter in het sop. Hij volgde haar gebaren, zittend aan de keukentafel, en stak een sigaret op.

'Gewoon, om wat van gedachten te wisselen.'

'Waarover?'

'Bepaalde ideeën.'

'Jij moet niet zoveel ideeën hebben, Sam Warenaar.'

'Wat is daar mis mee?'

'Je bent een idealist. Je zweeft met je hoofd hoog in de lucht en droomt van de wereld die Osendal je voorspiegelt, een wereld die nooit zal bestaan, en je vergeet...' De rest ging verloren in het geronk van een Messerschmitt.

'Je moet wat meer met je beide benen op de grond staan, Sam,' eindigde ze.

'Je overdrijft een beetje, Emma.'

'Helemaal niet. Die NSB van je, die deugt niet. En ik word erop aangekeken. Ik sta vanmorgen bij de slager en ik word overgeslagen. Waarom denk je dat Pietertje niet naar school wil? Hoe denk je dat ik me voel wanneer jij colporteur bent en de *VoVa* probeert te slijten? Hoe denk je dat ik me voel tegenover haar van Daniëls? Heb je daar weleens over nagedacht? Ik durf niet eens meer goed langs hun huis te lopen. En zij blijft toch vriendelijk, dat is nog het ergste.'

'Hou op, Emma.' Geërgerd drukte Sam zijn sigaret uit.

'Waarom? Omdat ik vind dat je te veel ideeën hebt? Dat je met je beide benen op de grond moet staan? Om nog eens een heel ander voorbeeld te noemen, dat idee van je om schrijver te worden. Wat is daar van terechtgekomen? Ja, schrijver op de burgerlijke stand. Kaartjes overschrijven.'

'Jij weet ook wel dat door de omstandigheden...'

'Wat weet ik? Weet je wat ik weet...'

Haar gezicht was rood aangelopen en ze zocht naar de juiste woorden. '...Ik ben getrouwd met een hoogvlieger. Het lijkt heel wat, maar het stelt niks voor. Weet je wat jij bent? Jij bent een schrijver zonder boek!'

'Hou je kop, kreng', gromde hij.

Een tijdlang keek ze hem aan, met een ijzige blik. Toen schreed ze de kamer uit en sloeg de deur achter zich dicht. Een stukje van haar rok zat ertussen, zodat ze de deur nog een keer moest openen. Ze keek hem aan met een blik waarin hij iets las dat hij nooit eerder van haar gezien had: verachting. Daarna trok ze de deur nog een keer dicht, met twee keer zoveel kracht.

De glazen deurtjes in de buffetkast rinkelden en de emaillen vaas, die als erfstuk was bedoeld voor de zuster van oom Stijn, schoof door de klap spontaan een stuk op. De liefdesgedichten die Emma daar als herinnering aan hun prille verliefdheid had bewaard, dwarrelden naar beneden als flarden van een uiteengespatte droom.

Door de ruzie was Pieter van streek geraakt. Sam probeerde hem gerust te stellen en nam hem mee naar het huis van Hendrik om door te geven dat het beter was dat hij die avond niet bij hem langskwam.

'Waarom niet?' vroeg Hendrik terwijl hij tegen de deurpost leunde. Sam hield Pieter tegen, die naar binnen wilde glippen. Hij tilde hem op.

Hendrik keek zijn zwager onderzoekend aan. 'Heeft dat soms met Emma te maken? Laat je niet te veel op je kop zitten door je vrouwtje, hoor. Vrouwen kunnen soms een beperkte blik op de wereld hebben.' Hij verplaatste zijn gewicht op zijn andere been.

'Daar gaat het helemaal niet om', zei Sam kort. 'Ik kom wel een andere keer.' Hij zette Pieter op zijn schouders en liep terug naar huis.

Het zag ernaar uit dat hij die avond zelf voor het eten moest zorgen. Het probleem was dat hij niet wist hoe dat moest. Aardappelen schillen kon hij nog wel: hij deed een laagje water in de pan en pakte een paar aardappelen uit de jutezak naast het kolenhok. Op het aanrecht lag een bos wortelen. Pieter keek ernaar. 'Ik vind wortelen niet lekker.'

'Ga jij de aardappelen maar in de pan gooien als ik ze geschild heb, Pieter.'

De spetters vlogen Sam algauw om de oren. Hij veegde de druppels van zijn gezicht af en pakte de bos wortelen.

Hoe lang zouden die moeten koken? vroeg hij zich af. Hij pakte een schriftje uit een van de lades in de buffetkast, scheurde er een velletje papier uit en schreef: 'Hoe lang moeten worteltjes koken?'

'Wil jij dit onder de slaapkamerdeur schuiven?'

Pieter sprong op om het papiertje weg te brengen.

'Wacht', riep hij voordat Pieter de kamer uit was. Hij schreef erachter: 'Kom je met ons mee-eten?'

Na enkele minuten kwam Pieter bij hem terug en gaf hem het papiertje. Op de achterkant stond: 'Dertig minuten. Aardappelen pas opzetten als wortelen koken. Nee.'

Het eten aten ze zwijgend op aan de keukentafel.

'Lekker, pap.'

Pieter at zijn hele bord leeg, ook het stukje aardappel dat hij had laten vallen op het tafellaken.

Laat op de avond stond Sam tussen de gordijnen van de kamer naar de verduisterde straat te kijken. Emma had al die tijd niet tegen hem gesproken. Toen ze opstond om haar handen bij de kachel te warmen, ging de deur open. Pieter kwam de kamer binnen, hij kon niet slapen.

Sam liep naar de bank en nam zijn zoon op schoot. Hij legde zijn hoofd op Sams schouder. 'Vader, wilt u een verhaaltje vertellen?' vroeg hij. Sam trok hem tegen zich aan en dacht even na.

> *'Er was eens een prinses die getrouwd was met een prins. Ze hadden een zoontje met dezelfde stralende ogen als zijn moeder en ze woonden in een kasteel op een landgoed dat omringd werd door eeuwenoude kastanjebomen met bruinrode bladeren en een beekje waar het water vriendelijk kabbelend doorheen stroomde. De prinses was lang en blond...'*

Hij wachtte even.

'Klein en donker', verbeterde Emma vanaf de kachel.

'Goed dan, klein en donker.' Hij verborg zijn glimlach.

> *'...En als zij lachte, dan straalde de hele wereld mee. Alleen was er al een poosje iets vreemds aan de hand in het kasteel; de prins en de prinses konden elkaar namelijk niet vinden. Nu was het kasteel zo groot en er waren zoveel wenteltrappen en erkers, dat zij er ook gemakkelijk in konden verdwalen. Maar er was iets anders aan de hand; ze konden elkaar zelfs niet vinden als zij in hetzelfde vertrek zaten.*
> *Het zoontje begreep er niets van en vroeg zich af waarom de prins en de prinses elkaar niet zagen. Maar toen hij nog eens*

goed keek, zag hij dat ze ieder gevangenzaten in een luchtbel. Twee aparte, ondoordringbare luchtbellen.'

Emma keek argwanend naar Sam. 'Jouw verhaaltjes lopen toch altijd goed af?'

'Natuurlijk, prinses.' Hij was even stil om na te denken. Toen ging hij verder.

'De kleine prins was een slim mannetje. Hij dacht diep na. Om mensen uit hun eigen gevangenis te bevrijden, wist hij, is er maar één ding nodig: liefde. Hij liep op zijn tenen naar zijn moeder, klom bij haar op schoot en bracht zijn mond naar haar wang. Toen gaf hij haar een flinke klapzoen en pang!, de luchtbel spatte uit elkaar.
Hij liep naar de andere kant van het vertrek, waar zijn vader zat, maar de prinses was hem voor. Ze liep naar haar prins, gaf hem een kus op zijn mond en... ook zijn luchtbel spatte uit elkaar! Gered door de liefde.'

'En ze leefden zeker nog lang en gelukkig.' Emma geeuwde verveeld.

'Ze leefden nog lang en gelukkig, inderdaad.'

Pieter rilde. Sam keek naar zijn gezichtje, hij was in slaap gevallen.

Voorzichtig tilde Sam hem op en bracht hem naar zijn kamertje. Hij trok zijn zoons sokken uit en voelde aan zijn voetjes. Steenkoud. Hij trok ze weer aan en gaf hem een aai over zijn krullen. Daarna liep hij naar de slaapkamer van hem en Emma, kleedde zich uit en ging naast Emma in bed liggen. Hij kroop dicht tegen haar aan en luisterde naar haar ademhaling.

Midden in de nacht werd ze wakker, sloeg haar armen om hem heen en klemde zich aan hem vast alsof ze zo alle ellende even kon vergeten, samen in één luchtbel.

17

'Susan, je huis begint scheef te staan!'

DE DEURBEL VAN HET HUIS VAN MIJN OUDERS KLONK NOG HETzelfde als voor het Yad Vashem-diner. De zwartleren bank en de lichteiken eettafel in de woonkamer stonden nog op dezelfde plaats toen ik met Sterre naar binnen ging, en mijn ouders zagen er even vertrouwd uit als altijd. We deden een spelletje memory net als anders en mijn moeder nam Sterre mee voor een boodschap bij Albert Heijn.

En toch was er iets veranderd. Een onmerkbare verandering van kleur, van sfeer in de kamer. Het was alsof er iets ongrijpbaars van vroeger nu opeens zichtbaar was geworden. Een grote zwarte kist midden in de kamer waarvan wij, de familieleden, het bestaan hadden ontkend. Een kist met scherpe randen waarvoor je snel terugdeinst op het moment dat je in de buurt komt.

Ik keek naar mijn vader die met een kaarsrechte rug tegenover me aan de tafel zat. Zolang als ik me kan herinneren heeft hij last van verstijfde nekspieren. Zijn hoofd en schouders kunnen niet meer los van elkaar bewegen, en daarom is het net alsof zijn romp gehouwen is uit één brok steen. Ik friemelde aan de ketting om mijn hals. Waar praatten we vroeger altijd over als ik bij hen langskwam?

Hij stond op, rommelde in een laatje van het bergmeubel en liet me een paar vakantiefolders zien. Ze hadden voor zes weken een huisje gehuurd in de Ardennen.

'Er zijn mooie wandelroutes in de omgeving', zei hij. 'Je kunt wel een paar dagen langskomen met Sterre.'

'Sterre gaat met Rick en zijn nieuwe vlam op vakantie', zei ik kort.

'O, sorry.'

'Geeft niet.' Ik haalde mijn schouders op en concentreerde me op de folders.

Hij vroeg of ik iets wilde drinken. Ik schudde mijn hoofd.

'Pap, ik wil je iets vragen.'

Hij keek me over zijn leesbril heen aan en legde de vakantiefolders op een stapeltje.

'Ik wil iets vragen over vroeger.'

Hij zette zijn leesbril af. Zijn ogen vragend, zijn schouders strak.

'Ik wilde vragen of...'

Op de voorkant van de bovenste folder prijkte een afbeelding van een houten chalet in een glooiend groene omgeving met een strakblauwe hemel op de achtergrond.

'...of de voordeur van oma's huis vroeger weleens geschilderd was.'

Mijn vader trok zijn wenkbrauwen hoog op.

Zelf was ik net zo verbaasd. 'Ja, ik bedenk ineens dat ik het houtwerk buiten wil gaan schilderen als Sterre met Rick weg is. Dat is een mooi klusje voor de vakantie. Ik heb drie weken vrij en anders kom ik er toch niet aan toe, en ik dacht...'

Hij keek me nog even aan en liep naar het bergmeubel om de folders op te bergen. 'Als we van vakantie terug zijn, wil ik je wel helpen met die voordeur. Hij is op een paar plaatsen flink rot. Het kozijn erboven ook.'

'Fijn', zei ik opgelucht, alsof dat de reden van mijn bezoek was. 'Dat zou fijn zijn.'

Hij glimlachte. 'En voordat het winter wordt, moeten we ook maar zorgen dat er een kamerdeur geplaatst wordt. Een gordijn lijkt me geen goed idee, het is een oud huisje, vol kieren en scheuren. In de winter kan het flink tochten.'

Een opgeruimd huis, geen verdwaalde knuffel meer te vinden. Geen rugzakje in de gang, geen kinderslippertjes meer onder de bank en geen schoolbeker in de vaatwasser. Gisteren was Sterre naar Noord-Italië vertrokken. Rick en ik hadden elkaar daar voor het eerst ontmoet. Op het Piazza del Campo in Sienna. Hij was met een groep vrienden en ik met een vriendin van mijn studie. We luisterden naar een openluchtconcert en ik stond half tegen hem aan gedrukt in de drukke menigte. 'Kun je het wel zien, meisje?' zei hij en hij tilde me een stukje op. Met die toevoeging 'meisje' had hij me te pakken en in diezelfde vakantie was Sterre verwekt. Later noemde hij me ook weleens muisje, die eerste jaren dat we samen waren. Toen vond hij het nog prettig, een luisterend oor, en viel het mij niet zo op dat hij alleen maar over zichzelf praatte. Pas toen hij was uitgepraat begon het stille muisje hem tegen te staan, en hij kreeg een onverschilligheid over zich. Hij verweet me dat ik zo afstandelijk was. Alsof ík die onverschilligheid bij hem opriep en dat het dus mijn schuld was dat hij verliefd was geworden op een ander.

Vanuit de erker zag ik plezierbootjes voorbij varen. Op het dek zaten mensen in hun badpak. Ik keek in de contactenlijst van mijn mobieltje en koos voor de derde keer het nummer van mijn broer. Ik had zo'n behoefte het verhaal dat ik van Hoffman had gehoord met iemand te bespreken. Maar vlak voordat de telefoon overging, hing ik op.

Voor het huis hinkte mijn buurjongen heen en weer. Af en toe drukte hij driftig zijn brilletje met de dikke glazen tegen zijn neus. Hij mag niet op de zwarte tegels staan, want dat brengt ongeluk. Niemand in de buurt waagt het om Oscar een strobreed in de weg te leggen als hij op het trottoir wandelt, want zelfs als hij met een minuscuul deeltje van zijn voet de rand van een zwarte tegel raakt, ontsteekt hij in een razernij die de grondvesten van de huizen op de kade doet schudden.

Vroeger, als wij bij oma Emma op bezoek waren, gingen we vaak met zijn allen wandelen in het Veldpark. Langs het wandelpad stonden hoge populieren, en op een bepaalde tijd van het jaar, Oscar zou precies weten wanneer, vielen er sliertjes uit de bomen die angstaanjagend veel op rupsen leken. Ik wist dat het geen rupsen waren, mijn vader had me uitgelegd dat er zaadjes in zaten voor de voortplanting. Maar bij iedere stap dacht ik: stel je nou voor dat papa het verkeerd heeft, dat het hele bos vol echte rupsen ligt en dat niemand weet hoe het werkelijk zit behalve ik. Dat ze zich slapende houden totdat ik, de speciaal door het rupsenbos uitverkorene, op een kwade dag één verkeerde stap doe. Op dat moment zouden de miljoenen rupsjes zich oprichten en zich keren tegen de mensen die hen zoveel jaren vertrapt en geplet hadden. En dat had ik dan op mijn geweten. Want ik wist als enige op de wereld dat ze echt waren. Wat zou mijn buurjongetje denken als hij op een zwarte tegel stapt?

Hij zat voorover gebukt en bekeek iets dat voor hem op de grond kroop.

Ik liep naar buiten.

'Hé, Oscar!'

Hij keek snel op, knipperde met zijn ene oog om te zien of ik het werkelijk was, en concentreerde zich vervolgens weer op zijn beestje.

Ik bekeek het houtwerk van de voordeur. Daar zou mijn vader veel werk aan hebben als hij terug was. Die deur moest minstens honderd jaar oud zijn, mijn oma moest hier ontelbare malen doorheen zijn gegaan. En mijn vader natuurlijk ook. Ik vroeg me af wanneer ze hier waren komen wonen.

Jaap Schelling, de buurman van even verderop, liep langs met zijn hondje, een lichtbruine teckel. Jaap was van ongeveer dezelfde leeftijd als mijn vader.

'Dag Susan. Hoe is het met het houtwerk? Heeft het al een likkie verf nodig?'

'Ik was het net aan het inspecteren, meneer Schelling. De erker moet nodig geschilderd worden.'

'Dan zul je je niet vervelen.' Hij veegde zijn voorhoofd af met een geruite zakdoek. Langzaam schuifelde hij verder, zijn hondje behoedzaam om Oscar heen leidend, die nog steeds op zijn tegel zat, een eilandje van veiligheid tussen de donkere stoeptegels.

Jaap Schelling riep de teckel bij zich en ging op een bankje aan het water zitten, in de schaduw van de grote treurwilg. Op de strook gras langs de kade stond om de vijfhonderd meter een houten bankje, gericht naar de Zaan. Die bankjes stonden daar al toen ik vroeger bij oma Emma speelde. Soms zat er een verliefd stelletje op, zwoel starend naar de avondzon die in het water scheen. Ik zat daar zelf graag, dan trok ik mijn benen op en vouwde mijn armen over mijn knieën zodat ik het strookje gras tussen mij en het water niet kon zien en ik wiegde heen en weer alsof ik aan het varen was op een zelfgebouwd vlot. Uren hield ik dat vol, tot mijn broer Frank vroeg wat ik aan het doen was. Dan kon ik alleen maar zeggen: 'zitten' en dat vond hij dan een stom antwoord.

Zou Jaap Schelling iets over mijn vader weten? Ik ging naast hem op het bankje zitten en keek naar de huizen aan de kade. Allemaal andere gezichten en een eigen verhaal.

'Ja Susan, de huizen hier worden een dagje ouder. Net als wij. Maar het kan geen kwaad, zolang de fundering maar goed is.'

'Hoe lang woont u al aan de kade, mijnheer Schelling?'

'Ach kind, al dik zestig jaar. Ik weet nog dat hiervoor...' – hij keek naar het eiland – '...de houtwerf van William Pont in bedrijf was. Machtig gezicht was dat, al dat laden en lossen van dat hout. En daar...' – hij wees naar het eind van de kade – '...daar was het zwembad. De vader van een vriendinnetje van mij was de badmeester.'

'Dus u kent mijn vader ook al zo lang?'

'Pieter? Jazeker. Stille jongen. Heel stil. Maar voetballen kon hij als geen ander. Linksback was hij. En wat voor een.' Zijn ogen glommen alsof hij de wedstrijden die hij had gespeeld weer voor zich zag. 'We zaten in hetzelfde elftal. Hij was heel rustig, zelfs als we een biertje dronken in de kantine.'

Een zwaarbeladen binnenvaartschip voer voorbij. Golfjes klotsen tegen de stenen langs de waterkant en losten op in het niets.

'Hij kwam hier te wonen toen hij een jaar of veertien was, schat ik. Met zijn moeder, ook zo'n stille.'

Ik stond op het punt hem te vragen wat hij allemaal wist over onze familie, maar ik liet het moment voorbijgaan. Hij riep zijn hond en keek me nog even aan voor hij wegliep.

'Je lijkt wel een beetje op je oma, wist je dat?'

Het duurde lang voordat mijn broer opnam. Ik peuterde aan een gemorste druppel verf op de voorkant van mijn shirt. Ik had er ruim een week over gedaan om de erker in de verf te zetten. Schoonmaken. Schuren. Grondverven. Schuren. Schoonmaken. Aflakken. En daarna, had ik met mezelf afgesproken, zou ik mijn broer bellen.

De avondzon scheen naar binnen. Ik sloot de gordijnen. Toen ik voor de tweede keer de voicemail kreeg, liet ik een boodschap voor hem achter en ik ging op de bank zitten, loom onderuitgezakt. Mijn mobieltje gleed uit mijn hand en viel op de grond. Ik pak hem straks wel, dacht ik. De zon maakte me rozig.

Oscar verscheen voor het raam, wel twee keer zo groot als normaal; hij zweefde hoog boven de erker en keek naar binnen, dwars door de dichte gordijnen. Zijn ene niet-afgeplakte oog keek me aan. Hij riep iets naar me. Ik verstond het niet. Hij kwam nog dichterbij, zijn neus tegen het raam geplakt, zijn brillenglazen als schotels zo groot. 'Susan!' riep hij met opengesperde mond. Ik zag alle vullingen in zijn oranje uitgeslagen kiezen.

'Wat is er?' riep ik terug, zonder geluid.

Hij rukte de pleister onder zijn bril vandaan en zette zijn handen tegen zijn mond, als een toeter. 'Susan, je huis begint scheef te staan!'

Mijn mobieltje rinkelde en ik schoot omhoog van de bank. Het was Frank. Hij dacht dat ik hem had gebeld om te vragen naar zijn vakantie, en hij begon uitgebreid te vertellen hoe hij het had gehad. Met één dichtgeknepen oog controleerde ik of de vensterbank een rechte lijn maakte met de kadewand. Het huis leek wel iets naar links te hellen.

'En jij, Susan? Bevalt het in het huis van oma?'

Ik schraapte mijn keel. 'Ja, daar wilde ik het over hebben. Over oma. Of liever, over oma en opa. Frank, wist jij dat oma Emma... Wist jij dat papa's vader...'

Ik stond op en deed de gordijnen open. De zon was achter de huizen vertrokken.

'Heeft papa weleens met jou gesproken over zijn verleden?' Mijn stem klonk bibberig.

'Ja. Hoezo?'

Ik zag mijn broer voor me in zijn Maastrichtse woonkamer. Hij staart naar buiten. Zijn handen in zijn broekzakken, zijn schouders recht. Zijn blik strak. Donker, gesloten. De blik van mijn vader.

'En wat zei hij toen?' Het bibberen werd erger. Ik kuchte even.

'Dat zal hij je zelf wel een keer vertellen.'

'Maar misschien kun je...'

'Als papa het tijd vindt om het met jou te bespreken, dan zal hij het je vast wel laten weten.'

'Maar ik was laatst bij een feestje en ik sprak daar met iemand die in het verzet heeft gezeten. Hij had een joodse onderscheiding ontvangen. En ik kreeg het idee dat... Ik wist het niet zeker, maar ik kreeg opeens zo'n raar gevoel... Laat maar.'

'Laat het rusten, Susan', zei mijn broer.

18

'Wat is belangrijker?'

ZE WAREN VOOR DE TWEEDE ACHTEREENVOLGENDE DAG HEEL vroeg begonnen. Het was opnieuw stralend weer. Op weg van huis naar kantoor wilde Sam voor de zekerheid een omweg nemen via de Blauwbrug, maar niets in de buurt van de Nieuwe Kerkstraat verried wat er de ochtend van de dag ervoor had plaatsgevonden.

Naast hem lag de stapel met Jodenregistratieformulieren. Hij had de bak met de achternamen met een C inmiddels klaar. Na de middagpauze begon hij met de D, en hij was nauwelijks tien minuten bezig of hij kwam de namen van zijn buren tegen: vader Max, moeder Julia, zoon Simon en dochter Leba Daniëls.

Hij legde de kaarten voor zich, pakte de stempel met de zwarte J, maar kreeg het niet over zijn hart de stempel op de kaarten te drukken. In plaats daarvan speelde hij met het idee een nieuwe kaart te schrijven, waarop hij bij de religie 'gereformeerd' kon zetten in plaats van de zwarte J.

Het probleem was alleen dat hij daarvoor Dirks hulp nodig had, want de regel was dat alle kaarten die werden geschreven of herschreven, gecontroleerd en geparafeerd werden door een andere medewerker, die dan de oude stamkaart vernietigde en de nieuwe in de juiste bak opborg. Hij wachtte tot Dirk terugkwam van zijn middagpauze en weer tegenover hem zat. Er zaten een paar kruimels in zijn baard.

'Dirk?'

Dirk keek op en schoof de bak met kaartjes naar zich toe.

'Er zitten een paar kruimeltjes brood in je baard.'

'O.' Dirks ogen gleden naar beneden in een poging ze zelf te kunnen zien, maar dat lukte niet.

'Waar?'

'Onderin, even rechts van je kin.'

Dirk veegde met zijn hand over zijn kin. 'Zo?'

'Ja, nu is het weg.'

'Dank je.' Dirk deed de deksel van de kaartenbak open.

'Dirk?'

'Wat is er? Heb ik soms nog meer etensresten in mijn baard?'

'Nee. Ik wilde je wat vragen.' Sam speelde even met de punt van zijn potlood voor hij verderging. 'Wat is belangrijker, je gezin of je vaderland? Je vriend of je vaderland? Je buren of je vaderland?'

'Wat belangrijker is...' Dirk aarzelde even.

Dirk was vrijgezel, had hij verteld. Hij had geen gezin, hij had geen kinderen, hij had alleen omgang met een vrouw die nog bij haar ouders woonde en met wie het steeds aan en uit was, al naargelang het hem uitkwam en wanneer hij 'zin in haar had', zoals hij zelf met een schalkse blik had gezegd. Sam had inmiddels de stamkaart van Daniëls voor zich en tekende met zijn potlood figuurtjes op een kladblaadje dat hij ernaast had liggen. Af en toe keek hij op.

Uiteindelijk zei Dirk: 'Het klinkt misschien tegenstrijdig, maar als iedereen voor zijn vrienden of zijn familie kiest in plaats van voor het vaderland, hoe kan een vaderland dan nog een eenheid zijn?' Hij keek Sam triomfantelijk aan.

‘Ik vroeg jóú iets’, zei Sam. ‘Dan moet je mijn vraag niet beantwoorden met een wedervraag.’

Dirk streek met een hand over zijn baard en vouwde met zijn duim en wijsvinger de uiteinden ervan in een punt. ‘Er moet gelijkheid voor iedereen zijn. Als je honderd vrienden hebt, heb je honderd verschillende meningen.’ En hij voegde eraan toe: ‘Als we kiezen voor het vaderland, en er daarmee voor zorgen dat het vaderland een krachtig bestuur ontwikkelt, dan – en alleen dan...’ Hij keek Sam even waarschuwend aan. ‘Alleen dan kunnen we een eenheid vormen, zijn er geen verschillende meningen meer, valt niemand buiten de boot en dienen we allemaal hetzelfde belang. Dus: het vaderland gaat voor, heel simpel.’

Sam frommelde zijn kladblaadje tot een prop en liet de stamkaarten van de familie Daniëls op zijn bureau liggen.

Mevrouw Wetschrijvers, de koffiejuffrouw, gooide een boekje bij Dirk op de tafel, en ging op het puntje van Sams bureau zitten. Met haar dijbeen zat ze bijna op de kaarten van de familie Daniëls, en Sam schoof de kaarten opzij. Hij pakte het boekje op. *Het Leidend Beginsel van de NSB* was de titel.

‘En, wat vond u ervan?’ vroeg Dirk.

‘Ja, goed. Het saamhorigheidsgevoel; geen verdeeldheid, geen honderd partijen... Klinkt erg mooi. Te mooi, zou ik bijna willen zeggen. En dan die jeugdbeweging, erg aardig.’

Dirk knikte instemmend. Hij was vroeger een goede voetballer geweest en had in het Noord-Hollands elftal gespeeld, maar op een dag had hij zijn enkel gebroken, en toen die maar niet goed wilde genezen was hij met voetballen gestopt. Hij was nu hopman bij de Jeugdstorm van de NSB en organiseerde sportactiviteiten voor de Pullen en de Meeuwen.

‘Niks voor jouw zoon, Sam? Hoe oud is hij?’

Hij zag Emma’s verontwaardigde reactie al voor zich en schudde zijn hoofd. ‘Veel te jong. Maar mijn neefje zit er wel op, Hansje Sliksma.’

‘Aha’, Dirk keek geïnteresseerd. ‘Hoe oud is die?’

‘Twaalf, meen ik. Of dertien.’

‘Dan zit hij bij de Stormers. Aanstaande zaterdag is er een bijeenkomst van de Jeugdstorm. Dan zijn we weer allemaal van de partij. Kom anders een keertje kijken, kameraad. Dat is ook aardig voor je neefje.’

Sam knikte. ‘Ik zal erover nadenken.’

Mevrouw Wetschrijvers pakte het boekje van de NSB weer op en bladerde erin. Aangemoedigd ging Dirk verder. ‘Zonder al die democratische partijen is er geen verdeeldheid meer. Wisten jullie hoeveel politieke partijen ons land had vóór de oorlog?’ Hij keek van mevrouw Wetschrijvers naar Sam, die met een scherp geslepen potlood figuurtjes tekende op de achterkant van een kaartje.

‘Dertig?’ zei ze. ‘Het lijkt me wat veel, maar ik heb voor de oorlog nooit veel interesse gehad in politiek.’

‘Drieënvijftig!’ Dirk spreidde vijfmaal zijn tien vingers en daarna nog drie van zijn rechterhand en keek hen daarbij streng aan. ‘Drieënvijftig!’

Sam staarde naar die drie vingers die Dirk op magische wijze in de lucht liet hangen.

‘Daarom is het toch logisch dat dit land slecht werd bestuurd? Hoe kun je nu drieënvijftig stemmen allemaal een beetje gelijk geven? Wat vindt u ervan, mevrouw Wetschrijvers?’

‘Ik geef het toe, Dirk, er zit wat in.’ Ze schoof met haar dikke achterwerk op het bureau en ging even verzitten. ‘Maar... ik dacht aan de colporteur die bij ons om de hoek woont. Ik had een beetje medelijden met die NSB’ers.’

‘Dat komt omdat u zich nooit had verdiept in hun uitgangspunten’, zei Dirk streng. ‘Als het Grote Rijk er eenmaal is, dan begrijpt iedereen dat het er alleen maar is gekomen omdat men trouw is geweest aan de beginselen. En dan zullen de mensen ook eindelijk begrijpen waarom er soms offers gebracht moeten worden.’

Sam pakte het boekje dat nog op Dirks bureau lag weer op en bladerde er wat in.

Dirk bestudeerde zijn gezicht. 'Heb je het niet gelezen toen je lid werd? Hier wordt het Leidend Beginsel van de beweging in uitgelegd.'

'De eerste keer dat ik lid werd moest ik al na een paar maanden opzeggen, omdat het ambtenaren toen verboden werd lid te zijn', zei hij. De tweede keer had hij het weggegooid om te voorkomen dat Emma het zag.

'Hou het maar', zei Dirk. 'Ik heb er toch nog een stapeltje van thuis liggen.'

'Dank je wel', zei Sam. Hij pakte het boekje van de punt van zijn bureau, en toen Dirk even niet keek, legde hij de stamkaarten van de familie Daniëls eronder en stopte ze in zijn linkerlade.

19

'Een verhaal schrijven?' zei ik hijgend.

ANKE KWAM LANGS MET HAAR DOCHTERTJE. ZE WAS NET TERUG van vakantie en ze had het erg naar haar zin gehad. Behalve dan dat ze op de terugweg autopech had gekregen en dat ze een paar kilo was aangekomen. 'Maar die train ik er wel af tijdens het hardlopen', zei ze optimistisch.

We dronken een glaasje prosecco in de voortuin onder de pas geverfde erker. Onze kinderen speelden op de stoep.

'Misschien ga ik wel met je mee', zei ik. 'Mijn conditie is ook niet al te best.'

'Oké, gezellig. Dan kunnen we elkaar motiveren. Nu ik ouder word, ben ik me er veel meer van bewust hoe belangrijk het is een goede gezondheid te hebben. Wist je trouwens dat mijn grootvader een beroerte heeft gehad? Hij herkent nu echt niemand meer. En hij heeft verlammingsverschijnselen aan de linkerkant van zijn gezicht, maar dat kan nog bijtrekken. Hij ligt op de intensive care van het Sint Lucas-Andreasziekenhuis.'

'Goh, wat erg, zeg. Misschien is die receptie toch te veel inspanning voor hem geweest.'

'Ja, dat vrezen wij ook. Aan de andere kant ben ik dankbaar dat hij dit nog heeft mogen meemaken. Heb je het artikel over hem gelezen in het *Noordhollands Dagblad*? Het is diezelfde week verschenen, in de zaterdagbijlage.'

'Nee, ik heb de Volkskrant', zei ik ontwijkend. Sinds de avond van de onderscheiding had ik wel wat anders aan mijn hoofd dan een artikel over een oorlogsheld.

Ze had de krant voor me meegenomen en haalde hem uit haar tas. Er stond een foto bij het artikel waarop Simon Daniëls en haar grootvader te zien waren.

'Hier', drong ze aan. 'Lees maar.'

Conny had er een sterk stuk van gemaakt. Grootvader Hoffman werd uitgebreid in het zonnetje gezet en ook over Daniëls met zijn zoektocht stond niets dan goeds.

Ik deed de krant dicht en vouwde hem dubbel. 'Goed stuk. Leuke foto ook.'

'Ja. Alleen jammer dat ik er niet op sta.'

Ik glimlachte. 'Heeft je grootvader het artikel nog wel gelezen voordat hij die beroerte kreeg?'

'Gelukkig wel. Hij was er trots op. Hij had ook erg genoten van het feest. Ik vond het grappig dat hij per se naast jou wilde zitten tijdens het diner.'

'Heeft hij verder nog iets gezegd?' Nonchalant gaf ik haar de krant terug.

Ze keek me verbaasd aan. 'Hoe bedoel je?'

'Over dat gesprek dat we aan tafel hadden.'

'Nee. Maar hoezo? Waar hadden jullie het dan over?'

Ik zette mijn zonnebril op. 'Niets bijzonders eigenlijk. Ik vond het gewoon leuk om met hem te praten.'

Anke droeg een uitdagend hardloopsetje en liet me haar stappenmeter zien. 'We moeten proberen duizend stappen te zetten voordat we uitrusten. Dat is ongeveer een kilometer.'

We renden in de richting van het Veldpark. Toen we halverwege op een lager tempo over gingen, vertelde Anke dat ze een gesprek had gehad met Conny Rademakers. 'Ze heeft veel positieve reacties op het interview met mijn grootvader gekregen. De redactie denkt er nu over na om een reeks artikelen te maken. "Kleine oorlogsdrama's met grote gevolgen." Misschien dat ik daar ook aan kan meewerken. Maar mijn liefste wens,' zei ze terwijl we over het bruggetje naar het park jogden, 'mijn liefste wens is een verhaal schrijven.'

'Een verhaal schrijven?' zei ik hijgend.

'Ja. Sinds dat artikel verschenen is, denk ik eraan om een boek te schrijven over mijn grootvader.' Ze controleerde haar stappenmeter. 'Zeshonderdzevenenvijftig.'

'Fictie, bedoel je?' Ik ademde zwaar.

'Een mengvorm. Een roman, maar dan op basis van feiten. Dat betekent dat ik heel veel research moet doen. Archieven en zo. Gelukkig heb ik daar wel ervaring mee.'

Van opzij keek ik naar haar gezicht. Ik wilde heel hard weglopen, zo ver mogelijk van haar vandaan. Zo ver dat ik haar niet meer kon zien. En zij mij niet.

Het parkeerterrein van zorgcentrum De Kinker lag er verlaten bij, op een enkele auto na. Ik leunde tegen het portier van mijn auto. Anke had me ge-sms't toen ik bij Rick was om Sterre op te halen. Ze was bij zorgcentrum De Kinker voor een gesprek over de overplaatsing van haar grootvader. Haar auto deed nog steeds vreemd bij het schakelen en daarom was ze heen met het openbaar vervoer gegaan. Of ik haar wilde oppikken bij het zorgcentrum.

Sterre klopte op het autoraam. 'Kom er ook maar even uit', zei ik. We waren tien minuten te vroeg.

'Waarom gaan we daar niet naar binnen?' vroeg ze.

'Daarom niet.'

Uit de auto klonk muziek van KUS, Sterre had de cd van mijn ouders gekregen voordat ze met vakantie gingen. Ik zag een man het bijna lege parkeerterrein op komen. Hij kwam onze richting uit, een van de auto's vlak bij die van ons moest van hem zijn.

Ik knikte beleefd. Pas toen zag ik dat het Michiel Arendtse was. Nerveus stopte ik mijn handen in mijn zakken.

'Dag Susan. Wat leuk je weer te zien. Hoe gaat het met je?'

'Erg goed. Ik sta te wachten op een vriendin.' Op datzelfde moment besefte ik dat hij Anke natuurlijk moest kennen. En ik besefte nog iets: ik wilde niet dat Anke en hij elkaar zouden ontmoeten. Benauwd keek ik naar de ingang van het zorgcentrum.

Michiel keek naar Sterre naast me.

'Dat is mijn dochter', zei ik trots.

Hij gaf haar een hand.

'Ik ga zo direct met Fleur spelen', zei Sterre tegen hem. 'Met de DS. Die heb ik gekregen van mijn vader.'

Michiel knikte. 'Dat is leuk.'

'Hou jij van computerspelletjes?' vroeg ze.

'Zeker wel. Het leukste speelgoed dat er is.'

'Mijn moeder vindt er niets aan. Jolanthe ook niet. Mijn vader wel.'

'Is Jolanthe je zusje?' informeerde Michiel.

'Nee, dat is mijn vaders vriendin', zei ze. 'Tante Jolanthe zeg ik altijd, en dan moet ze lachen. Maar papa zegt dat ze mijn tante niet kan zijn, want ze is nog heel jong.'

Langzaam verplaatste Michiel zijn blik naar mij. Zijn uitdrukking was veranderd. 'Leuk dat ik je weer ben tegengekomen, Susan. Ik had je willen bellen, maar ik wist je nummer niet.'

'Nul zes, zes vijf, zeven acht, vijf drie vijf twee', somde Sterre op voordat ik iets kon zeggen.

Hij pakte zijn mobieltje en keek me aan. 'Mag ik het noteren?'

Ik keek terug in zijn rustige, bruine ogen en mijn hart sloeg over. 'Natuurlijk.' Ik was niet in staat me af te wenden van die blik. Ik wilde iets doen, iets zeggen. Maar op het moment dat ik zijn nummer wilde vragen, kwam Anke door de draaideur.

'Ik moet nu gaan, Michiel. Het spijt me, maar ik heb haast. Het was leuk je weer te zien.' Ik opende de portieren en maakte de gordel voor Sterre vast. Terwijl ik de auto startte zwaaide ik nog even naar hem, en ik reed snel de parkeerplaats van het zorgcentrum af.

20

Het lukte hem niet.

OP ZATERDAGMORGEN GINGEN ZE OP PAD, MET ZIJN VIEREN. Hans had zijn Jeugdstormuniform aangetrokken, en Sam zag Pietertje er bewonderend naar kijken. Net voordat ze in de Nash van Hendrik wilden stappen, hoorden ze geluiden aan het eind van de straat. Er was een rel losgebroken. Luid geschreeuw en gescheld klonken van om de hoek. Hansje rende erheen en Sam kon nog juist op tijd Pietertje vastgrijpen voordat die achter zijn grote neef aan ging.

De straat lag bezaaid met kranten en iets verderop, net om de hoek, waren twee knapen in gevecht met een man. Hendrik en Sam renden ernaartoe en zagen een colporteur op de grond liggen, met zijn handen zijn gezicht beschermend. Een van de twee jongens zat schrijlings over hem heen en trachtte de polsen van de man tegen de grond te drukken. Een ander had een stapel exemplaren van *Volk en Vaderland* in zijn hand en wilde die in brand steken, wat hem door de miezerige regen niet goed lukte.

'Sodemieter op!' schreeuwde Hendrik en hij trok de jongen van de colporteur af. Uit het oor van de op de grond liggende man sijpelde bloed. De jongen die bezig was geweest met het vuur kwam met een brandende *Volk en Vaderland* op Hendrik af. Sam duwde Pietertje achter zich en keek besluiteloos toe.

Achter hen klonk het geluid van ijzerbeslagen laarzen op het plaveisel. Twee Duitse soldaten kwamen op het rumoer af. De jongens zetten het op een hollen en de Duitsers renden erachteraan. Eentje kregen ze te pakken, en ze sloegen hem met zijn tweeën net zo lang tot hij bloedend op de grond lag en niet meer overeind kon komen. De colporteur krabbelde op en wreef met een zakdoek over zijn bloedende oor.

De twee Duitsers kwamen op Sam en Hendrik toelopen, met hangend tussen hen in de jongen, die nog steeds niet op zijn benen kon staan. Hier en daar smeulde een krant. Sam hield Pietertje angstvallig achter zich.

Hendrik deed het woord. 'Die Jungens schlugen dieser Mann ineinander und staken das *Volk und Vaderland* an. Und er...' – hij wees op de jongen tussen hen in – 'wollte die Mann in brand steken.'

De Duitsers keken bars van Hendrik naar de jongen tussen hen in. 'Mitkommen. Auf's Amt. Sofort!'

'Wir auch?' vroeg Hendrik geschrokken. 'Wir sind von die NSB. Wir sind Nationalsozialisten!'

'Nein, Sie nicht. Nur dieses Schwein hier', zei de soldaat en hij trapte de jongen die juist weer rechtop stond tegen de knieën.

'Kennen Sie den anderen Schuft, der entkommen ist?' Hij keek in de richting waarin de andere jongen weggerend was.

Hendrik en Sam schudden hun hoofd.

'Auf, los!' Met de jongen tussen hen in slepend vertrokken ze naar het bureau op de Euterpestraat.

Toen ze even later in de Nash zaten, zei Hendrik dat de jongen het waarschijnlijk met zijn leven zou moeten bekopen.

Pieter, die al die tijd gezwegen had, zei met een dun stemmetje: 'Ik wil naar moeder!' Hij begon te huilen.

'Niet zo zeuren, Pieter. We gaan alleen maar kijken naar Hans, jij hoeft niet mee te doen.'

'Waarom doet hij niet mee?' zei Hans. 'Hij kan toch bij de Pullen? Ik zit bij de Stormers', zei hij trots tegen zijn neefje.

Pietertje veegde zijn tranen weg. 'Ik mag niet bij de Jeugdstorm van moeder.'

Hendrik keek Sam aan van opzij.

'Emma vindt hem nog een beetje te jong', zei Sam. De waarheid was dat Emma en hij hooglopende ruzie hadden gehad en dat ze uiteindelijk, moe van het bekvechten, tot het compromis waren gekomen dat Pietertje pas aan het eind van het jaar mocht toetreden, maar alleen als hij dat zelf wilde.

Sam vond het een bijzondere ervaring om alle jongens van de Jeugdstorm te zien marcheren in hun uniform; een lichtblauw overhemd en een zwarte broek en op hun hoofd een karpoets waar opgewekt lachende gezichten onderuit staken. Hij stond glunderend naast Hendrik aan de kant te kijken. Een fanfare met trompetten schalde door de straat en de passen van de Stormers waren krachtig en eensgezind. Sam had Pieter op zijn arm, zodat die het goed kon zien. Zijn jongensoogjes glommen vanaf de kant.

Toen Hans langs hen kwam, met zijn vlag recht vooruit, gaf hij zijn neef een knipoog en riep: 'Hé, makker!' Het ventje wipte geestdriftig heen en weer op zijn vaders arm. Hendrik stootte Sam aan. 'Kijk 'm eens schik hebben!'

'Jongen', zei Sam tegen zijn zoon. 'Voor het eind van volgend jaar heb jij een NSB-insigne op je kraag, let op mijn woorden!'

Daar kwamen de Pullen aan. Hoewel een stuk jonger dan de Stormers, liepen ze aardig recht in marsorde, en ze zongen daarbij uit volle borst: *'Met 't blauwe buis en zwarte muts, de meeuw van voor er op, marcheren wij door stad en land, de vlaggen hoog in top.'*

Op de terugweg naar huis sprak Hendrik hem aan. 'Zeg Sam, ik wilde je iets vragen.' Hij klonk voor zijn doen bedrukt. 'Omdat we zwagers zijn... Nee, laat ik het anders vragen: is pa Van Boven ook bij jullie aan geweest?'

'Bij ons? Nee, hij komt bijna nooit bij ons aan. Wij liggen elkaar niet zo. Vroeger al niet. Meestal gaat Emma met Pietertje naar hen toe.'

Hendrik keek bedachtzaam voor zich uit.

'Maar wat is er dan? Jij kon toch altijd wel goed met hem overweg? Hij kon geen kwaad woord over je horen. Een echte zoon was je voor hem, volgens mij.'

'Dat was zo, ja. Vroeger', zei Hendrik.

'Is hij het niet eens met jouw rechtse ideeën? Dat verbaast je toch niets?'

'Hij heeft gezegd dat Riet en ik niet meer welkom zijn in de Van Breestraat. En hij zou een afspraak maken met zijn notaris. Zolang wij bij de NSB blijven, hoeven wij niet op een erfenis te rekenen.'

Dat had Sam niet verwacht. Hij was er stil van.

Hendrik schopte misnoegd een steentje weg. 'Dat is dus de prijs voor trouw zijn aan volk en vaderland', zei hij bitter.

'En wat ga je nu doen?'

'Ik weet het niet. Riet is erg boos op haar vader. Ze is juist zo betrokken bij de organisatie van de vrouwentak van de NSB, en nu dit. Ze kan die vrouwen toch niet plotseling laten vallen alleen maar omdat pa Van Boven andere ideeën heeft? Ik weet het niet, kameraad. Misschien moeten we wel zwijgend lid worden. Of het lidmaatschap opzeggen. Onterft worden is ook niet niks...'

'Goh, jij zit behoorlijk in de penarie, Hendrik.' Hij zuchtte. 'Bij Emma en mij liggen de zaken natuurlijk wel anders. Maar dat is ook geen pretje.'

Hendrik sloeg zijn hand op Sams schouder. 'Nee man, dat begrijp ik. Jíj hebt het helemaal niet gemakkelijk.'

De achterstallige klus op kantoor schoot flink op. Aan het eind van de week daarop was Sam bij de Z aangekomen. Hij had inmiddels alle joodse stamkaarten voorzien van een zwarte J en in de Jodencollectie gestopt. Maar de kaarten van de familie Daniëls lagen nog steeds in zijn linkerlade, zorgvuldig verstopt onder het boekje van de NSB. Telkens als hij zijn la opendeed moest hij onwillekeurig denken aan die keer dat Simon een dagje met hem, Emma en Pietertje naar het strand was gegaan, nog voor de oorlog begon.

Boven op de kaarten van de buren lag de kaart van een joodse winkelier die hij ook kende, en nog een paar namen die hem bekend voorkwamen. Toen Dirk niet keek, pakte hij het stapeltje van de familie Daniëls en schreef alle gegevens zorgvuldig over op een nieuwe kaart: naam, adres, leeftijd, beroep, bij religie noteerde hij "gereformeerd" en liet de stempel met de J achterwege. De andere kaarten had hij inmiddels wel bestempeld, en ook de kaart van de joodse winkelier voorzag hij, na even aarzelen, van een zwarte J. Hij was die man toch nog geld schuldig, en bovendien was het een rare vent. Hij besloot nog een poging te wagen. 'Dirk, als je een vriend kunt redden door fraude te plegen, zou je dat dan doen?'

Dirk keek hem aan. 'Hangt ervan af.'

'Stel dat je – puur theoretisch, hè – stel dat je iemand die je kent in de stamkaartenbak tegenkomt en je kunt hem, of haar, redden door gegevens te... weg te laten, of iets aan te passen. Zou je dat dan doen?'

'Je bedoelt een jood redden opdat hij niet wordt opgepakt?'

'Bijvoorbeeld.'

Dirk ging alert rechtop zitten. 'Je staat toch niet opeens aan de kant van de Oranjegezinden?'

'Natuurlijk niet', zei Sam haastig.

'Je weet wat je te wachten kan staan als zoiets uitkomt.' Hij keek snel om zich heen. 'Sinds die nieuwe directeur is aangesteld zijn de regels aangescherpt. Ik hoef je niet te vertellen wat er met die schrijvers is gebeurd...'

In het afgelopen jaar waren er twee schrijvers op het bevolkingsregister opgepakt en beschuldigd van jodenhulp. Ze hadden gegevens vervalst en valse papieren verstrekt. Een zat volgens de geruchten gevangen in Vught en de ander was zeer waarschijnlijk omgebracht.

'Het zou trouwens geen zin hebben ook', vervolgde Dirk. 'De lijsten die gebruikt worden om de joden naar de *Zentralstelle für Jüdische Auswanderung* te sturen, zijn gemaakt aan de hand van de ingevulde Jodenregistratieformulieren. Hetzelfde geldt voor hun persoonsbewijzen.'

'Dus dan heb je niets aan stamkaarten...', zei Sam, uit het veld geslagen.

'Nee. Maar de persoonsbewijzen moeten wel kloppen met de stamkaarten die wij hier in de collectie hebben. Het zou heel raar zijn als een jood wel een joods persoonsbewijs heeft, maar niet bij het bevolkingsregister geregistreerd staat als Jood.'

'Maar als hij hier niet staat geregistreerd als Jood, dan kunnen de Duitsers hem toch ook niets doen?'

Er verscheen een denkrimpel op Dirks voorhoofd. 'In principe heb je gelijk. Maar het zou wel vreemd zijn. De jood is niet voor niets opgepakt, door zijn ingevulde Jodenregistratieformulier stond hij immers op de lijst voor de *Zentralstelle*.' Hij keek Sam aan. 'Bovendien, je denkt toch niet dat alle Duitsers met een opgepakte jood eerst het bevolkingsregister afzoeken om te controleren of hij echt wel joods is?' Hij schoot in de lach bij het idee.

Sam lachte beleefd mee. Enige tijd werkte hij door, intussen koortsachtig nadenkend wat hij met die kaarten van zijn buren moest aanvangen.

Aan het eind van de dag deed Dirk met een klap de kaartenbak dicht. 'Ik ga naar huis, het is vijf uur.' Voordat hij de afdeling verliet, keek hij Sam nog even aan. Snel pakte Sam de joodse stempel en drukte die stevig in het stempelkussen.

'Ik zou maar heel goed uitkijken, Sam, als ik jou was... Prettige avond.'

Sam legde de nieuwe, vervalste stamkaarten van zijn buren voor zich op het bureau, en legde de oude kaarten ernaast. Hij hield de stempel vlak boven de oude kaarten en probeerde niet aan Simon Daniëls en zijn poes te denken.

Het lukte hem niet. Hij legde het stempelkussen weer terug, verscheurde de oude kaarten en stopte de vervalste kaarten weer weg, in zijn linkerlade onder het boekje van de NSB.

21

Met een rood hoofd groette ik terug.

SCHUIN TEGENOVER ME, IN DE LEESZAAL VAN DE BIBLIOTHEEK waar ik voorbeelden zocht die ik kon gebruiken bij het decoreren van een kookwinkel in Wassenaar, zat een man met donker haar. Hij zat met zijn rug naar me toe en las een jongetje naast hem voor uit een prentenboek. De ramen van de leeszaal waren beslagen. Buiten regende het, mensen haastten zich in regenpak naar huis.

De man tegenover me boog zijn hoofd naar het jongetje. Hij had kleine krulletjes in zijn nek, hetzelfde haar als Michiel. Alleen was deze man een stuk jonger en had hij een klein, gedrongen postuur, voor zover ik het kon zien. Hoe oud zou Michiel zijn? Tijdens het gesprek op het parkeerterrein had ik hier en daar een grijze krul in zijn haren ontdekt.

Sinds die tweede ontmoeting moest ik steeds aan hem denken. Ik zag het ongestreken overhemd voor me dat hij droeg tijdens het diner, en weer vroeg ik me af of hij alleen woonde. En waar. Ik dagdroomde over een etage, ergens in Amsterdam. Een benedenwoning in een oud grachtenpand, schaars ingericht met overgebleven meubels van de vorige bewoners, en hier en daar opgepimpt door een van de vriendinnen die zijn leven binnengewandeld waren en er weer uit waren verdwenen. Hij zou niet de moeite nemen om de rekwisieten weg te halen als ze waren vertrokken, een schemerlamp, een kussentje, spullen die hem herinneren aan een fijne tijd die voorbij is gegaan, zoals mensen knuffels bewaren die hen herinneren aan hun kindertijd, de tijd dat alles goed was en je bij je moeder in bed kon kruipen als je na een angstige droom wakker werd. Ik stelde me voor dat Michiel in het oude keukentje met een zwart granieten aanrechtblad de achterdeur opendoet om de poes naar binnen te laten als hij thuiskomt uit zijn werk. En dat hij voordat hij voor zichzelf gaat koken een cd opzet. Einaudi, omdat het past bij het filterende avondlicht dat door de ramen de keuken binnenvalt. Of beter nog: Leonard Cohen, die cd met de muziek van Philip Glass, omdat hij houdt van de zich herhalende klanken die zo mooi passen bij het sonore stemgeluid van Cohen. Muziek die zijn vriendinnen somber maakte en die hen het huis deden uitvluchten, maar die hij vreemd genoeg, op een manier die hij niet goed kan uitleggen, waardeert. Onder het luisteren naar de tekst van *A Book of longing* kijkt hij naar de stapel ongestreken overhemden die over de stoel hangen, en terwijl hij gaat verzitten, springt de poes op zijn schoot en drukt spinnend haar nagels in zijn bovenbeen, net naast de rits van zijn spijkerbroek. Ik kom zijn kamer binnen en jaag de poes weg. Ik klim op zijn schoot, leg mijn benen aan weerskanten van die van hem en druk mezelf dicht tegen hem aan. Hij richt zich op en legt zijn handen om mijn billen en wiegt me op en neer, op het ritme van de intieme stem van Cohen.

Ik voelde een warme tinteling tussen mijn benen. Loom leunde ik met mijn hoofd tegen het beslagen raam van de leeszaal.

De man die voor me zat te lezen sloeg het boek dicht en zette het samen met zijn zoontje terug in de boekenkast. Hij knikte me vriendelijk gedag. Met een rood hoofd groette ik terug en ik boog me weer over mijn werk.

22

'Geen haan zal ernaar kraaien...'

SAM KWAM ER PAS ACHTER DAT ER EEN AANSLAG WAS GEPLEEGD toen hij zag dat de hele ingang van het bevolkingsregister was afgezet. Dirk wist te vertellen dat het een actie van de illegalen was geweest. 'Ze wilden de kaartencollecties verbranden zodat de Duitsers er niets meer aan zouden hebben. Maar de daders zijn opgepakt', zei hij handenwrijvend.

Sam snoof. 'Hoe weet je dat allemaal?'

'Ik hoorde het van iemand in café De Smalle. Je moet je neus eens wat vaker laten zien, ook bij het kringhuis. Dat wordt ook wel een beetje verwacht van een rechtschapen NSB'er. Onze nieuwe kringleider vroeg nog naar je. Je schijnt hem te kennen. Bernhard Osendal.'

'Bernhard Osendal? Is die kringleider geworden?'

'Ja. Waar ken je hem van?'

'Ik ken hem al heel lang. Hij was dirigent van de zangvereniging waar ik vroeger op zat. Maar hij is daar weggegaan. Ik trouwens ook.' Sam dacht aan de nacht met Emma op het bankje, dat was zijn laatste zangavond was geweest.

'Een indrukkende man, vind je niet? Ik doe weleens een klusje voor hem. Hij heeft een heel charmante vrouw, Maria heet ze.'

'Dat weet ik.'

'Ken je haar ook?'

Sam knikte. 'Ik ben een paar keer bij hen thuis geweest, samen met mijn zwager. Hendrik Sliksma, ook iemand van de Beweging. Ze kan prachtig pianospelen.'

'Ja, dat weet ik. Laatst...'

'Wat doe je voor klusjes voor hem?' onderbrak Sam hem.

'Bij de jongens die zich aanmelden aan Duitse zijde moet worden nagetrokken of hun personalia wel kloppen. Of er geen rotte appels tussen zitten. Hij is heel nauwgezet. O wee als je een fout maakt...'

'Levert het nog iets op?'

'Jazeker.' Vergenoegd wreef Dirk met zijn duim en vingers tegen elkaar. 'Wist je dat er een nieuwe chef komt?' vervolgde hij. 'Ik weet niet hoe hij heet, maar wel dat hij een van ons is. Wellicht valt er iets te organiseren, ik weet dat er binnenkort een nieuwe functie vrijkomt, op de secretarie, bij de onderafdeling inlichtingen.'

'Daar valt de afdeling van die broers Arendtse toch onder?'

Dirk knikte. 'Het wordt tijd dat we eens bevorderd worden.' Hij trok zijn mondhoeken naar beneden en zijn baardje bewoog sip mee.

Juffrouw Wetschrijvers liep langs om de kopjes van de bureaus te halen. 'Wat hoor ik, Dirk, ga je weg?'

'Welnee, zolang u hier werkt, blijf ik.' Hij keek haar schalks aan.

'Kwajongen!' zei ze, terwijl ze met de kopjes in haar hand naar de koffiekar liep.

Sam was er met zijn aandacht niet meer bij op het werk. Door de brand was het een rommel geworden op het register. Gedachteloos deed hij zijn werk, stond niet te veel stil bij de namen die hij tegenkwam, en droomde af en toe weg. In zijn hoofd tekenden zich langzaam de contouren af van een roman die hij wilde schrijven. Tijdens de pauzes op kantoor ging hij vaak naar buiten en liep een blokje om. Soms zette hij zich op een bankje langs de gracht en dacht over zijn roman. In de binnenkant van zijn jasje bewaarde hij een klein notitieblokje met een potlood waarvan hij de punt altijd zorgvuldig sleep. De hoofdpersoon moest een grootse figuur zijn. Trots en indrukwekkend. In gedachten noemde hij hem Osendal. Meer dan vage gedachten had hij niet; hij kwam maar niet tot een verhaal.

Op het palet lagen karmozijnrood en omber. Sam keek hoe Emma de kleuren door elkaar mengde met haar penseel. Sinds de brand en de aanslag op het register was ze voor het eerst geïnteresseerd in zijn werk. Hij vertelde haar hoe groot de chaos nu was en dat het zo moeilijk was om de juiste kaarten te kunnen vinden.

'Weet je waar ik op hoop?' Met trage streken bracht ze de verf aan op het doek. 'Dat de kaarten van de buren erbij zaten. Dan zijn zij voorlopig veilig. Ik moet steeds maar aan haar denken, als ik voorbij hun huis loop. Ze ziet zo bleek, het is of ze in korte tijd tien jaar ouder is geworden.'

Sam ging op het uiteinde van het bed zitten, vanwaar hij niet op het doek kon kijken. Hij wist dat ze er een hekel aan had als iemand meekeek als zij schilderde.

'Ik heb wat kleren aan haar gegeven, jurken die ik van Riet had gekregen. Ze waren me toch te groot.' Ze keek even op van het doek. 'Ik zat te denken, Sam: kun jij niet eens kijken waar die kaarten van de familie Daniëls zijn? Mochten ze niet vernietigd zijn door die brand, dan kun je ze misschien... wegmaken of zo. Geen haan zal er naar kraaien nu het zo'n chaos is op het register.'

Hij schrok. 'De kaarten van de Daniëls?'

'Ja.' Ze keek hem onderzoekend aan.

De stamkaarten van de familie Daniëls waarop hij de religie had vervalst moesten nog steeds in zijn linkerla liggen, onder het NSB-boekje. 'Ik zal eens kijken of ik ze kan vinden', zei hij aarzelend.

Ze glimlachte. 'Je bent lief.' Ze legde haar hoofd even tegen zijn schouder.

Verrast door haar plotselinge uiting van genegenheid sprong hij op. 'Emma, ik zal morgen meteen die kaarten zoeken. Ik ga mijn uiterste best doen ze te vinden.'

23

'Tuig...', herhaalde ik.

GESCHROKKEN PROBEERDE IK MIJN EVENWICHT TE BEWAREN op de ladder. Michiel belde terwijl ik net het bovenste stukje van de kozijnen in de hoogglans zette. Ik daalde voorzichtig de ladder af.

Zijn stem klonk aarzelend. 'Heb je iets te doen zaterdag?'

Met de telefoon geklemd tussen mijn oor en mijn schouder, en de verfpot nog in mijn hand zei ik: 'Nee hoor. Ik moet alleen rond zes uur thuis zijn, dan wordt mijn dochter teruggebracht. Tot die tijd heb ik niets.'

'Het leek me een leuk idee je mee te nemen naar Artis', zei hij.

Verbluft zweeg ik een paar seconden. 'Artis?' Rick had een abonnement. Straks kwam ik hem tegen met Jolanthe, met Sterre tussen hen in.

'Dat is goed', hoorde ik mezelf zeggen. 'Hoe laat zal ik er zijn, rond een uur of elf?'

'Prima. Leuk, Susan. Ik kijk ernaar uit.'

Michiel stond aan het loket met zijn rug schuin naar me toe toen ik bij Artis aankwam. Ik liet mijn ogen over zijn lichaam gaan. Hij was groot, goed gebouwd en hij had een spijkerjasje aan met een roodgeblokt shirt eronder. Alsof hij voelde dat ik hem stiekem stond op te nemen, draaide hij zich om. Ik glimlachte betrapt en liep op hem af. Ik wist niet of ik hem wel of niet moest kussen en stond schutterend voor hem. Hij legde zijn beide handen op mijn schouders. 'Fijn dat je er bent. Ik heb de kaartjes al gekocht.'

We gingen via het apenhuis naar de wilde dieren. De leeuw liep onrustig heen en weer langs het water dat zijn kooi begrensde. Verderop in de hoek van de kooi lagen twee leeuwinnen te slapen.

'Grappig dat juist een mannetjesleeuw manen heeft en een vrouwtjesleeuw niet', zei hij. 'Als jij in een volgend leven terug mocht komen als dier, welk dier zou je dan willen zijn?'

'Daar moet ik over nadenken. Geen leeuw in Artis, in ieder geval.' Vol medeleven keek ik naar de gekwelde blik in de kop van de leeuw. 'En jij?'

'Nee, geen leeuw, hoewel mijn sterrenbeeld wel leeuw is. Maar ik twijfel tussen een albatros en een giraffe.'

'Een giraffe?' Ik schoot in de lach. 'Waarom een giraffe? Een albatros, dat kan ik nog wel begrijpen. Iedereen heeft de wens zelf te kunnen vliegen, te kunnen zweven in een lange vlucht. Maar hoezo een giraffe?'

'Wist je', zei hij, 'dat een giraffe het grootste hart heeft van alle dieren? En zijn kop zit niet voor niets zo ver van zijn hart. Daarmee kan hij rustig nadenken over wat zijn hart zegt.' Hij lachte. 'Dat idee spreekt me wel aan.'

We liepen langs de olifanten. Daarachter, naast de springbokken, stonden twee giraffen. De grootste van de twee plukte afwezig een paar blaadjes van de boom en deed een paar slome stappen richting het jong.

'Ik vind een leeuw toch een stuk spannender om naar te kijken dan zo'n giraffe', zei ik. We stonden stil bij het hek. Onze armen raakten elkaar bijna.

Hij keek me aan en zei: 'Dat is waar. Maar dat is de buitenkant. Het gaat juist om de binnenkant. Hoe je je voelt, niet hoe je eruitziet.'

In het Vlinderpaviljoen namen we een kop koffie met een broodje. Door het raam zagen we rijen mensen die bij de zeeleeuwen stonden te wachten tot die gevoerd werden. Ik roerde in mijn kopje. 'Jammer dat het vogelhuis dicht is', zei ik om de stilte te doorbreken.

Michiel keek me aan vanonder zijn borstelige wenkbrauwen. Ik vond hem best aantrekkelijk. Ik val niet op knappe mannen, maar Michiel had een soort aantrekkelijkheid die pas opviel als je in zijn rustige ogen keek.

'Ik vind het fijn dat je mee wilde vandaag, Susan. Wat een geluk dat ik je vorige week op het parkeerterrein tegenkwam. Ik wilde je na het Yad Vashem-diner al vragen om je telefoonnummer, maar je was opeens weg.'

'Ja, ik moest nog wat andere dingen doen die avond.' Nerveus opeens nam ik een slok koffie. 'Gaat het goed met je oom?'

'Ja hoor. Ik kom er niet zo vaak, veel te weinig eigenlijk. Zo'n zorgcentrum vol oude mensen is niet bepaald opbeurend', zei hij verontschuldigend. 'Leven jouw grootouders nog?'

'Nee. Mijn oma is vorig jaar overleden. Ik woon nu in haar huis. Een klein huisje aan de kade in Zaandam.'

Hij knikte. 'Die plek ken ik. Ik ben er wel eens geweest voor mijn werk. Mooie huizen staan daar. Ik werk op een architectenbureau', zei hij. 'Daarvoor heb ik een tijd in Engeland gewoond.'

'En waar woon je nu?'

'Hier in Amsterdam, in West.'

Ik dacht aan mijn fantasie over hem toen ik in de leeszaal zat. Het lag op mijn lippen te vragen of hij alleen was. En hoe lang. En waarom. Ik durfde niet. 'Wist je dat mijnheer Hoffman een beroerte heeft gehad?' vroeg ik in plaats daarvan.

'Echt waar? Ik wist wel dat hij erg in de war was. Mijn oom schaakte soms met hem, dat ging hem vreemd genoeg goed af. Maar een normaal gesprek verliep moeizaam.'

De ober kwam langs om te kijken of alles naar wens was en we rekenden af. Buiten bleven we staan bij de zeeleeuwen. De gladde beesten hapten enthousiast naar de vis die de dierenverzorger omhoog gooide. Het publiek juichte, maar ik was me meer bewust van Michiel zo dicht bij me dan dat ik volgde wat de zeeleeuwen deden.

We liepen verder. Het was inmiddels zachtjes gaan regenen.

'Laten we het aquariumhuis in gaan, daar zijn we droog.' Hij pakte een van de uiteinden van zijn jas en hield het als een afdakje boven mijn hoofd. 'Kom maar dicht bij me lopen, dan blijf je droog.'

Tijdens het lopen botste ik af en toe tegen hem aan. Soms deed ik het bewust, om zijn nabijheid te voelen. Bij het aquarium stond een rij; we waren niet de enigen die beschutting zochten.

'Wist je,' zei hij vlak voordat we naar binnen gingen, 'dat het bevolkingsregister vroeger pal naast Artis zat?' Hij wees in de richting van de ingang. 'Daar hebben mijn grootvader en oom Ger dus gewerkt.'

'Vertelt je oom vaak over de oorlog?'

'Valt wel mee. Behalve als we het over verraders hebben, dan springt hij nog steeds uit zijn vel. Zelfs als hij alleen al vermoedt dat iemand een NSB'er was, wordt hij woest, op het agressieve af. Tuig is het, zegt hij.'

'Tuig...', herhaalde ik.

'Maar het is ook logisch. Het was wel zijn broer die ze hebben verlinkt, ik begrijp het best. En mijn oma was ook nog eens in verwachting van mijn vader toen het gebeurde. Als oom Ger er niet was geweest, zou mijn vader zonder vader zijn opgegroeid.'

Mijn spieren spanden zich. Míjn vader was ook zonder vader opgegroeid, wilde ik uitroepen, maar daar heeft niemand zich om bekommerd! Opeens wilde ik weg. Naar huis, naar Sterre.

Michiel nam me op van opzij. 'Is er iets, Susan?'

'De zeeleeuw', zei ik. 'Ik zou wel een zeeleeuw willen zijn als ik ooit terug zou keren op aarde. Onzichtbaar door het water glijden. Dat lijkt mij nou fijn.'

Later die dag dronken we een cappuccino in het café op de hoek. Michiel vertelde over zijn werk bij het architectenbureau. Hij werkte afwisselend in Engeland en in Nederland. 'Het leukste vind ik een opdracht voor een nieuw gebouw in oude stijl. Bijvoorbeeld voor particulieren met veel geld die een schuur of werkplek willen in dezelfde stijl als hun huis. Hier in Nederland zie je vaak de Amsterdamse schoolstijl, maar soms is het ook heel strak, zoals het Schröderhuis van Rietveld.'

Ik keek naar zijn ogen die tijdens het praten waren gaan glanzen. 'Het lijkt mij moeilijk. Zelf decoreer ik etalages. Dan ga je weliswaar ook uit van wat de opdrachtgever wil, maar wel vanuit een bestaande vorm, een bestaand decor.'

Hij haalde zijn schouders op. 'Weet je wat ik denk, Susan, alles is een kwestie van harmonie.' Hij vertelde over een oude Romeinse architect die beweerde dat een gebouw moest worden gemaakt volgens de verhoudingen van het menselijk lichaam.

'Het is een soort harmonieleer. Maar daar kun je natuurlijk ook juist weer van afwijken...' zei hij grijnzend. 'Dus jij bent etaleuse. Dan heb je ook te maken met harmonie.'

'Ja,' zei ik, 'in vorm, maar ook in kleur. Ik vind dat alle kleuren bij elkaar passen. Het is niet de kleur die vloekt, maar de harmonie die ontbreekt. Herstel je de harmonie, dan past alles bij elkaar. Je moet gewoon zorgen voor bindende elementen.'

Michiel raakte mijn gloeiende wang aan. 'Je zou schilderes moeten worden.'

'Misschien word ik dat nog wel eens...' zei ik, en dacht aan mijn oma.

'Ik heb een idee: ik ontwerp een leuk huisje...' Hij legde zijn hand op mijn arm. '...En jij kleedt het aan volgens jouw smaak en met jouw kleuren, goed?'

Het klonk als een sprookje. In een opwelling trok ik mijn hand iets terug. Hij merkte het.

'Ben je allang gescheiden?' vroeg hij.

Ik schoof mijn stoel een stukje naar achteren. 'Nog maar een half jaar. Maar mijn man had al een paar jaar een andere vriendin.' Ik knoopte mijn spijkerjasje dicht.

'Terwijl jullie nog getrouwd waren?'

Ik knikte. 'Maar Sterre, dat is mijn dochter...'

'Dat weet ik.'

'...Sterre heeft er niet onder geleden, hoor.'

'En jij?'

'Och, beter gelukkig alleen dan ongelukkig in een relatie', zei ik Anke na.

Bij de tramhalte gingen we uit elkaar. Zwijgend wachtten we tot de negen er aankwam. Voordat ik instapte, zei hij: 'We doen het rustig aan, Susan. Voel je niet opgejaagd.'

Hij boog zich naar me toe en drukte voorzichtig een kus op mijn voorhoofd. 'Dag. Ik vond het een heerlijke middag. Mag ik je nog eens bellen?'

Niet in staat te spreken knikte ik, en net voor de tramdeuren sloten, kuste ik hem terug, op zijn lippen.

24

'En?' vroeg Emma nogmaals.

HET EERSTE WAT SAM DE VOLGENDE OCHTEND DEED WAS ZIJN linkerlade openen. Hij vond een notitieblok, een circulaire voor het personeel over de gewijzigde procedures naar aanleiding van de brand, en het boekje met het Leidend Beginsel van de NSB. Een voor een tilde hij de papieren op en hij keek er onder. Zijn hart sloeg over. De kaarten van de Daniëls waren weg. Hij keek in de rechterlade. Daar lag slechts een broodtrommel die hij al maanden kwijt was met daarin enkele groen beschimmelde boterhammen, en een stapeltje lege stamkaarten.

Met bonkend hart liep hij naar de kaartenbak en ging koortsachtig met zijn vingers door de kaartjes. Dam v., Dam v., Dam v., Dantzig, Darshoen, Davenschot, Davids, Deelen...

'Zoek je wat?' Dirk zat achterovergeleund naar hem te kijken, kauwend op een potlood.

'Nee hoor.'

'Je lijkt wel een beetje zenuwachtig...'

Korzelig keek Sam hem aan. 'Heb je niets te doen of zo?'

'Wel hoor. Kijken hoe druk jij aan het werk bent.'

'Ik dacht dat je nog een nieuwe stapel archiefdozen uit het magazijn moest halen?'

'Ja, maar dat doe ik wel als het me uitkomt.'

Toen Dirk eindelijk naar het magazijn was, doorzocht Sam Dirks lades. In de ene vond hij enkele kladblaadjes en de circulaire. In de andere kwam hij een stapel oude *VoVa's* tegen, een volgeschreven notitieblok en een boekje met vieze plaatjes waar hij ondanks de spanning toch even in ging bladeren.

Er werd op zijn rug getikt. Van schrik sprong hij op en de bureaustoel achter hem viel met een luide bons op de grond.

'Rustig maar, Sam.' Juffrouw Wetschrijvers stond achter hem, de koffiekan in haar handen. 'Ik wilde alleen vragen of je nog iets te drinken wilt.'

'Nee, nee, dank u.' Snel zette hij de stoel weer overeind en sloot Dirks lade.

Juffrouw Wetschrijvers keek hem onderzoekend aan.

'Ik zocht een pen', mompelde hij.

'En?' vroeg Emma toen hij die avond thuiskwam van kantoor. Hij gaf geen antwoord en liep naar Pieter toe. Het knulletje zat te spelen met een bol wol afkomstig van een paar sokken die Emma had uitgehaald.

Ze kwam achter hem aan en trok zachtjes aan zijn mouw.

'Ja, wat nou "en"?' zei hij. 'Kom knul, we gaan naar de doolhof.'

Emma riep hem terug, maar hij deed alsof hij het niet hoorde.

Het weer was de laatste weken wat zachter en dus werkte hij weer met Pieter in de kleine doolhof achter in de tuin. Werken aan de doolhof was voor hen een gewichtige zaak, een spel met zijn eigen spelregels. Soms speelden ze boter-kaas-en-eieren en ik-zie-ik-zie-wat-jij-niet-ziet. Vandaag speelden ze galgje, met woorden van drie of vier letters. Sam speelde ook weleens galgje met Emma, maar dan kozen ze langere woorden, zoals 'regeringsbrood' of 'surrogaatkoffie'.

Net toen hij bijna hing, verscheen Emma's hoofd boven de ligusterhaag. Er zaten enkele blaadjes in haar haren. 'En?' vroeg ze nogmaals.

Traag kwam hij overeind en volgde Emma naar binnen. Hij ging schrijlings op een stoel zitten, zijn armen steunend op de achterleuning. 'De kaarten van de Daniëls...' zei hij. 'Die zijn weg.'

'Zijn ze weg? Echt?' Ze liep naar hem toe en pakte zijn schouders vast. 'En heb jíj daarvoor gezorgd?'

Hij keek naar haar hoopvolle gezicht dat er ineens jaren jonger uitzag, de rimpeltjes gladgestreken en de glans terug in haar ogen. En hij bewoog zijn hoofd op en neer, op en neer.

'Wat goed van je, Sam.' Ze sloeg haar armen om hem heen en kuste hem. 'Ik had het zo erg gevonden als ze zouden worden opgepakt. Zij is altijd zo aardig voor ons en Simon en Leba... ze zijn nog zo jong.'

Hij lachte schaapachtig.

'Toch is het misschien beter als ze onderduiken. Je weet maar nooit. Er gebeuren zulke rare dingen in het land.'

25

'Niet doen!' Snel duwde ik de deksel er weer op.

SINDS EEN PAAR WEKEN GING MIJN HUISJE SCHUIL ACHTER EEN grote steiger. Nu ik de slag te pakken had, was ik ook maar begonnen aan de kozijnen van de bovenramen. Ik had ze inmiddels afgekrabd en in de grondverf gezet. Anke bekeek de steiger toen ze me kwam ophalen voor het hardlopen. We zaten al op de 2395 stappen non-stop.

'Zo zie je maar.' Ze tikte goedkeurend op de steiger. 'Een geëmancipeerde vrouw heeft geen man nodig. Je hebt me aangestoken, ik ga ook aan de slag. Welke grondverf heb je gebruikt voor de erker?'

'O, dat weet ik zo niet. Maar misschien heb ik nog wel een bus over.' We liepen naar het washok waar ik de verfpotten had neergezet. Ik joeg Sandra, de lapjeskat van Oscar weg die op de zwarte kist zat en uitgebreid haar linkeroor aan het wassen was, tussen de verfpotten in.

'Is die poes van jou?'

'Nee, van mijn buurjongetje. Maar ze glipt heel vaak het washok binnen.'

Anke's oog viel op het portret aan de muur. 'Is dat de oma die het schilderij met de porseleinen pop gemaakt heeft?'

Ik knikte.

'Je hebt wel iets van haar weg. Hoe oud is ze hier?'

Ik haalde mijn schouders op. 'Geen idee, achter in de vijftig, schat ik. Ik kan me nog herinneren dat ze er zo uitzag, met die bril en dat kapsel. Hier is de verf.' Ik wees naar de verfpot op de zwarte kist.

Anke bleef naar het portret kijken. 'Ze heeft verdrietige ogen.'

'Ja', zei ik. 'Ik heb ook nog wat hoogglans in pandjesgroen.'

Ze trok de deksel van de kist omhoog. 'Hierin?'

'Niet doen!' Snel klapte ik de deksel weer terug.

Geschrokken stapte ze achteruit. 'Sorry, Susan. Ik wist niet dat je dat vervelend vond.' Ze keek me schalks aan. 'Wat voor geheimen zitten erin?'

'Ach, hou op, gewoon, ouwe spullen van mijn grootouders.' Ik duwde haar de bus grondverf in de handen. 'Hier, hij is nog voor de helft vol.'

'Heb je er nog echt nooit in gesnuffeld?' Ze keek me ongelovig aan. 'Aan de hand van spullen kun je je anders een heel aardig beeld vormen van wat voor soort mensen je grootouders waren. Het is best leuk om te weten van wie je afstamt, toch? Wie had ooit gedacht dat mijn grootvader een verzetsheld was. En dat ik het bloed en de genen heb van een held!'

Ik gaf haar ook de kwasten. 'Kom, we gaan hardlopen.'

Aan één stuk door renden we naar het Veldpark. Op een grasveld hielden we stil om oefeningen te doen. Ik stond voorovergebogen en rekte mijn hamstrings op.

'Gaat het, Suus?' Anke keek me aan van opzij. Ze stond op één been en trok het andere naar zich toe. Haar gezicht was bezweet.

Ik keek naar het pad waar vroeger de rupsjes lagen waar ik zo bang voor was. Tranen prikten achter mijn ogen. Met kracht schopte ik een dennenappel weg, die met een boog over het grasveld vloog. 'Het gaat prima', zei ik. 'Ik ben nog helemaal niet moe.'

Thuisgekomen pakte ik de terpentine die nog in het washok stond. Anke liep achter me aan en ging op de wasmachine zitten. 'Susan,' begon ze, 'ik heb het gevoel dat je ergens mee zit. Ik bedoel... we zijn toch vriendinnen? Je kunt me toch in vertrouwen nemen?'

Ze wiebelde met haar benen. Ik volgde de slingerende veters aan haar sportschoenen. Het liefst had ik nu een luchtig verhaal opgehangen. Dat ik door het schilderen last had van mijn schouders, of dat ik kou had gevat tijdens het hardlopen. Dan zou ze me even aankijken, haar schouders ophalen, de verfbus meenemen en me een prettige avond wensen. En me met rust laten.

Maar plotseling gooide ik het eruit. Dat ik van iemand – ik zei niet dat ik het van haar eigen grootvader gehoord had – iets had gehoord over mijn grootvader. Dat hij waarschijnlijk een NSB'er was geweest die aan het eind van de oorlog is geëxecuteerd.

Met ogen groot van schrik keek ze me aan. 'Hoe weet je dat? Van wie heb je dat dan gehoord?'

'Dat doet er niet toe. Ik weet alleen niet of het waar is.'

'Maar waarom vraag je dat dan niet aan je vader?'

Bijna schoot ik in de lach. Alsof ik daar zelf niet opgekomen was.

Ze keek me aan. 'Ik kan me voorstellen dat het heel pijnlijk is, ja. Maar soms kun je beter iets zeker weten dan iets vermoeden. En bovendien, het gaat om je opa en niet om jouzelf.'

Het leek zo simpel zoals zij het zei. Zo simpel zou het ook moeten zijn. Ik schudde mijn hoofd.

'Maar als je je vader er niet mee wilt confronteren...' Haar stem klonk aarzelend. 'Dan kun je toch zelf onderzoek doen?'

Ze had haar schoenen op de kist gezet. De veters hingen stil.

'Die kist...' zei ze. 'Deed je daarom zo geheimzinnig? Weet je soms meer? Heb je daar soms dingen in ontdekt?'

'Nee, echt niet,' zei ik. 'Ik heb er nog nooit een blik in geworpen.'

'Maar ben je dan niet nieuwsgierig?'

Ik keek naar de kist en voelde een afgrijzen omhoog komen. 'Nee.'

'Je durft er dus niet in te kijken', zei Anke. 'Nou, ik geloof niet dat ik mijn nieuwsgierigheid zou kunnen bedwingen.'

'Dat jij nieuwsgierig bent naar je grootvaders verleden, dat kan ik me wel voorstellen. Maar als je van tevoren weet dat het je pijn zal doen wanneer je... Het is als het openen van een graf om te zien in welke staat het lichaam zich bevindt.' Met een klap zette ik de fles terpentine op de wasmachine.

Anke deinsde terug. 'Ik wist niet dat het je zo hoog zat. Zo heb ik je nog nooit horen praten.'

'Het zit me helemaal niet hoog. Het komt vast omdat ik moe ben van het hardlopen. Kom, we gaan naar binnen.'

Ze bleef op de wasmachine zitten. 'Maar je zei toch dat je niet zeker wist of het waar is?'

Ik knikte, met de deurknop in mijn hand.

'Dus het kan ook níet waar zijn. En dan zit jij je druk te maken om niks.'

Ik opende mijn mond om iets te zeggen, en sloot hem meteen weer.

'Als ik jou was, zou ik toch maar eens kijken. Wat kan je gebeuren? Hij is toch al dood.'

Ondanks alles schoot ik in de lach. Ze had gelijk.

Ze haalde haar voeten van de kist en sprong op de grond. In mijn rug prikten de ogen van mijn grootmoeder. Ik deed de deksel omhoog.

26

'Het wordt een meisje.'

ZE WAREN BEZIG MET EEN WOORDSPELLETJE TOEN ZE HET HEM vertelde. 'Al ruim vier maanden. Maar ik wist het niet zeker, mijn periodes zijn altijd zo onregelmatig', zei ze bijna verlegen.

Van blijdschap sprong hij van stoel, tilde haar op en wiegde haar heen en weer. Ze hadden er zoveel jaren op gewacht.

'Wanneer komt het?'

'Eind oktober, begin november. Het wordt een meisje', fluisterde ze erachteraan.

Hij liet haar een stukje naar beneden zakken. 'Hoe weet je dat?'

'Dat voel ik.'

Ze vormden namen van de letters die op tafels lagen. Hij maakte Anna. Zij Amelia. Hij Neeltje. Nee, geen Neeltje. Ja, maar dan zit ik met die letters. Pak die G, maak je Engeltje. En dan kan ik Riet maken. Nee, geen Riet. Waarom niet? Doe dan Eline. Mooi, dan kan ik die V kwijt. Kijk, Vere. Nee, achternamen mogen niet. Veronie? Ja, maar ik heb geen O. En Veronie is wel een tutnaam, vind je niet? Wat vind je van Hilde? Hilde Warenaar?

Sam wilde iets doen om te vieren dat er een baby'tje op komst was. Hij had enkele oude planken uit de schuur verzaagd om een poppenhuis te maken. Het kleine poppenhuis met drie kamers stond op tafel in de kamer. De poppenstoeltjes stonden inmiddels in het huiskamertje. Hij was avonden bezig geweest met het vijlen van een stoeltje, en toen hij ermee klaar was had ze hem verrukt aangekeken, alsof hij haar trakteerde op een kop echte koffie met chocola. Zelf had ze de miniatuurpoppetjes gemaakt, iets groter dan haar vinger: een vader, een moeder, een jongetje en een klein babymeisje. 'Er moet ook nog een wiegje komen', zei ze. Ze werd kortademig de laatste tijd. Ook waggelde ze een beetje. Hij moest erom lachen, maar ze werd boos als ze dat merkte. Hij keek haar na terwijl ze naar de keuken liep; hij had haar liever dan ooit, met haar brede heupen, haar volle moedergezicht en haar handen bijna voortdurend op haar buik rustend.

'Zullen jongetjes hier ook mee spelen?' Ze had een tube lijm uit de keukenlade gehaald en plakte een minuscuul stukje stof langs een van de kozijntjes. Met haar vinger streek ze het gordijntje glad en ze deed een stap achterwaarts om naar het resultaat te kijken.

'Het zou toch een meisje worden?' Sam was bijna klaar met het schilderen van het dak, alleen de schoorsteen moest nog.

'Riet zegt dat kinderen pas vanaf een jaar of vier met poppenhuizen spelen.'

'Riet heeft geen verstand van kinderen.'

'Doe niet altijd zo onaardig over mijn zuster.'

'Goed, Riet heeft geen verstand van poppenhuizen. En anders laten we het toch een paar jaar staan, tot ze groot genoeg is om ermee te spelen.'

'Of hij.' Ze pakte de verfkwast uit zijn hand.

'Of hij.'

'Maar het wordt toch een zij.' Met vastberaden streken verfde ze het schoorsteentje rood. 'Dan moet ze inderdaad maar even een jaartje of vier wachten.'

'Ik vroeg me af of jij nog wat kleren hebt voor de Beweging, Em.' Riet stond met haar handen in haar zij in de keuken. Het was een uitzonderlijke koude dag voor de herfst, en ze hadden het kolenkacheltje heel even aangestoken om de kilte in de keuken te verdrijven.

'De beweging, welke beweging?' Emma trok haar wenkbrauwen hoog op.

'Die van de NSB Winterhulp. We steunen de armen door het inzamelen van kleding en andere spullen.'

'Ik steun de armen al, ik heb in het voorjaar nog een hele stapel jurken aan haar van hiernaast gegeven.'

'Die joodse buurvrouw?' Riet keek haar zuster geschokt aan. 'Dat je dat doet... Waar zijn ze trouwens, de buren? Ik liep net langs hun huis, maar het ziet er zo onbewoond uit.' Ze boog zich naar Emma toe en keek even of Pietertje meeluisterde.

'Zijn ze...?'

Pieter keek op. 'Onze buren zijn joden. Dat heeft Simon mij zelf verteld.' Hij stond bij het kacheltje en warmde zijn handen.

'Zo, had Simon dat zelf gezegd? Wanneer was dat, liefje?' Riet boog zich naar Pietertje toe. Hij dook weg en klom bij zijn vader op schoot. Het ventje keek nadenkend voor zich uit. 'Vader, ik wil u iets vragen.'

Sam was de krant aan het lezen die Riet voor hen had meegenomen. 'Zeg het eens, jongen.'

'Wat is een jood?'

'Een jood is een mensenras.' Sam vouwde de krant op en zette Pieter op de punt van zijn knie. Hij begon zwaar te worden.

'Maar wat is een mensenras?'

'Nou. Eh...'

'Zijn wij ook een mensenras?'

'Ja. Wij zijn Ariërs. Wij stammen af van de Germanen. Hoe dat zit, leg ik je nog weleens uit als je wat ouder bent.'

Pieter was even stil.

'Juffrouw zegt dat de joden weg moeten uit Nederland.'

‘Wel, joden worden naar een andere plek gebracht. Een plek waar zij beter thuishoren dan hier.’

‘Op school zeggen dat ze dood worden gemaakt.’

‘Je moet niet altijd geloven wat de mensen zeggen, jongen. Bovendien ben je nog veel te klein voor dit soort zaken.’

‘Vader? Waar is Simon? En de rest? Ze zijn zomaar weggegaan.’

Emma stond op, haar handen steunend op haar zware buik.

‘Pieter, ga jij eens even buiten spelen. En Riet, kijk eens voor me in de slaapkamer? Misschien ligt er nog een oude jurk die je voor je Winterhulp kan gebruiken.’

Riet stond verbaasd op, maar Emma duwde haar de keuken uit. ‘In de linnenkast, bovenste plank links!’ riep ze haar na.

Pieter klom van zijn vaders knie en keek bedachtzaam voor zich uit. ‘Dus Simon is nu naar een plek waar hij beter thuishoort?’

Sam zuchtte. ‘Ik weet het niet, Pieter.’

‘Maar zijn poes dan? Simon zou nooit weggaan zonder zijn poes.’ Hij keek van zijn vader naar zijn moeder.

‘Schiet op, Pieter, naar buiten. Ga maar lekker spelen.’ Emma duwde haar zoon de keuken uit, maar hij stak zijn hoofd nog even om de hoek. ‘Vader, ik denk dat mijnheer Hoffman Simons poes eten geeft. Hij verdwijnt steeds door het gat in de schutting.’

Sam kwam overeind uit de stoel. ‘Wat zeg je daar, jongen?’

Emma kwam tussenbeide en duwde haar zoon weg. ‘Pieter zegt dat er bij het gat van de schutting zulke lekkere appels groeien. En dat Simon daar erg van houdt.’

Verward keek Pietertje naar zijn moeder, maar ze knoopte zijn jas dicht en zette een muts op zijn hoofd. ‘Hup, naar buiten jij.’

‘Ik begrijp er niets van, Emma.’ Ze waren net klaar met eten, maar Sams maag knorde nog net zo hard als daarvoor. ‘Vrouwen in positie krijgen toch extra voedselbonnen?’

Emma stapelde de lege borden op elkaar en zette ze op het aanrecht.

'Het lijkt wel of we de laatste tijd steeds minder te eten hebben. Hou je de bonnen wel goed bij?'

'Natuurlijk, wat denk jij. Maar er is nu eenmaal heel weinig te krijgen na drie jaar oorlog. Je hebt geen idee hoezeer ik mijn best doe om een maaltijd op tafel te zetten; de bonnen zijn op voordat je het weet. Heb je enig idee hoe lang de rijen zijn voor de winkels? Als je niet op tijd bent, heb je pech. En bij de gaarkeuken duurt het helemaal lang. Alles raakt op. Hebben we nog wel genoeg hout?'

Hij knikte. Met pijn in zijn hart dacht hij aan het poppenhuis. Ze hadden eerst het dak, later ook de muren met de raampjes en raamkozijnen ervan moeten verzagen omdat er niet genoeg hout was om te stoken. Emma had beteuterd naast hem gestaan. 'Dan maar geen cadeautje voor de baby', had ze gezegd. 'Een baby zelf is al een cadeautje, zullen we maar zeggen.'

Terwijl hij zijn loonzakje in de keukenla legde, kreeg hij een inval. Hij haalde het loonzakje weer tevoorschijn, nam er een biljet uit en liep naar buiten. Bij het huis recht achter hen belde hij aan.

Het duurde enige tijd voordat er geopend werd. Hij hoorde gestommel achter de zware voordeur en geschuif van meubels. De deur ging een klein stukje open en het gezicht van de oude vrouw stak een stukje om de hoek.

'Wie is daar?'

'Sam', zei hij. 'Sam Warenaar, de buurman van hierachter.'

De deur werd terstond voor zijn neus dichtgeslagen. Verbaasd keek hij naar de dichte deur en belde nogmaals aan, ditmaal langer.

Het bleef stil achter de deur. Hij liep naar het raam en trachtte door een spleet tussen de verduisterde ramen te gluren. Toen ging de deur weer open; Maarten Hoffman kwam naar buiten en trok de deur achter zich dicht. Hij zag lijkbleek.

‘Wat is er?’ beet hij Sam toe. ‘Wat moet je van me?’

‘Ik eh... Uw tante, of de dame die hier woont maakt toch poppen?’

Hoffman keek hem aan alsof hij niet begreep waar Sam het over had. Sam herhaalde zijn vraag.

‘Ze is mijn tante niet, maar mijn vroegere gouvernante’, zei Hoffman kort.

‘Neem me niet kwalijk.’

Hoffman keek hem dreigend aan. ‘En wat is daarmee?’

‘Ik wilde graag zo’n pop kopen.’ Sam haalde het geld uit zijn loonzakje tevoorschijn.

Verbijsterd keek Hoffman naar Sam. ‘Een pop’, herhaalde hij.’

‘Ja, voor mijn vrouw. Ze is in verwachting en...’ Sam besefte opeens dat de situatie voor hem nogal pijnlijk was. Maar tot zijn verbazing reageerde Hoffman opgelucht. ‘Dat kan. Wacht u maar even.’ Hij ging naar binnen.

‘Een pop’, hoorde Sam hem zeggen in het portaal. ‘Hij wil een pop kopen.’

Even later kwam Hoffman terug met een porseleinen pop met donkere krulharen en een roodgeblokt jurkje. Dankbaar nam Sam de pop in ontvangst. ‘Wat kost hij, ik bedoel zij?’

Hoffman noemde het bedrag en Sam schrok: de pop was veel duurder dan hij had gedacht en hij had niet genoeg geld. ‘Ik kom het resterende bedrag volgende week vrijdag wel even langsbrengen, als dat mag’, zei hij.

‘Dat hoeft niet. Laat maar zitten.’ Zonder te groeten deed Hoffman de deur dicht.

‘Ben jij hiervoor naar het huis van Maarten Hoffman geweest?’ vroeg Emma ongelovig. Ze lag op de bank in de kamer met enkele flinke kussens achter haar hoofd, haar volle haren lagen in slierten om haar heen. De vroedvrouw was juist vertrokken en de baby lag in het wiegje te slapen, tevreden knorrende geluidjes makend.

De porseleinen pop lag op Emma's buik. Ze aaide de pop over haar donkere krullende haren.

Hij haalde zijn schouders op. 'En wat dan nog? Ik heb nooit een hekel aan die man gehad, hoor. Het is een aardige vent. In andere omstandigheden, ik bedoel, als jij er niet was geweest, waren we misschien wel vrienden geworden.' Hij lachte bij het idee en zag Hoffman voor zich op de stoep staan, het lijkbleke gezicht met de sprietjes haar wijduit boven zijn oren, alsof hij was vergeten ze glad te strijken.

Emma zei nog altijd niets. Ze bleef onbeweeglijk liggen met de pop op haar schoot.

27

'De pop', fluisterde ik.
'De porseleinen pop van het schilderij.'

HET EERSTE WAT IK ZAG TOEN IK DE KIST OPENDE, WAS EEN oude deken. Hij rook muf en hier en daar zat de mot erin. Tot mijn verrassing lag er bijna niets onder. Een paar lappen, enkele foto's, een vaas en nog een paar andere spullen. Ik pakte een van de foto's. Zwart-wit, met gekartelde randjes. Mijn oma op de bank met een jongetje ernaast: dat moest mijn vader zijn. Ik had nog nooit een foto van mijn vader als kind gezien. Hij leek op mijn broer Frank, dik haar en grote, ernstige ogen. Oma had een pasgeboren baby in haar armen. Een meisje, te zien aan de kleertjes. 'Vreemd', merkte ik op. 'Mijn vader was enig kind.'

Anke haalde haar schouders op. 'Je weet niet of het haar eigen kind is, misschien is het wel van iemand anders. Laat eens zien?'

Maar op de een of andere manier geloofde ik dat niet. Oma keek alsof zij de moeder was. Zo trots, zo gelukkig. Een blik die je alleen kunt hebben als je zelf de moeder bent. Op de leuning van de bank zat een pop met donker krullend haar. 'De pop...' fluisterde ik, '...de porseleinen pop van het schilderij.'

Anke boog zich over de foto en knikte instemmend.

Op een andere foto stond een groepje mensen op het strand. Ze keken jolig, alsof ze op het punt stonden om te vallen van het lachen. Ik herkende oma meteen. De man ernaast, met zijn arm om haar heen, moest mijn grootvader zijn. Een schelmse blik, krullend haar. Niet bepaald het uiterlijk van een rotzak. Op de voorgrond speelden een paar jongetjes bij een zandberg, een ervan was mijn vader. Naast hem zat een iets oudere jongen met een poes in zijn armen.

Ik haalde de lappen eruit. Ze waren versierd met kleine borduursteekjes. Er viel een envelop tussenuit die ik weer terugstopte. Anke pakte de vaas uit de kist. Het was een emaillen vaas, oranjekleurig, met een bloemenmotief. 'Wat mooi.' Ze streelde de slanke hals. 'Die moet je op de kast zetten.'

'Hm. Misschien.' Ik nam de vaas van haar over en stopte hem terug, samen met de andere spullen.

'En wat zit daarin?' Anke wees op de envelop die ik tussen de lappen had teruggestopt.

Met enige tegenzin maakte ik hem open en ik haalde er een brief uit. Met de toppen van mijn vingers stuitte ik op iets kleins onderin, een speldje of iets dergelijks.

De brief was gedateerd op 29 februari 1944 en afkomstig van de burgerlijke stand in Amsterdam. Gericht aan Sam Warenaar, mijn grootvader. *"Bevordering tot Bureelambtenaar ter gemeentesecretarie, met een jaarwedde van f 2.100,-."* Het speldje stak ik zo onopvallend mogelijk in de zak van mijn hardloopshirt.

'In elk geval weet je nu waar hij werkte', zei Anke. 'Bij het bevolkingsregister. Dat is alvast een spoor.'

Het bevolkingsregister. Anke had het nog niet uitgesproken of ik zag de oude Ger Arendtse voor me in zijn rolstoel. Misschien hadden hij en mijn grootvader elkaar wel gekend.

'Nu je weet waar hij gewerkt heeft, kun je dat spoor volgen, als je wilt. Misschien stuit je wel op een mooi verhaal.' Haar ogen glommen.

‘Ja, voor jou zeker.’ Ik keek haar zuur aan.
‘Ik zou het wel willen weten. Maar het is jouw familie, ík heb er niets mee te maken.’
Ze moest eens weten.
‘Als je liever niets wilt weten van je verleden, is dat je goed recht. Dan laat je het gewoon rusten.’ Anke pakte de verfpot. ‘Ik ga naar huis, lekker douchen. Bedankt voor de verf.’
Ik liep met haar mee. Het avondlicht viel op het schilderij van mijn oma, de porseleinen pop met de handjes gestrekt naar voren. Bij de voordeur draaide ze zich om. ‘Maar dan zul je altijd leven met de onzekere gedachte dat je misschien een foute grootvader hebt gehad.’
Ik keek haar aan.
‘En misschien kom je er wel achter dat je grootvader een doodgoede man was. Een bureelambtenaar ter secretarie…’ Ze sprak de woorden spottend uit. ‘Dat wekt niet bepaald de indruk van een hooggeplaatste, nietsontziende nazibeul.’
Dat was waar.
‘Zal ik je anders helpen? Ik wil wel wat speurwerk voor je doen. Ik heb ervaring met dit soort werk.’
Wat als ik nu nee zei? Wat als ik zei: bemoei je met je eigen zaken en laat mij met rust, ga mijn huis uit en *by the way*, zoek alsjeblieft een andere vriendin?
‘Susan? Je hoeft toch niets tegen je vader te zeggen?’
‘Doe maar’, zei ik.

Toen Anke was vertrokken haalde ik het speldje uit de zak van mijn sportjack. Het was een insigne van de NSB Jeugdstorm.

28

'Nog een keer, vader!'

'WAT STAAT ER IN DAT GLAASJE?' VROEG SAM. HIJ KEEK NAAR het jeneverglas op de vensterbank. Hij had net de kolen in de kachel bijgevuld, het waren de laatste die ze hadden van het maandrantsoen en hij moest snel iets organiseren om nieuwe te krijgen. Het had al een paar weken gevroren en er waaide een kille wind die pal op het keukenraam stond.

'Een klavertjevier. Dat is voor moeder.' Pieter kwam de keuken in lopen. Hij was net wakker en zijn haar stond alle kanten op.

Emma zat op het puntje van de keukenstoel en plukte gedachteloos enkele pluisjes van een zwarte wollen omslagdoek die ze om haar schouders droeg.

'Dat is geen klavertjevier, maar gewoon een blaadje uit de haag.' Sam inspecteerde het van dichtbij.

'Niet doen, vader, want dan droogt-ie uit!'

'Wat moet moeder dan doen met het klavertjevier, Pieter?'

'Nou, opeten.'

'En dan?'

'Dan krijgt ze weer een dikke buik. En dan komt er weer een nieuw baby'tje.'

Sam keek naar de grijze tegels op de vloer.

'En dan is moeder weer blij.' Pieter ging op zijn tenen voor de kraan staan. 'En dan is Hilde weer bij ons terug.'

Emma stond op, drukte de omslagdoek stevig om zich heen en verdween naar de slaapkamer. Pietertje liep achter haar aan. Sam bleef alleen achter in de keuken. Hij ging op het puntje van de stoel zitten waar Emma juist van was opgestaan en staarde naar de grijze tegels op de vloer.

Daar had ze gelegen. Precies daar. Het was niet met opzet gegaan, natuurlijk niet. In gedachten ziet hij de pretoogjes van zijn babydochtertje vanuit de kinderwagen in de keuken. Hij hoort de stem van zijn zoon echoën. *Nog een keer, vader! Nog een keer!* Hij tilt zijn zoon op, gooit hem hoog de lucht in en vangt hem weer op. Hij ziet de pretoogjes van zijn dochtertje. Vanaf de dag dat ze kon lachen, is ze er niet meer mee gestopt. Als ze gingen wandelen in het park, keken die oogjes alle kanten uit, naar de kale takken van de bomen en de vogels in de lucht. Het meisje lachte naar alles wat ze zag. Zijn zoon roept: *Nog een keer!* Hij tilt zijn dochtertje uit de kinderwagen en gooit haar hoog de lucht in. Ze kraait van plezier. En dan een gil. Emma die binnenkomt. Hij draait zich om. Het meisje glipt door zijn vingers.

Het was geen opzet. Hij staarde naar de grijze tegels op de keukenvloer. Hoorde weer het huilen van het meisje en het gillen van zijn vrouw.

'Hier, een pan soep voor jullie.'

De stem van Riet klonk krachtig en kordaat, alsof het een gewone, alledaagse winterdag was in een gewoon, alledaags mensenleven.

Sam deed een stap opzij om haar binnen te laten. Het had gesneeuwd en op haar hoed en schouders glinsterden witte vlokjes die maar langzaam smolten.

'Hij is nog warm, ik hem 'm net gemaakt.' De stoom uit de pan geurde naar verse groenten, naar klavertjesvier, naar hoop en geruststelling.

'Ik heb 'm getrokken van een klein stukje zwoerd en er zit een hele knolselderij in van mijn schoonvader.' Met geroutineerde gebaren zette ze de soep op de tafel. 'Binnenkort gaat Hendrik weer naar Drenthe en dan zal hij voor jullie ook wat groenten meenemen. De mensen op een boerderij zijn er het minst slecht aan toe.' Met een grote lepel schepte ze de soep in de borden. 'Denk je dat Emma aan tafel komt eten?'

Sam keek naar de damp die van de soeppan afsloeg. 'Ik weet het niet, Riet. Misschien moet jij het weer eens vragen.'

Riet kwam terug uit de slaapkamer en schudde haar hoofd. 'Ze luistert niet. Zelfs de dokter dringt niet tot haar door. Hoe vaak hebben we nou al gezegd dat het niet kwam door die val? Dat Hilde een minuut daarna weer vrolijk lachte? Dat heeft Emma zelf toch ook gezien? Het is niet goed, hoor, dat ze zich zo opsluit in haar kamer. Het kan niet langer zo doorgaan. Praat ze nog tegen je?'

Hij schudde zijn hoofd.

'En hoe doet ze tegen Pieter?'

'Tegen hem praat ze wel. Niet veel, maar Pieter heeft aan een half woord genoeg.'

'En 's avonds, als Pieter in bed ligt?'

Eerst had Sam nog iedere avond gewacht op een teken van leven: dat de slaapkamerdeur open zou gaan en dat ze bij hem kwam zitten in de leesfauteuil, of op zijn schoot, zoals ze dat zo vaak had gedaan.

'Dan blijft ze op haar kamer.'

'Het moet nu maar eens over wezen met dat verdriet. We hebben allemaal weleens problemen. Die zijn er om opgelost te worden.' De barse stem van Emma's vader werd overstemd door het geluid van de fluitketel op het vuur. Nu Emma de deur niet meer uitkwam, waren zij bij voor het eerst sinds de oorlog bij hen thuis op bezoek gekomen.

Mijnheer van Boven zette zijn ellebogen op tafel. 'De zuster van onze buurvrouw heeft ook een klein kindje verloren aan difterie. Het komt plotseling op, en binnen een week is het gedaan met zo'n kleintje.'

De symptomen waren pas na enige dagen goed duidelijk geweest. Hilde had slecht kunnen slikken, gaf over nadat ze de borst had gekregen, en huilde onophoudelijk. Emma had gedacht dat het van de val kwam en controleerde haar lichaampje op blauwe plekken. De dokter was gekomen. Als het erger wordt, dan moet je me roepen, had hij gezegd. Het was niet meer nodig geweest.

De slaapkamerdeur ging open en Emma liep de keuken in. De winterzon scheen door het keukenraam op haar bleke gezicht en ze knipperde met haar ogen. Er lag een ouwelijke trek rond haar mond, en haar lippen waren droog en gebarsten. Ze kwam aan de keukentafel zitten en sloeg een doek om zich heen, de doek die ze ook droeg bij de begrafenis van Hilde.

Sam had een gedicht voorgedragen, staand naast het kistje. Niemand had er iets van kunnen verstaan. De woorden waren in zijn keel blijven steken, alsof de werkelijkheid te rauw was om in woorden uitgesproken te kunnen worden.

'Nou', zei Emma's moeder tegen niemand in het bijzonder. 'De thee smaakt uitstekend. Net echt.'

Sams schoonvader begon tegen Emma over enkele joodse families bij hem in de buurt die waren weggehaald. 'Een verre neef van me, Jaap ter Brink, die sprak ik enige dagen geleden, hij is diender en moet de joden uit hun huis halen.' Hij keek Sam aan alsof die hoogstpersoonlijk verantwoordelijk was geweest voor de opdracht daartoe. 'Vroeg in de ochtend gebeurt dat, zodat niemand er erg in heeft. Vreselijk vindt hij het.' Hij knikte naar zijn vrouw en ging verder. 'Weet je wat hij ook vertelde? De meeste joden gaan zonder morren mee. Ze laten zich hun huis uit halen en lopen mee als makke schapen naar de slachtbank.'

'Wat is een slachtbank?' vroeg Pieter.

Sam glimlachte even. 'Opa bedoelt bij wijze van spreken, Pieter.'

'Bij wijze van spreken?' Emma's vader verslikte zich in zijn thee en begon te hoesten. Zijn vrouw sloeg hem bedarend op de rug.

'Laten we dat hopen, Sam. Laten we dat hopen.' Hij stond op om te vertrekken; de stoelpoten schraapten over de grijze tegels op de vloer. In de gang nam hij Sam nog even apart. 'Ik wil je dringend verzoeken om te stoppen met die Jan Hagel-activiteiten van je', beet hij zijn schoonzoon toe.

Sam proefde de bittere smaak van de thee op zijn tong. Hij keek zijn schoonvader recht aan, zonder met zijn ogen te knipperen. De man keek terug en deed een stapje naar voren. Sam weigerde zijn ogen neer te slaan en onderdrukte de neiging om zijn schoonvader in diens pafferige, zelfingenomen gezicht te spugen. In plaats daarvan zei hij met een ijzige stem: 'Iedereen is vrij om zijn eigen keuzes te maken, mijnheer Van Boven.'

Emanuel Franciscus Maria van Boven kreeg een boze trek om zijn mond, als een kind dat zijn zin niet krijgt. Hij zocht in een van zijn zakken. 'Eigenlijk zou ik het niet moeten doen', zei hij, terwijl hij er een envelop uit haalde. 'Maar ik doe het voor haar. Ze had beter moeten weten, en een man moeten trouwen die haar tenminste behoorlijk kon onderhouden. Maar zelfs dat zit er niet in.'

Nadat haar ouders waren vertrokken had Sam de envelop met geld van zijn schoonvader aan Emma gegeven en ze had hem zonder iets te zeggen in de keukenla gelegd.

'Ik moet vanavond weg Emma. Ze hebben me gevraagd wat vaker naar het kringhuis te komen. Ze hebben een nieuwe blokleider nodig. En misschien kan ik ook wat extra geld verdienen bij de Hulppolitie. Maar ik ga niet als je liever wilt dat ik thuisblijf...'

Ze schudde haar hoofd. 'Het is al goed.'

Aarzelend opende hij de deur en keek naar haar. Emma draaide haar hoofd weg en liep naar de buffetkast. Ze pakte haar verstelwerk en nam een schaar om een aanhechtingsdraadje af te knippen.

29

'Dat is geen steen, dat is porselein.'

'PAP, GAAT HET EEN BEETJE MET JE NEK?' IK LEUNDE TEGEN HET kozijn van de deur en keek naar mijn vaders ingespannen, gebruinde gezicht. Een groot deel van de middag hadden we verrotte stukken houtwerk op de voordeur weggebeiteld. Hij smeerde de kale plekken zorgvuldig dicht met houtrotstop.

'Het schiet aardig op,' zei hij toen we pauze hielden aan de keukentafel. 'Je hebt flink wat werk verzet toen je moeder en ik met vakantie waren.'

'Ja. Het houtwerk boven viel wel mee. En het waren kleine raampjes.'

'Het is ook maar een klein slaapkamertje. Oma sliep er altijd.'

'En jij sliep achter, in het kamertje van Sterre?'

Hij knikte. 'Daar was het iets rustiger. De kamer van oma, die van jou dus, staat pal op het westen. Als de wind erop stond, kraakte het hele huis.'

Ik antwoordde niet. Mijn vingers speelden met het speldje van de Jeugdstorm, dat ik in de zak van mijn werkblouse had gestopt.

Soms doe je dingen waarvan je zelfs op datzelfde moment al denkt: waarom doe ik dit? Terwijl ik het insigne uit mijn zak pakte, zag ik mezelf van bovenaf tegenover mijn vader aan de keukentafel zitten en hoorde ik mezelf vragen: 'Is dit van jou?'

Zijn gezicht veranderde van ontspannen en voldaan naar klein, donker en in zichzelf gekeerd. Ik zag het jongetje dat Jaap Schelling had beschreven, het jongetje dat vroeger met zijn moeder hier aan de kade kwam wonen en een nieuw bestaan opbouwde.

'Hoe kom je daaraan?' zei hij uiteindelijk. Langs zijn voorhoofd liep een druppeltje zweet naar beneden.

'Gevonden. Het zat in die zwarte kist in het washok.'

Sterre kwam binnen. Ze klom op mijn vaders schoot. 'Wat is dat?' Ze wees op het speldje voor ons op de tafel. 'Mag ik het hebben?'

'Ik zal het voor je bewaren tot je oud genoeg bent.'

Ze nam genoegen met zijn antwoord. 'Ik heb ook een speldje, van K3. Zal ik het even halen?' Haastig rende ze naar boven.

'Pap ...' Ik viel stil.

Zijn stem klonk vreemd toen hij antwoordde. Een soort gefluister leek het. 'Je ... je grootvader was lid van de NSB.'

Ik slikte. Tot nu toe had ik nog steeds een sprankje hoop gehad dat het niet waar was, dat Hoffman het over een andere NSB-er had gehad, en over een Emma die ook schilderde en die toevallig iets van mij weg had.

'Hij is twee dagen voor de bevrijding geëxecuteerd. We kwamen terug uit Duitsland, je oma en ik. We hadden geen idee. We hadden sinds september 1944 in een kamp gezeten in Duitsland. En na de bevrijding in een kamp in Drenthe.'

Met zijn blik op het insigne vertelde hij over het kamp, over de barse stemmen van de mannen die het kamp bewaakten, de strobalen die dienden als afscheiding tussen de verschillende families, de uitwerpselen op de grond, de honger, de kou. 'Mijn schipperstrui was gestolen', besloot hij. Hij keek op. Al die tijd had hij me niet aangekeken.

Ik vertelde hem over mijn gesprek met Maarten Hoffman en over het vermoeden dat ik toen had gekregen.

'Maarten Hoffman. We hadden een achterbuurman die Maarten Hoffman heette. Hij kwam weleens bij ons thuis.' Zijn ogen stonden donker. 'Ik mocht hem niet. Hij kwam door een gat in de schutting en zat dan met mijn moeder in de keuken met de deur dicht. Ik mocht er nooit bij zijn. Vanuit de voorkamer hoorde ik soms de lach van mijn moeder. Ik vond hem een indringer.'

'Was je vader toen al opgepakt? Nee, dat kan niet', verbeterde ik mezelf. 'Dit was voordat jullie naar Duitsland gingen, toch?.'

'Ja, want na de oorlog heb ik hem nooit meer gezien. Of jawel, één keer nog. Hij kwam je oma opzoeken in het kamp.' Hij staarde een poosje uit het raam. 'Ze kregen verschrikkelijke ruzie.'

'Waarover?'

'Dat weet ik niet.' Hij speelde met het insigne. 'Over mijn vader, denk ik.'

Er klopte een adertje bij zijn slaap. Plotseling schoof hij het insigne van zich af, met een gebaar van afkeer. Ik bleef ernaar kijken en schrok op toen de bel ging.

Anke stond voor de deur met haar jas half open. In haar hand had ze de pot grondverf die ik haar had gegeven. Haar dikke bos krullen hing wild over haar schouders.

'Ben je al klaar?' vroeg ik verbaasd.

'Nee, maar ik heb het zo druk, het komt er niet van.'

'Met je werk?'

'Ja. Maar dat niet alleen. Mag ik even binnenkomen?' Ze deed opgewonden.

Ik aarzelde. 'Ik heb visite. Mijn vader is er.'

'Je vader? O, wat leuk.' Ze zette haar voet al op het stoepje.

'Anke, als je het niet erg vindt, liever een andere keer.'

'Ik snap het', zei ze. 'Maar ik ben waarschijnlijk iets op het spoor over je grootvader ...'

'Andere keer', zei ik opnieuw.

'O. Oké. Ze liet een stilte vallen en keek me verwachtingsvol aan.

Ik wilde niet dat ze iets op het spoor was. Met moeite slikte ik een nare opmerking weg. Het liefst had ik de voordeur voor haar neus dichtgedaan.

Ze bleef even op de stoep staan. 'Dan eh ... ga ik maar weer. Ik bel je van de week wel, dan weet ik waarschijnlijk nog meer over je grootvader. Nog bedankt voor de verf.'

'Geen dank.' Ik glimlachte verzoenend. 'Ik spreek je volgende week wel. Op de herfstmarkt van school. Dan ben jij er toch ook? Laten we dan iets afspreken.'

Toen ik de kamer binnenliep, zat mijn vader daar nog steeds. Hij staarde naar het insigne op de tafel en zag er zo oud en moe uit, dat ik hem niet durfde te vragen nog even te blijven.

Op de herfstmarkt was het druk en lawaaierig. In ieder lokaal stonden stalletjes waarop kinderen hun spullen mochten verkopen. Puzzels, boeken, kinderwagens, poppenkleertjes, een groot aquarium met een pomp. Ik kocht een paar boeken die ik vroeger als kind had gelezen, *Meester van de Zwarte Molen* en *De gebroeders Leeuwenhart*. Tijdens het afrekenen zag ik Anke in de hoek van het lokaal, bij het keukentje staan. Ik voelde me schuldig dat ik haar vorige week had weggestuurd en liep naar haar toe 'Zullen we vrijdag iets gaan drinken in het café?'

'Nee, dan kan ik niet.'

'Die vrijdag erop dan?'

'Even denken. Nee, dan kan ik ook niet.' Ze draaide zich om en pakte een kopje koffie van een van de dienbladen die in het keukentje stonden.

De adjunct-directeur van de school stond bij de deur. 'Sorry Susan, ik moet even naar hem toe, even iets bespreken over de budgettering.'

Verbaasd keek ik haar na en ik ging het lokaal ernaast binnen. Bij een van de stalletjes ontdekte ik een porseleinen pop die leek op die van mijn oma's schilderij. Ze had donkere krulletjes en een oranje geblokt jurkje. Ik kocht hem. Sterre vond de pop niet mooi. 'Het hoofdje is van steen', zei ze. 'Ik hou niet van zulke hoofdjes.'

'Dat is geen steen, dat is porselein.'

'Porselein?'

'Ja, dat is heel breekbaar. Als je er niet voorzichtig mee doet, gaat het stuk.'

Ze keek ernaar alsof dat haar niets kon schelen.

Mijn vader liet de tube houtrotvuller zien die hij had gekocht voor de plekken die ingesmeerd waren met houtrotstop. 'Ik breng het wel even voor je aan, Susan. Het moet een dag drogen en daarna moet je het licht afschuren.' Hij zette de ladder tegen de muur.

Toen we na afloop iets dronken in de voorkamer, ontdekte hij de porseleinen pop op de leuning van de bank.

'Die pop ... Mijn moeder had er ook een.'

'Die van het schilderij?'

Hij knikte. 'Als het droog weer was, gingen we met die pop in de kinderwagen naar buiten. In de achtertuin is geen oorlog, zei mijn moeder. Ze deed alsof de pop een echt baby'tje was. Aan het eind van de tuin was de groenteman. Daar kon je van alles kopen, zonder bon. We hadden ook een doolhofje in de tuin, daar was de bakker. We kochten daar marsepeinen taarten en vers wittebrood. Ik wist niet eens wat marsepein was. Bij slecht weer bleven we binnen. Hilde hield niet van regen, zei mijn moeder. Elke avond legde ze de pop in het ledikantje en dekte haar toe met geborduurde lakens.' Hij staarde in de richting van de treurwilg boven het water.

'Ik had een zusje dat Hilde heette. Ze stierf in de oorlog.'

De foto in de zwarte kist. Die baby was dus een dochtertje van mijn oma geweest. Mijn tante.

'Toen we terugkwamen uit Duitsland was ons hele huis leeggeroofd. De ramen waren kapot en de deur stond open. Een paar spullen lagen nog op de grond; die heeft oma waarschijnlijk in die kist bewaard. En het schilderij lag midden in de kamer, met de voorkant naar beneden. Er was overheen gelopen. De pop was weg. Zelfs het ledikantje was geplunderd.'

Ik keek naar de barstjes in het gezichtje van de pop. Daarom was het zo beschadigd.

'Pap, heb je ooit met iemand over je verleden gesproken?'

Hij knikte. 'Ik heb het je moeder verteld toen we vijf jaar getrouwd waren.'

'Toen pas? Maar toen was jij al dik in de twintig. Waarom heb je dat zo lang voor haar verborgen gehouden?'

'Het liefst had ik niets gezegd. Maar ze vond het zo vreemd dat er nooit familie van je oma's kant bij ons thuiskwam. Toen heb ik het verteld.'

'En hoe reageerde zij?'

Hij glimlachte zacht. Een overbodige vraag. Ik wist hoe mijn moeder reageerde op mensen die pijn of verdriet hadden. Ze sloot hen in haar hart en toonde hun haar wereld, haar wereld waar alles goed was en fijn. Mijn vader had geen betere vrouw kunnen treffen dan haar.

'Maar waarom kwam oma's familie niet langs?'

Hij trok zijn stramme schouders een stukje op. 'Tante Riet en oom Hendrik waren vroeger ook bij de NSB. Oom Hendrik had mijn vader er zelfs bij gehaald. Maar oom Hendrik is niet vervolgd, en mijn vader is doodgeschoten.'

'Maar dan moeten ze toch juist begrip hebben gehad voor oma?'

Hij reageerde niet. In plaats daarvan schoof hij de pop ruw opzij. Het gebaar deed me denken aan de wijze waarop hij het insigne van zich af had geschoven.

En op dat moment besefte ik hoe dik het stenen pantser was dat hij om zich heen had gemetseld, en dat er niet het minste barstje in mocht komen.

'Dus mama wist het al die tijd. En ze heeft nooit iets gezegd. Ook niet tegen haar eigen broers en zussen?'

'Nee.'

Toen ik jong was, vroeg ik mijn moeder weleens naar mijn onbekende opa. Het enige wat ik wist was dat hij was omgekomen in de oorlog. 'Dat legt je vader je wel een keer uit', had ze geantwoord. Maar hem heb ik het nooit durven vragen. Als kind had ik blijkbaar aangevoeld dat ik niet te dicht in de buurt mocht komen van dat verleden, ik begreep alleen nooit waarom. In mijn verbeelding was mijn opa een slachtoffer, mishandeld en vermoord in de oorlog. Geen seconde had ik eraan gedacht dat hij ook weleens een *dader* zou kunnen zijn.

30

'Dirk vertelde me nog wat, Sam. Iets interessants.'

'FIJN, PIETER. DANK JE WEL.' SAM NAM HET BROODTROMMELTJE van hem aan. 'Kom, we eten de boterhammen buiten op.'

Ze wandelden door de openslaande deuren naar de dierentuin vlakbij het bevolkingsregister. Er scheen een aarzelend lentezonnetje. Ze keken naar de papegaaien die aan een ketting op een paal zaten.

'Hoe is het thuis, jongen?'

'Goed, vader', zei Pieter.

'Zei mama nog wat?'

Pieter keek hem voorzichtig aan. 'Hoe bedoelt u?'

'Gewoon, was mama vrolijk?'

Pieter haalde zijn schouders op. 'Opa Van Boven was op bezoek.'

'Opa Van Boven?' Was oma er ook?'

'Nee.'

'Wat kwam hij doen?'

'Hij gaf een envelop aan mama. En toen begon ze te huilen.'

'O. Waarom dan?'

Pieter trok zijn hand los uit die van zijn vader. 'Weet ik niet.' Hij trok Sam aan zijn colbert. 'Kom pap, we gaan daar zitten.'

Ze keken naar een paar jongens die steentjes in de vijver rond de apenrots gooiden. Pieter schoof iets dichter naar hem toe.

'Heb je het koud?'

'Nee ... Een beetje.'

Sam deed zijn colbert uit, sloeg het om Pieter heen en liet zijn arm op de schouders van zijn zoon rusten.

'Zo beter?'

Hij keek op en glimlachte. 'Ja, beter.'

Die avond zette Sam zijn fiets binnen en liep naar de keuken, waar Emma aan de tafel zat. Hij gaf haar een vluchtige kus op het voorhoofd en ging op de stoel tegenover haar zitten. Zachtjes getallen prevelend scheurde ze bonnen uit de krant die ze op kartonnen inlegvellen plaktePieter kwam de keuken binnenlopen. Lusteloos klom de jongen op Emma's schoot.

Voor haar, half in de envelop gestoken, lag het geld van haar vader. Ze wees ernaar. 'Nu kunnen we tenminste weer een tijdje rondkomen. Van de bonnen alleen kunnen we niet leven...'

Met zijn ellebogen steunde Sam op de tafel en dacht koortsachtig na.

'Ik zal morgen eens praten op kantoor, Emma.'

'Zo, mijnheer Warenaar. Dus u wilt meer verdienen.' De directeur van het bevolkingsregister keek Sam aan. Hij had langdurig in Sams dossier gekeken voordat hij hem aansprak met in zijn stem iets dwingends waar Sam zich aan stoorde.

'U hebt een onberispelijke staat van dienst. Voordat u uw baan als schrijver had, werkte u bij de expeditiedienst, zie ik. Uw chef aldaar was goed te spreken over uw functioneren, staat hier.'

Sam knikte.

'En nu werkt u al een aantal jaar als schrijver en u wilt meer verdienen.'

'Ja, mijnheer, dat zou wel fijn zijn.'

De directeur stond op van zijn bureau en liep door de kamer. 'In uw dossier staat dat u lid bent van de NSB.'

'Ja, mijnheer de directeur. Ze hebben me een tijdje geleden gevraagd voor blokleider. En ik had me ook aangemeld voor de vrijwillige Hulppolitie, maar dat heb ik af moeten zeggen vanwege de drukte hier op kantoor en door omstandigheden thuis. En ik ben persoonlijk bevriend met Bernhard Osendal.'

'Zo zo.' De directeur liep langs de vergadertafel naar het raam. Nadat hij een poos naar buiten had gekeken, draaide hij zich naar hem om.

'Om eerlijk te zijn, mijnheer Warenaar, is er al een tijdje een vacature voor de functie van bureelambtenaar ter gemeentesecretarie. Die controleert ontbrekende posten uit de collectie stamkaarten. Steeds vaker ontbreken er kaarten wegens behandeling aan de loketten, of om andere redenen ...' Hij pauzeerde even en keek Sam veelbetekenend aan. 'En die worden daarna niet op de goede plek teruggezet. Het de taak van de bureelambtenaar het personeel van de afdeling Inlichtingen te controleren en erop toe te zien dat de verdwenen posten worden teruggevonden. Daarnaast geeft de bureelambtenaar vertrouwensinformatie aan de inlichtingendienst van het politiebureau en ontvangt hij NSB-instanties voor het verstrekken van inlichtingen over de Arische afstamming van toekomstige leden van de NSB. Het is een verantwoordelijke baan en de jaarwedde is hoog, een stuk hoger dan die van schrijver op het bevolkingsregister.' De directeur sloot het dossier.

'U krijgt de functie. Er wordt van u verwacht dat u handelt met respect voor de regels van het bevolkingsregister, dat wil zeggen: volledigheid en betrouwbaarheid van de gegevens. U begrijpt ongetwijfeld wat ik daarmee wil zeggen.'

Sam knikte verheugd en verzekerde de directeur dat hij zijn uiterste best zou doen in de nieuwe betrekking.

'Daar vertrouw ik op', zei de directeur en hij liep voor hem uit naar de deur.

'Gefeliciteerd, mijnheer Warenaar.' Hij stak zijn hand uit en Sam drukte die.

Toen Sam weer terug op de afdeling kwam, nam hij plaats achter zijn bureau, pakte zijn spullen uit de kast en ging aan het werk. Tijdens het gesprek met de directeur had hij al een vermoeden gekregen dat het om de baan ging waar Dirk het over had gehad. Terwijl hij zijn potlood sleep, vroeg hij zich af hoe hij Dirk het beste kon vertellen.

'Dirk', zei hij.

Zijn collega keek op van zijn papieren.

'Dirk, ik zal maar eerlijk tegen je zijn, want eerlijk zijn duurt het langst, zoals mijn moeder altijd zei, God hebbe haar ziel. Ik heb die woorden altijd goed onthouden, dus ik zeg het je maar zoals het is: ik krijg de baan die jij graag wilde hebben.'

Het leek even te duren voordat Dirk doorhad waarover Sam het had.

'Die van bureelambtenaar?' vroeg Dirk. 'Ter secretarie?'

'Ja.' Sam ontweek zijn ogen.

Dirk reageerde op een manier die Sam tevoren niet had kunnen verzinnen. Hij slikte even, herschikte wat spullen op zijn bureau, en liep toen naar hem toe. Dirk stak zijn hand uit en zei: 'Wel gefeliciteerd, Sam.'

Sam schudde hem beduusd de hand.

Dirk liep naar de deur en draaide zich toen om alsof hem opeens iets te binnen schoot. 'O ja. Dat wilde ik je nog even vragen, Sam. Die buren van jou, dat waren toch joden?'

Sam liet een potlood uit zijn hand vallen. 'Ja, de Daniëls. Waarom vraag je dat?'

'Zomaar. Ik vroeg het me af. Weet jij waar die zijn?'

'Je bedoelt de kaarten?'

'Nee, natuurlijk niet. Ik bedoel die mensen.'

Sam haalde zijn schouders op. 'Ik weet het niet precies. Ik heb hen al een poosje niet gezien.'

Dirk keek hem aan, en knikte toen. 'Een heel fijne avond nog, Sam.'

Bernhard Osendal had een grote fiets met een zwart stuur dat bij iedere bocht gevaarlijk dicht tegen dat van hem aan kwam. Ze stopten voor een verkeerslicht. Sam keek naar Osendals echte fietsbanden en daarna naar zijn eigen houten banden.

'Ik hoorde dat je geld nodig hebt, Sam.'

'Dat is niet zo.' Sam deed de bovenste knoopjes van zijn overhemd los. Het was vrijdagmiddag en hij was op weg naar huis. Hij had net gehoord hoeveel hij zou verdienen in de nieuwe betrekking en wat de extra toeslagen waren.

'Ik heb een klus voor je. Je kunt er flink geld mee verdienen.'

'Erg aardig van je, Bernhard. Maar het is niet nodig.'

Het vriendelijke, intelligente gezicht verdween alsof er een wolk voor geschoven werd. Zelfs de toon van zijn stem leek donkerder te worden. 'Maar ik heb je nodig, Sam.'

'Misschien kun je het beter aan Dirk vragen.'

'Die vertelde me juist dat jij geld nodig hebt. En dat jij die klus wel zou willen doen.'

'Ik heb het geld niet meer nodig, Ik heb een nieuwe betrekking bij het register gekregen.'

'Ja, dat zei Dirk al. Hij vertelde me nog wat, Sam. Iets heel interessants. Het ging over een paar kaarten die jij in je la had verstopt.'

Ze hadden afgesproken in een zijstraat van de Euterpestraat. Osendal stond er al toen Sam aan kwam fietsen.

'Het is heel simpel, Sam, je gaat op zaterdagavond naar een café of bierlokaal – welk café maakt niet uit, als het er maar druk is – en je knoopt hier en daar een praatje aan. Je probeert erachter te komen hoe de mensen denken over de bezetting en over de Duitsers. Het gaat er alleen maar om dat de Duitsers een indruk krijgen van de stemming onder de bevolking.'

'Meer niet?' Het leek hem zo simpel dat hij vermoedde dat er een addertje onder het gras moest zitten.

'Daar breng je schriftelijk verslag van uit en dat dien je bij me in. Ik sta hier volgende week maandagmiddag om vijf uur en dan heb je het bij je. Ik zal je er goed voor belonen.'

Hij grijnsde en Sam keek naar zijn geelwitte ondertanden die tevoorschijn kwamen.

Sam ging naar het café, knoopte een praatje aan met de gasten, stelde af en toe een vraag over de oorlog, en schreef daar later een rapport over. Het had niets om het lijf, had Osendal gezegd, en dat vond Sam zelf ook. Maar na een paar weken begon hij zich ongemakkelijk te voelen. De gasten gingen hem haastig uit de weg zodra hij op ze afliep, alsof hij ergens mee besmet was. In een hoekje van het café ging hij aan een tafeltje zitten en schreef zijn rapport. Er stond bijna niets in wat de moeite van het vermelden waard was.

'Bernhard,' zei hij toen ze die maandag daarop op de afgesproken plek stonden. Hij had hem net een nieuw rapport overhandigd. 'Ik wil hier mee stoppen. Het voelt niet goed. De mensen hebben me door.'

Osendal kneep zijn ogen tot spleetjes alsof hij het niet goed gehoord had. Hij klemde zijn arm om het rapport heen. 'Dan moet je je gebied uitbreiden. Andere wijken. Andere steden.'

Sam schudde zijn hoofd. 'Ik wil ermee stoppen.'

Denk eens even na, Warenaar. Voordat je dit soort beslissingen neemt, moet je jezelf afvragen: wie help ik als ik nu stop, en wie is ermee gediend als ik doorga? Laten we even logisch redeneren. Als je stopt, zoek ik een ander. Het betaalt goed en de mannen staan in rijen van tien klaar voor dit soort bijbaantjes, want armoede wordt er overal geleden. En als je kinderen honger hebben en geen knappe schoenen meer aan hun voeten hebben, dan neem je het niet meer zo nauw met de moraal, laten we eerlijk zijn.'

Hij ging verder: 'Maar waar ik me zorgen om maak, dat ben jij. En niet alleen jij, maar ook je vrouw en je kind. Daar gaat mijn bezorgdheid naar uit.'

Hij keek Sam aan, die probeerde niet te laten merken dat hij het benauwd kreeg. 'Waarom ...'

Osendal zuchtte. 'Ik wou dat ik het je niet hoefde uit te leggen. Ik neem je in bescherming tegen je collega, Sam.'

'Wie, Dirk?'

'Jullie stonden vroeger toch op goede voet?'

'Ja, vroeger.' Voordat ik zijn baan inpikte, dacht hij erachteraan.

Osendal boog zich naar hem toe. Zijn kleine ondertanden staken tussen zijn lippen door. 'Ik betaal hem zwijggeld, Sam. En dat doe ik voor jou.'

Osendal keek hem peilend aan. 'Heeft Dirk je die vervalste stamkaarten van je buren al teruggegeven?'

Sam keek naar de punten van zijn schoenen en schudde zijn hoofd.

'Nooit doen, Sam, vervalsen, het kan je de kop kosten.' Zijn stem klonk door de straat als het gekras van een kraai.

'Volgende week weer, Sam. Zelfde plaats, zelfde tijd.' Zonder op antwoord te wachten liep hij naar zijn fiets, zwaaide met een soepele beweging zijn been over het zadel en fietste weg. Sam keek hem na tot zijn pandjesjas om de hoek van de straat verdwenen was.

'Ga je alweer weg?' Emma's stem klonk toonloos, onverschillig haast.

Na een korte opleving, toen Sam haar had verteld van zijn nieuwe aanstelling, was ze weer teruggezonken in haar apathie. Afwezig prikte ze kleine steekjes in de stof op haar schoot. Ze probeerde van een van zijn overhemden twee exemplaren voor Pieter te maken, zodat ze textielbonnen op kon sparen en de overgebleven punten aan schoenen kon uitgeven. Pieter kreeg altijd de schoenen van Hans, maar nu er zo'n tekort aan leer was, liep Hans op opengeknipte schoenen en had Sam een paar klompen voor Pieter op de kop getikt.

'Ja. Een afspraak met Bernhard Osendal. Vind je het erg?'

Ze haalde haar schouders op. De porseleinen pop lag naast haar, met het hoofdje tegen haar been. De pop lag steeds op andere plekken, in Hilde's oude ledikantje, in het hoekje van hun slaapkamer waar zij haar ateliertje had, en soms zelfs in de kinderwagen achter in de tuin. Hij betrapte zich erop dat hij haar zelf ook af en toe over haar stenen wangetje aaide.

Hij ging naast Emma zitten en legde zijn hand even tegen haar borst. Geërgerd duwde ze hem weg. Hij mocht haar al maanden niet meer aanraken, vrijen wilde ze al helemaal niet meer. In een zwakke poging haar te bereiken, om de muur van stil verwijt tussen hen te doorbreken, vroeg hij zachtjes: 'Denk je nog vaak aan Hilde?'

Emma stond op en liep de kamer uit, het verknipte overhemd achterlatend. Het was de eerste keer dat hij Hildes naam weer noemde.

31

'Dus hij was niet alleen dood, maar ook doodgezwegen. Dubbel dood.'

IK SCHONK EEN GLAS WIJN IN VOOR ONS BEIDEN EN ZETTE EEN bakje pinda's op tafel. We hadden net samen de nieuwe kamerdeur erin gehangen. Mijn vader zag er moe uit. Het verleden hing als een dik rookgordijn tussen ons in. Ik besefte nu de consequenties van iets ontdekken wat je liever niet wil weten: je kunt het nooit meer niet-weten.

Erover zwijgen zou het beste zijn maar daarvoor was het nu te laat.

'En Frank?' vroeg ik met opzet terloops. 'Heb je het hem wel verteld?'

'Ja. Maar ook pas een paar jaar geleden, vlak voordat hij naar Maastricht verhuisde. We wilden het jullie pas vertellen als jullie oud genoeg waren. We wilden jullie laten opgroeien zonder deze ...'. Hij maakte zijn zin niet af.

' ...Smet', vulde ik voor hem in.

Hij pakte een handje pinda's. 'Ik had het jou ook willen vertellen, Susan. Maar het kwam er niet van. Er was nooit een goed moment. En ik wilde je er niet mee belasten. Wat geweest is, is geweest. Misschien hoopte ik dat Frank het tegen jou zou zeggen.'

Ik dacht aan mijn broer. Ik had behoefte om hem te spreken, het was ook zijn verleden.

'En oma,' zei ik uiteindelijk, 'heeft zij het nog weleens over je vader gehad?' Ik dacht aan wat Hoffman over haar had verteld: dat ze in de oorlog nog contact met elkaar hadden gehad. Wat wist zij eigenlijk?

'Nooit.'

'Wat gebeurde er toen jullie terugkwamen uit Duitsland?'

'Oma werd opgepakt, samen met andere NSB-vrouwen en moffenmeiden. Ze werd op een kar door de straten van Amsterdam gereden. Haar hoofd kaalgeschoren, iedereen kon het zien. En ze werd gevangengezet in een kamp in Drenthe en later in Amsterdam, op de Levantkade.'

'En jij dan?'

'In Drenthe zaten we een poosje samen in het kamp. Het was heel smerig daar, herinner ik me nog. We werden er niet goed behandeld. Daarna ging ik naar familie in Amsterdam, naar oom Hendrik en tante Riet en nog een andere tante. Maar dat werd moeilijk.' Hij keek naar de pinda's in zijn hand. Hij had er nog niet één van genomen.

'Waarom?'

Hij antwoordde niet direct.'Misschien schaamden ze zich voor me.'

'Wat erg.'

'Daarna kwam ik in kindertehuizen terecht.'

'En oma zat al die tijd gevangen? Hoe lang duurde het voordat ze vrijkwam?'

'Dat weet ik niet precies. Een jaar of twee, drie, denk ik. Ze had werk gevonden, schoonmaakwerk bij een kleuterschooltje. En toen gingen we in het huis aan de kade wonen.'

'Dit huis', verbeterde ik.

Verstoord keek mijn vader om zich heen. 'Dit huis, ja.'

'En niemand hier wist van jullie verleden.' Ik zag Jaap Schelling voor me, die jarenlang in dezelfde straat had gewoond, met wie hij elke week voetbalde en met wie hij na afloop vast weleens een biertje dronk in de kantine en misschien zelfs over de wereld en over politiek sprak.

Hij schudde zijn hoofd.

'En oma heeft nooit meer iets over je vader gezegd?'

'Nooit.'

'Dus hij was niet alleen dood, maar hij werd ook doodgezwegen. Dubbel dood.'

Mijn vader trok zijn schouders strak. 'Eigen schuld.'

Voor het station in Maastricht stond mijn broer bij zijn oude Volvo op me te wachten. Sinds zijn verhuizing zagen we elkaar niet meer zo vaak. De laatste keer was op Sterre's verjaardag, een half jaar geleden. Het viel me op dat zijn haar een stuk grijzer was geworden. Hij leek steeds meer op onze vader.

We reden naar het centrum om te gaan lunchen. In het restaurant klonk klassieke pianomuziek. Nadat de ober onze broodjes gebracht had, flapte ik het er uit. 'Frank, jij wíst wat opa gedaan heeft.' Het klonk scherper dan ik bedoelde.

Er vertrok een spiertje in zijn gezicht. Langzaam zette hij zijn glas op tafel.

'Ja', zei hij eindelijk. 'Ik wist het.'

'Ik begrijp het niet. Papa ging het onderwerp oorlog altijd uit de weg, hij sprak daar nooit over, ook niet als wij vragen stelden. Waarom vertelde hij dan wel aan jou over opa's oorlogsverleden?'

'Dat was min of meer toeval. Hij deed dat niet uit eigen beweging. Tijdens een seminar voor mijn werk sprak ik een van de docenten tijdens de lunch, zijn naam was Hans Sliksma. Hij vroeg me of ik soms familie was van Pieter Warenaar. Hij bleek de oudste zoon van Hendrik en Riet te zijn, en hij vroeg me vooral de groeten aan mijn vader te doen. Toen ik dit naderhand aan papa doorgaf, reageerde hij nogal kortaf, alsof hij er niets over wilde horen. Ik vroeg wat er aan de hand was, en toen kwam eruit dat oom Hendrik en tante Riet vroeger bij de NSB hadden gezeten. En dat opa ook lid was geweest, en dat die aan het eind van de oorlog was opgepakt en doodgeschoten. Dat was het.'

'En waarom heb jij daar dan nooit iets tegen mij over losgelaten?'

Frank bleef even stil. 'Ik dacht dat hij het ook wel aan jou zou vertellen. Maar misschien wilde hij wachten tot je wat ouder was. En bovendien, jij had in die tijd serieuze huwelijksproblemen. Dat kan er ook mee te maken hebben gehad.'

'Dat pap er moeite mee had om het te vertellen kan ik me nog wel voorstellen. Maar jij had het me toch gewoon kunnen zeggen? Nu moest ik van een ander horen dat mijn grootvader een geëxecuteerde NSB'er was!' De mensen aan het tafeltje naast ons draaiden hun hoofd even naar ons toe.

'Ga zo door, Susan. Dan weet half Maastricht het ook meteen.'

'Sorry', zei ik zacht.

'Wat heb je eraan om het te weten? Je kunt er toch niets mee. Je bent beter af als je het niet weet.'

'Dus daarom hebben jullie niets tegen mij gezegd? Zwijgen uit bescherming?' Een droog lachje ontsnapte me. 'Oma zweeg, papa zweeg, jij zwijgt ... Lekkere familie zijn we.' En opeens dacht ik aan Rick, die mij hetzelfde verwijt had gemaakt tijdens ons huwelijk.

De ober kwam vragen of alles naar wens was, en ik bestelde nog een glas appelsap. Frank begon over zijn werk, en over het laatste boek dat hij gelezen had. Ik luisterde nauwelijks, en viel hem midden in een zin in de rede. 'Heb jij weleens iets aan papa gemerkt, Frank?'

'Hoe bedoel je? Vroeger?'

Ik knikte. 'Toen we klein waren. Spanning. Ruzies...'

'Nee', zei hij, veel te snel. 'Trouwens, spanning en ruzies komen in elk gezin voor.' Hij nam de laatste hap van zijn broodje. 'Zullen we zo direct gaan? Ik wil nog even langs de videotheek, een film halen voor vanavond.'

Opeens had ik genoeg van zijn onverstoorbare houding. 'Waarom doe je net alsof er niets aan de hand is?'

Hij keek me aan, zijn wenkbrauwen opgetrokken.

'Jij kan er ook natuurlijk ook niets aan doen. Maar als opa niet zo stom had gedaan ... Had hij enig idee wat de gevolgen van zijn daden waren voor zijn vrouw en kind? Wat denk je hoe papa zich altijd moet hebben gevoeld? Altijd maar die angst dat iemand erachter komt en je zal veroordelen? Bij iedere keus moeten nadenken of je niet te veel opvalt, dat er niet te veel aandacht op je gericht wordt? Altijd bang zijn je hoofd boven het maaiveld uit te steken?' Mijn stem schoot uit. 'En weet je wat ze met oma hebben gedaan na de bevrijding? Ze hebben haar kaalgeschoren en door de straten van Amsterdam gereden, waarbij een honende massa mensen haar uitlachte. Terwijl oma er niets mee te maken had. Diezelfde Nederlanders die later zo treurden om het lot van de slachtoffers!'

'Ssstt, Suus.'Frank keek beschaamd om zich heen.

' ...En na de oorlog hebben oom Hendrik en tante Riet oma zomaar laten vallen. Iederéén heeft oma laten vallen.'

'Ik begrijp ook niet waarom ze dat deden. Uit schaamte misschien?' Hij boog zich naar me toe, zijn ogen schoten heen en weer. 'Je hebt het toch niet aan iemand verteld, hè?'

Langzaam dronk ik mijn glas leeg. 'Alleen aan een goede vriendin', mompelde ik.

Die journaliste is, dacht ik erachteraan. En over het oorlogsverleden wil schrijven.

Op de terugreis vanuit Maastricht keek ik naar het voorbijtrekkende landschap. In het raam zie ik mijn gezicht weerspiegeld.

Als ik mijn hoofd op en neer beweeg krijg ik een heel hoog voorhoofd. Of een lange neus. Of grote ogen waarvan het lijkt of ze vol schrik de wereld in kijken. Wij hebben een familiegeheim. Wat zou er gebeuren als ik het zou zeggen tegen die man schuin tegenover me, die verdiept is in zijn krant. Niemand – nee, bijna niemand weet het. Tenminste, dat hoop ik, mijnheer. Maar waarom heb ik dan nu het gevoel dat de hele wereld het weet? Weet u wat het is, mijnheer, het lijkt wel alsof de hele wereld iets weet, en wij weten niet wie het weet. Snapt u? De man sloeg zijn krant dicht en keek naar buiten.

Thuis begroette ik mijn moeder, die op Sterre had gepast. Sterre lag al in bed en sliep. Ze vertelde wat ze samen hadden gedaan. Halverwege onderbrak ik haar. 'Waar is papa?'

Ze wendde haar blik af. 'Hij voelde zich niet zo lekker.'

'O, wat heeft-ie dan?' Mijn stem schoot een octaaf omhoog.

'Hij voelt zich al een paar weken niet goed. We zijn vanmorgen even bij de dokter geweest. Zijn bloeddruk was te hoog. De dokter heeft nu zijn medicijnen aangepast, dus het zal wel weer snel beter gaan.' Ze stond op om te vertrekken.

Nadat ik haar had uitgezwaaid, liep ik rusteloos door de kamer. Het viel me op dat het gezichtje op het schilderij tegenover me aan de muur leek te zijn veranderd. Staken de opgeheven handjes eerst blij uit naar degene die haar schilderde, nu leken ze naar iets te grijpen, uit angst om te vallen. Ik begreep niet waarom ik dat niet eerder had gezien.

Door een kier in de gordijnen zag ik de laaghangende takken van de treurwilg aan langs de kade. De kalende uiteinden scheerden langs het wateroppervlak alsof ze bang waren het water te raken. Ik liep naar Sterre's slaapkamer. Op de rand van het bed gezeten keek ik naar haar slapende gezicht. Het liefst zou ik haar nu oppakken en naast me in bed leggen.

Ik deed de schemerlamp op mijn nachtkastje uit, en sloeg de dekens over me heen. Het haakje waarmee ik het raam op een kiertje vast had gezet rammelde. De wind stond pal op het westen. Het huisje zuchtte en kraakte alsof er aan de fundamenten geknaagd werd. Met open ogen luisterde ik naar het getik van de verwarmingsbuizen.

Hoge bloeddruk. Ruzies. Er waren ruzies vroeger, toen ik klein was. Vreemde, heftige ruzies. Ruzies waar ik doodsbang voor was. Ze kwamen niet vaak voor. Maar voor mij leek het alsof het elke dag opnieuw kon gebeuren. Het waren eigenlijk geen ruzies, eerder ontploffingen. Zonder duidelijke aanleiding.

Mijn moeder moet begrepen hebben waar die uitbarstingen van mijn vader vandaan kwamen. Ik herinner me de pijn over zaken die ik niet kon benoemen. Waar ik niet aan mocht komen, die ik moest ontwijken. Na zo'n uitbarsting was mijn vader nog zwijgzamer dan anders. Er werd met geen woord over gesproken. Alsof het nooit was gebeurd.

32

Sam knikte instemmend, zonder enige aarzeling.

OSENDAL WAS LAAT. ZE HADDEN AFGESPROKEN IN HET CAFE. Sam zette zijn fiets neer en wandelde over straat heen en weer. Dat het evengoed gewoon zomer kan worden, peinsde hij, terwijl hij naar de bomen boven de grachten keek die door hun levendige groene kleur misplaatst leken in de door vier jaar oorlog gekwelde stad.

Eindelijk kwam Osendal aanfietsen. Zijn dunne pandjesjas hing om hem heen als een halfstok gehangen vlag en de huid van zijn ingevallen wangen leek zijn mondhoeken naar beneden te drukken. Een vettige haarlok viel over zijn voorhoofd.

Ze namen plaats aan de bar. Sam keek hem aan.

'Waarom wilde je me spreken?'

'Ik heb een andere klus voor je.' Osendal bestelde twee bier. 'Ik mag je graag, Sam. En als je het gevoel hebt dat ik je onder druk zet, het zij zo. Bedenk dat ook ik onder druk word gezet. We zijn geen van allen meer vrij in onze beslissingen.' Hij zag eruit als een oude man.

'Eens had ik mijn dromen', ging hij verder. 'Toen ik begon te twijfelen, kon ik niet meer terug. Ik heb altijd geleerd idealen hoog te houden. Ik droomde van het nieuwe rijk. We zouden het beter krijgen, allemaal.' Hij staarde door het raam naar buiten, er reed een tram voorbij.

'Heel lang heb ik gedacht: het doel heiligt de middelen. Soms moet je even op je kaken bijten om uiteindelijk een mooier resultaat, een beter land, of meer welvaart te krijgen. Inspanningen kosten nu eenmaal tijd en vooruitgang vergt ook mensenlevens, dat heeft de geschiedenis ons wel geleerd. Want wat gebeurt er als Hitler de oorlog toch nog gaat winnen. Wat als zijn plannen straks wel uitvoerbaar zijn? Is het zo raar om in een droom te blijven geloven? Natuurlijk heeft de massa altijd geroepen dat de NSB niet deugt en dat Hitler een gestoorde gek is. Moet je dan altijd maar de massa volgen? Moet je nooit eens je nek durven uitsteken? Vooruitgang, Sam, is vaak het resultaat van mensen die tegen de stroom in zwemmen. Goethe zei het al: "De wereld kan slechts vooruitkomen door hen die zich tegen haar verzetten." Maar de massa heeft gelijk gekregen. Wij hebben vrijwel zeker de verkeerde kant gekozen. De Duitsers zijn aan de verliezende hand, Sam. Er zijn steeds meer geruchten dat de oorlog binnenkort over zal zijn. En dan zitten wij als ratten in de val. Maar voordat het zover is kunnen we vluchten. Of we kunnen zorgen dat onze gezinnen veilig zijn. En om die reden wil ik een afspraak met je maken.'

Sam luisterde aandachtig.

'We hebben informatie nodig over bepaalde mensen bij het bevolkingsregister. Wij weten niet precies wie we kunnen vertrouwen. Er is informatie over medewerkers die de boel oplichten. Ik heb dit ook aan Dirk gevraagd. Jullie zijn voor onze zaak van onschatbare waarde. We hebben namen nodig, Sam.'

'Maar ik weet niet of ik dat wel wil doen,' sputterde Sam nog zwakjes tegen.

Osendal deed alsof hij het niet hoorde. Hij bracht zijn gezicht wat dichter naar Sam toe. 'Ik vertrouw op je, kameraad. En voor wat hoort wat. In ruil voor de juiste informatie, beloof ik dat jouw vrouw en kind veilig naar Duitsland worden gebracht.

Sam knikte instemmend, zonder enige aarzeling.

Sam had een kantoor voor zich alleen gekregen. Hij genoot van zijn nieuwe positie. Zijn medewerkers moesten op de deur kloppen als ze hem wilden spreken. Die droge klopjes klonken bescheiden en onderdanig, hij vond het een prettig geluid. Soms wachtte hij even met antwoorden, alleen maar om het nog een keer te horen, en dan stond hij op en liep met langzame stappen in de richting van de deur en zei dan met een krachtige stem: "Binnen!" Met een wijds gebaar wees hij zijn bezoeker joviaal naar de stoel tegenover zijn bureau.

Al twee keer was er iemand van de NSB gekomen en iedere dag kwam de directeur even langs. Ook hij klopte. Een van de broers Arendtse, de knapste, waagde het een keer zomaar binnen te lopen. Toen hij de kamer verliet, verzocht Sam hem met zachte en toch dwingende stem: "Volgende keer wel kloppen graag."

De beide broers Arendtse werkten op de afdeling die Sam moest controleren. Hij trok zich er niets meer van aan als zijn jas weer eens verstopt was. De briefjes met kinderachtige beledigingen die hij nog steeds in de zakken zijn jas vond, las hij niet meer. Hij maakte er een gewoonte van onverwacht de afdeling op te lopen. Als hij ze zag schrikken gaf dat hem een gevoel van voldoening. Sommigen lachten hem achter zijn rug uit; hij wist precies wie. Maar er was nu wel een groot verschil: hij was hun baas.

Kort na hun zo onverwacht verlopen ontmoeting kwam Osendal langs op kantoor. Zijn vrouw Maria was bij hem. Ze bewoog zich schuifelend achter haar man toen Sam hen vroeg plaats te nemen in de bezoekersstoelen. De strepen in haar haren waren niet meer zilver maar dof en haar gezicht was mager en ingevallen. Schichtig veegde ze een lok van haar voorhoofd.

Het bovenste knoopje van haar blouse stond open en hij zag een stukje van haar sleutelbeen, bottig en bleek. Hij telefoneerde met juffrouw Wetschrijvers om koffie te bestellen.

Osendal verschoof zijn stoel en legde zijn ene been over de andere. Maria keek de kamer rond, haar vingers in elkaar gevouwen.

Nadat juffrouw Wetschrijvers de koffie had gebracht, overhandigde Sam het papier met de informatie waar Osendal om had gevraagd. Hij keek naar de namen die erop stonden en stak het papier in zijn binnenzak. 'Mooi Sam, mooi. Van Dirk heb ik ook het een en ander gekregen. Dan kunnen we nu de voorbereidingen voor het vertrek van je vrouw en zoon regelen. Maria gaat ook.'

Maria knikte en draaide weer met haar duimen, nu de andere kant op. 'Eerst wilde ich nicht. Ik vond het verschrickelich alles achter te laten. Aber Bernhard...' Ze keek weer even naar haar man. '...Bernhard sagt es ist maar voor even. Bovendien ist es hier nicht mehr veilig. De buren... nicht allein de buren. Er is zoveel Hass om ons heen. Gestern hadden ze op onze deuren geverfd "Jan Hagel!" und darunter: "Vuile Moffen". Toen ik es wegwischen wollte, werd ik mit Erde bekugeld door een paar jongens. Dus het is maar beter dat ik nach Deutschland ga.'

Osendal stond op. Hij moest nog even bij Dirk langs, zei hij. Nadat Sam afscheid van hen had genomen, liep hij een rondje over zijn afdeling. Walt Arendtse stond voorovergebogen bij het bureau van zijn broer en fluisterde juist iets in diens oor. Hun gesprek verstomde toen Sam hen passeerde. Op het bureau van een van de broers stond een familieportret. Schuldbewust keek Sam naar de lachende kindergezichten op de foto. Maar toen draaide hij zich om en dacht aan Emma en Pieter.

33

Ik was opeens zo gelukkig, ik kon alleen maar lachen.

HET WAS ZONDAGMIDDAG HALF VIER EN IK HAD NERGENS ZIN IN. Het zou nog tot de avond duren voordat Sterre thuisgebracht zou worden. Ik legde het boek waar ik al twee maanden in bezig was weg. Geen enkel boek boeide me sinds mijn scheiding. Ik deed de televisie aan. En uit. Ik overwoog om bij mijn ouders langs te gaan, maar ik zag ertegenop om mijn vader te zien. Ik pakte mijn mobieltje en belde Anke, die ik sinds de herfstmarkt niet meer had gesproken. Ze nam niet op. Via het menu opende ik mijn 'contacten'. Michiel. Ik had zijn nummer nog nooit gebeld, maar ik kende het al uit mijn hoofd. Ik drukte op het knopje "bellen". Mijn hart klopte in mijn keel. 'Dit is de voicemail van...' Ik hing op. Teleurgesteld en opgelucht tegelijk.

Uit de gangkast haalde ik de vierkanten glazen mal die ik gebruikte om decorontwerpen te maken. Ik stalde hem midden in de kamer uit. Het werd de begane grond van een Amsterdams regentenpand. Hoge ramen. Een keukentje met een zwartgranieten aanrechtblad. Een grote ouderwetse tafel. Een stoel in de hoek met een stapel ongestreken overhemden erover. Muziek van Einaudi. De telefoon ging. Een poes die op de bank sprong.

De ringtone van mijn mobiel!

Ik schoot omhoog en was nog net op tijd om op te nemen.

'Zo, jij klinkt buiten adem! Moest je van ver komen?'

'Ja.' Ik lachte van schrik. 'Van heel erg ver.' Hij moest eens weten.

'Ik zag dat je gebeld had. Ik wilde jou ook al bellen. Heb je zin om te komen eten? Ik kan erg lekkere Thaise curry maken.'

'Graag.'

De enige overeenkomst tussen mijn fantasie over Michiels huis en de werkelijkheid was een poes. 'Hoe heet hij?' vroeg ik hem.

'Zij. Ze heet Ophelia.'

'Van Hamlet.'

'Eigenlijk van Waterhouse. Hij heeft ooit een prachtig schilderij van Ophelia gemaakt dat ik ontdekte toen ik nog in Engeland woonde. Ze is al ruim vijftien jaar. De poes, bedoel ik.'

Ophelia streek langs mijn benen en sprong op Michiels schoot.

We zaten samen op een grote rode bank met heel veel losse kussens. Hij woonde in een appartement op de derde etage aan de Hoofdweg. Door het hoge raam dat op een kiertje stond klonk het klingelen van de tram. Aan de overkant zat een shoarmazaak met felle neonlichten. Het appartement was niet groot. Boven de rode bank hing een zeefdruk met felle kleuren. Er tegenover stond een klein tv-toestel op een kastje dat eruit zag alsof hij het zelf gemaakt had, en achter een vierkanten tafel van steigerhout stond een boekenkast tegen de wand.

Michiel stond op. 'Ik had de kaarsen aan willen steken voordat je kwam.' Hij liep naar de tafel, waarop een oude kandelaar stond met vier kaarsen. 'Maar ik wilde je niet afschrikken door het te romantisch te maken.' De onzekerheid achter zijn lach vertederde me.

Uit de speakers klonk zachte muziek. Instrumentaal. Ik kende het niet.

'Eluvium,' zei hij voordat ik ernaar kon vragen.

'Mooi. Sfeervol.'

'Fijn dat je er bent, Susan. Ik ben blij dat je belde.'

'Jij belde mij', verbeterde ik.

'Dat was nadat ik jouw nummer in mijn scherm had zien verschijnen. Ik heb gewacht tot het initiatief van jou kwam. Het laatste wat ik wil is dingen bij je forceren; je hebt net een huwelijk achter de rug.'

'En jij?' waagde ik. Ik wist niets van zijn liefdesleven.

'Ik heb ruim vier samengewoond in Engeland, met een Engelse. Sinds anderhalf jaar ben ik weer in Nederland.'

Ik wachtte tot hij verderging.

'En nu wil je natuurlijk weten waarom het uitging.' Hij grijnsde. 'Het klikte gewoon niet meer tussen ons. Ze was onrustig, wilde altijd veel doen. En die grote onrust die ze in zich had droeg ze ten slotte op me over; we waren constant onderweg. En hoewel we erg gek op elkaar waren, maakten we steeds vaker ruzie. Zij vond dat dat aan mij lag. En ik vond natuurlijk dat het aan haar lag. We kwamen er niet meer uit.'

Hij zette zijn glas op tafel. 'Heb je honger? Het eten is nu wel klaar, denk ik.'

Hij wilde opstaan, maar ik stak mijn hand naar hem uit. Ik wilde hem geruststellen, hem zeggen dat dat die Engelse niet goed wijs was om hem zomaar te laten gaan. Voorzichtig legde ik mijn hand op zijn dijbeen. En toen trok hij me naar zich toe. Eerst voorzichtig, aftastend, daarna zoekend en hongerig. Ik zakte achteruit in de kussens en proefde zijn lippen, zijn tong.

De ovenwekker rinkelde.

'Saved by the bell', gromde hij. Hij stond op en ging naar de keuken. In een roes kwam ik overeind. Mijn lichaam tintelde.

Ik hielp hem met het dekken van de tafel. Hij had een vegetarische linzencurry gemaakt met verse koriander. Het was heerlijk maar we aten beiden maar weinig. De nog halfvolle borden brachten we samen naar de keuken.

'Hé, het granieten aanrechtblad', zei ik verrast.

Hij keek me verbaasd aan. 'Is dat zo bijzonder?'

Ik antwoordde niet. Ik was opeens zo gelukkig, ik kon alleen maar lachen. Ik sloeg mijn armen om zijn nek en drukte mijn lichaam tegen hem aan.

'Kom mee', fluisterde hij. Ik zat op de rand van zijn bed en keek naar hem terwijl hij zich uitkleedde. Eerst zijn trui, vervolgens zijn shirt. Zachte krulletjes op zijn borst. Zijn veters los. Zijn gympen schopte hij achteloos in de hoek. De knopen van zijn spijkerbroek gingen los. Een donkerblauwe boxer. Even keek hij op, schuchter bijna. En toen trok hij zijn laatste kleren uit en ging voor me staan. Zachtjes duwde hij me achteruit en maakte een voor een mijn kleren los. Hij hijgde. Ik ook. We konden niet meer wachten, en drukten onze blote lijven tegen elkaar. 'Blijf je', fluisterde hij. 'Ik wil nog zo veel aan je ontdekken.'

In de weken die volgden spraken we elkaar bijna iedere dag aan de telefoon. Hij moest naar Engeland, voor zijn werk en op familiebezoek, en ik had het druk op mijn werk in verband met de naderende feestdagen. Dat Anke zich niet meer liet zien vond ik niet erg; Michiel was voortdurend in mijn gedachten en alle pijn van de afgelopen jaren en de schok van de ontdekking van mijn vaders verleden verdween naar de achtergrond.

34

'Trouwens, je komt precies op tijd, Warenaar.'

'NIET ZO VERDRIETIG, EMMA, OSENDAL HEEFT HET ALLEMAAL goed voor ons geregeld. Het is nu van het grootste belang dat jullie snel in veiligheid worden gebracht.' Nadat hij Osendal de informatie had gegeven waar die om gevraagd had, was Sam bang geworden dat er grote problemen op kantoor zouden ontstaan met de Oranjegezinden, en dat zijn gezin misschien in gevaar zou komen. Van Dirk, die in hetzelfde schuitje zat als hij, had hij niets meer vernomen.

'En Hilde dan?' Ze streelde over een van de kleine poppennageltjes.

'Laat de pop maar thuis, neem liever een extra deken mee, en wat warme kleren voor Pietertje. En die schipperstrui die je moeder voor hem gebreid heeft.'

'Het is geen pop.' Ze zei het fluisterend, alsof ze het tegen zichzelf had, maar hij hoorde het toch.

'Ik zal voor onze Hilde zorgen, Emma. Het is maar voor even.'

'Pas je goed op haar?' Ze stond naast Pietertje in de kinderkamer. Hij begon te huilen.

'Natuurlijk. Wij blijven hier samen op jullie wachten.' Sam pakte de pop en legde haar behoedzaam in het ledikantje. Daarna boog hij door zijn knieën zodat hij op ooghoogte van Pietertje kwam. 'Kijk, hier zijn wij. En zie je daar de zon boven de huizen aan de overkant schijnen? Diezelfde zon is er ook in Duitsland. En ook dezelfde maan en dezelfde sterren. En als 's avonds de sterren stralen, en je ziet ze schitteren, dan weet je dat ik ze ook zie, hier vanuit dit raam. En als je naar het sterretje zwaait, dan zwaai ik terug.'

Pieter keek hem ongelovig aan.

'Echt waar', zei Sam, zo ferm als hij kon.

Sam was alleen in het lege huis, Emma en Pieter waren nog geen twintig uur geleden naar Duitsland vertrokken. In de straat klonk het gestamp van laarzen. Ergens verderop hoorde hij het gerinkel van brekend glas. Zijn gedachten schoten naar het belletje van de ijscoman die met zijn kar door de straten reed toen die nog licht en vrolijk waren. In zijn verbeelding zag hij hoe Emma opsprong. 'Wil je ook een ijsje, Sam?' Ze loopt naar buiten en gaat in de rij staan naast buurvrouw Daniëls.

'Hallo mevrouwtje, waarmee kan ik u helpen?' De ijscoman kijkt haar verliefd aan.

'Twee ijsjes, graag.'

Hij geeft haar de ijsjes en wat wisselgeld.

'Dank u wel', zegt ze vrolijk en ze loopt naar Sam toe met de ijsjes in haar hand. De ijscoman volgt haar en kijkt daarna naar hem. Hij slaat een arm om Emma heen en geeft een zoen op haar lippen die koud aanvoelen door het ijsje. Teleurgesteld wendt de ijscoman zijn blik af.

Het was stil zonder Emma en Pieter. Hij keek in het rond. In de hoek stond een appelmoesblik met een laagje terpentijn erin. Er staken enkele kwasten boven de rand uit. Sam begon ze schoon te wrijven met een oude theedoek. De terpentijn was aangekoekt. Emma was met schilderen gestopt nadat Hilde was gestorven.

'Waarom schilder je niet meer?' had hij haar gevraagd.

Ze had haar schouders opgehaald en geantwoord: 'Ik borduur nu liever.' Ze borduurde en verstelde de hele dag. Wanneer al het verstelwerk was gedaan, haalde ze de zomen uit hun broeken en naaide die weer vast met kleine regelmatige steekjes. De katoenen luiers van Hilde had ze gebruikt om babygezichtjes op te borduren. 'Waarom doe je dat?' had hij gevraagd.

Ze keek hem aan alsof ze niet begreep hoe hij zoiets kon vragen. 'Ik vang haar', zei ze toen. 'Met kleine steekjes vang ik haar. Ik maak een net om haar heen van fijn weefsel zodat ze nooit meer kan vallen. Ik vereeuwig haar, zodat ze altijd bij me is. Ik maak haar opnieuw. Iedere keer weer opnieuw ben ik zwanger van haar. En blijft ze bij me.'

Sam legde de schoongemaakte kwasten bij de verfspullen. De geur van terpentijn haalde Emma zo dichtbij dat hij het appelmoesblik op haar nachtkastje zette. Hij kroop met zijn kleren aan in bed, hoewel de nazomerzon nog warm was en de hitte als een dikke deken in huis hing. Hij sloot zijn ogen en probeerde zich het geruststellende geluid van rinkelende ijscobelletjes voor de geest te halen. Hij kroop nog dieper onder de dekens, naar Emma's plekje, en voelde dat haar pyjamabroek daar nog lag, wild uitgetrapt tijdens hun samenzijn van de nacht ervoor. Hij vouwde de pijpen als een sjaal om zijn nek en snoof haar geur op. Zo viel hij in slaap.

Midden in de nacht werd hij wakker. Hij kon zich niet herinneren wat hij gedroomd had. Er waren geen beelden, alleen lichte flitsen en dikke, zware geluiden die op hem afkwamen en weer verdwenen. Hij ging rechtop zitten en stapte uit bed. Hij liep naar het ledikantje waar Emma de pop in had gelegd toen ze afscheid namen, en haalde haar onder de geborduurde luiers vandaan. Voorzichtig legde hij haar in het grote bed en deed zijn arm om haar heen.

Het duurde lang voor hij weer in slaap viel. De hoge temperatuur bleef in de slaapkamer hangen en de pijpen van Emma's pyjama zorgden voor een warm en onrustig gevoel.

Toen hij de volgende morgen wakker werd lagen de dekens op de grond. Hij betastte zijn hals, voelde de broek nog zitten en knoopte de pijpen van de pyjama los. Langzaam drong tot hem door dat Emma en Pieter waren vertrokken.

Hij keek om zich heen. De pop lag niet meer op Emma's helft. Hij rolde zich om en keek over de rand.

Daar lag ze. Half over haar heen lag de paarse sprei van zijn tante Saar. Het linkerarmpje stak onder de sprei vandaan. Hij haalde de sprei weg en zag dat ze op haar buik lag. Hij pakte haar voorzichtig bij het hoofd en draaide haar om.

Haar gezicht viel uiteen in twee stukken.

Ontzet liet hij zich van het bed glijden en verborg zijn gezicht in het jurkje van de pop.

'Zo buurman.' Maarten Hoffman stond minachtend voor hem. 'Ik wist niet dat grote mannen ook door een gat in de schutting konden kruipen.'

Hij was naar buiten gelopen toen hij Sam door de achtertuin had zien aankomen.

'Hoffman, hoe kom ik aan een nieuwe pop?'

'Een nieuwe pop? Wat voer jij in je schild, Warenaar? We zitten in een vreselijke oorlog, er vallen massa's doden, en jij vraagt mij om...'

'Hoffman, alsjeblieft.'

'Ik heb er nog één. Hetzelfde model als de vorige. Het is de laatste die ze heeft gemaakt. Ik wil hem eigenlijk niet verkopen.'

'Ik begrijp het, wat moet ie opbrengen?'

'Honderdvijfentwintig gulden.'

De hufter, dacht hij. 'Dat is vijf keer zoveel als voor de vorige pop!'

'Het is een antieke pop, Sam. Zeer zeldzaam. Omdat het voor Emma is, wil ik het op honderd gulden afmaken. Graag of niet.'

In de keukenlade vond Sam nog wat muntgeld. Bij elkaar twee gulden en zevenenveertig cent. Alle extra verdiensten voor zijn NSB-activiteiten waren opgegaan aan een nieuwe salontafel, distributiebonnen op de zwarte markt, drie paar leren schoenen en een jurk voor Emma. Hij had ook nog een schuld aan Osendal, die hij wilde vereffenen met een voorschot op zijn volgende salaris. Verslagen staarde hij naar de tube lijm waarmee hij de twee stukken van het hoofd van de pop had vastgelijmd. Maar na vier tellen had de aangeplakte helft langzaam losgelaten, en viel het hoofd weer uiteen. Hij pakte de pop en legde haar op de bank. Het ene oog keek strak omhoog.

Bernhard Osendal deed de deur open. Hij had zijn zwarte uniform verruild voor het groene uniform van de SD.

'Wat is er Warenaar, je bent helemaal buiten adem. Zit er iemand van het verzet achter je aan of zo?'

Sam keek onwillekeurig achter zich en zei toen: 'Bernhard, ik wil je om een gunst vragen.'

'Kom binnen.' Hij ging Sam voor naar de huiskamer. De vleugel stond doelloos in de kamer, de klep naar beneden, en het viel Sam voor het eerst op hoe donker het binnen was. Naast de piano stonden drie koffers.

'Ik heb dringend geld nodig, Bernhard. Honderd gulden contant.'

Osendal keek hem verbaasd aan. 'Toe maar. En dat kom je aan mij vragen? Ik krijg anders nog geld van je. Of was je dat al vergeten?'

Sam stak zijn handen diep in zijn broekzakken. 'Ik wist niet aan wie...'

'Trouwens, je bent net op tijd, Warenaar. Ik sta op het punt te vertrekken naar Utrecht.' Osendal wees naar de koffers en dacht een moment na. 'Luister. We kunnen allebei niet meer uitstappen. Ik heb besloten over te gaan naar de SD. De grond wordt me hier te heet onder de voeten. En de SD biedt mij bescherming, daarbij betalen ze goed. Ik stel voor dat jij ook bij de SD in dienst treedt. Ik blijf je geen geld lenen. Zorg maar dat je zelf die honderd gulden verdient.'

Samen met paar andere NSB'ers, onder wie Jan Rijlaarsdam, kreeg Sam een opleiding op het hoofdkantoor aan de Maliebaan in Utrecht.

Na enkele weken werden ze samen op pad gestuurd. Hun eerste opdracht was het peilen van de stemming in een dorpje net boven de Waal, aan de grens van het bezette gebied. In het plaatselijke café legde Sam een biljartje met een van de gasten. Veel bijzonders kwamen ze niet te weten, maar Sam stelde nauwgezet een rapport op over wat er allemaal in het café gezegd was.

Een dag na hun terugkeer werden Sam, Rijlaarsdam en Osendal bij Abwehr-officier Füller geroepen, een kleine corpulente man, zonder zichtbare nek. Zijn polsen knelden in de manchetten van zijn jas.

'Kameraden,' begon hij, 'jullie steken vanavond de Waal over. Aan de overkant bevinden zich de legeronderdelen van de geallieerden. Jullie opdracht is vast te stellen waar ze zich precies bevinden en om daar rapport over uit te brengen. Jullie krijgen explosieven,. en als er gelegenheid is schakelen jullie geallieerde gevechtsvoertuigen uit. Osendal is jullie contact en zal jullie begeleiden tot de afzetplaats en wacht jullie daar op.'

Sam voelde het bloed uit zijn gezicht wegtrekken. Hij keek opzij. Ook Rijlaarsdam trok wit weg.

'Maar dat is... dat is militaire spionage', zei Sam. Hij keek nu naar Osendal, alsof hij hoopte dat die kon ingrijpen, maar die zei alleen: 'We hebben opdracht.'

Toen Sam om een uniform vroeg, werd dat botweg geweigerd. 'Als jullie worden aangehouden, dan zeg je dat je voor de

Duitse Wehrmacht moest werken.' Osendal gaf ze een foto van Hare Majesteit. 'Toon deze foto en je zult worden behandeld als een gewone krijgsgevangene.'

De Abwehr-officier legde een flink bedrag voor hen neer. Sam stak de briefjes in zijn achterzak, en stopte de honderd gulden voor de pop in een apart vakje van zijn broekzak.

Tegen de avond vertrokken Sam en Rijlaarsdam. Osendal zat voorin naast de chauffeur. Ze stopten aan het begin van een kleine landweg. Osendal wenste Rijlaarsdam succes met de opdracht en liep daarna op Sam af.

'Er staat nog een schuld open Sam', fluisterde hij terwijl hij hem kameraadschappelijk omarmde.

Sam pakte het geld uit zijn broekzak en telde het af voor Osendal. Het was niet genoeg. Met pijn in zijn hart pakte hij de honderd gulden uit het aparte vakje in zijn broekzak en gaf het aan Osendal.

'Wij wachten hier op jullie', zei Osendal. 'Het is nog een flink stuk lopen in zuidelijke richting.' Hij stak zijn hand op, opende het portier en nam plaats naast de chauffeur.

Boven het weiland hing een dikke mist. Zwijgend liepen beide mannen langs de rand van het gebied waar de geallieerde eenheden zich zouden moeten bevinden. Rijlaarsdam liep licht voorovergebogen en Sam keek hem van opzij aan. 'Waarom werk jij voor de Duitsers?'

'Ik was eigenaar van een fabriek waarin joden en tewerkgestelden onder valse namen werkten. Osendal kwam erachter. Het was een kwestie van óf deze klus doen, óf mijn zaak ten onder laten gaan.' Rijlaarsdam keek opzij naar Sam. 'En jij?'

Sam dacht na. De waarheid was dat hij het zelf eigenlijk niet meer wist. Hier liep hij dan, als Spion Voor De Duitsers, op een plek waar hij nog nooit was geweest, in de dikke nevel, meteen man naast zich die hij nauwelijks kende.

'Het is een te ingewikkeld verhaal', zei hij uiteindelijk.

Na een tijd zwijgend naast elkaar gelopen te hebben, hield Rijlaarsdam stil. Sam probeerde zich te oriënteren. Het was donker geworden en beiden wisten niet goed welke kant ze op moesten. Naarmate ze verder het moerassige land waren ingelopen werd de grond steeds drassiger. Inmiddels liepen ze tot aan hun enkels in het water.

'Wat zullen we doen?'

Rijlaarsdam keek naar de grond. 'Het heeft niet veel zin om verder te gaan. Ik hoor het water klotsen in mijn laarzen.'

'Maar wat dan? Wat is ons alternatief?'

Rijlaarsdam gaf geen antwoord en liep weer door.

'We kunnen niet verder, kameraad,' zei Sam na enige tijd. 'Dit is echt niet meer te doen. Die dikzak kan me wat.' Hij dacht aan Abwehr-officier Füller met zijn knellende manchetten om zijn worstarmen.

Rijlaarsdam wees naar een groepje bomen in de verte. 'Laten we daar wachten tot het licht wordt, en morgen vluchten naar het bevrijde gebied.'

Eenmaal aangekomen bij de bossage gooiden ze de explosieven in de struiken en vonden ze vlakbij een eendenkooi een droge plek, waar ze zich schuil konden houden.

Beschut tegen de wind door de dichte struiken brachten ze de nacht door, dicht tegen elkaar aangelegen. Sam viel zelfs even in slaap. Tegen de ochtend werden de vogels wakker. Vlak bij hen hoorde hij een hond luid blaffen.

'Goedemorgen heren.' Verschrikt keek Sam in de richting van de stem. Achter de struiken zag Sam een hoofd verschijnen. Over het voorhoofd hingen enkele slierten vettig haar en zijn bril was beslagen. De man droeg het uniform van een veldwachter. 'Kan ik jullie ergens mee helpen?' vroeg hij.

Rijlaarsdam vertelde dat ze hadden willen vluchten naar bevrijd gebied, maar dat ze de weg waren kwijtgeraakt.

De veldwachter riep zijn hond en maande het beest tot stilte.

'Sst, goed volk.' Hij bekeek de twee mannen eens goed. 'Hebben jullie de hele nacht hier gezeten?'

Ze knikten.

'Nou, dan zullen jullie wel honger hebben.' Hij haalde zijn knapzak tevoorschijn en pakte er een broodtrommeltje en een thermosfles met thee uit. Hij had maar één beker bij zich, dus ze namen om de beurt een paar slokken. Nadat ze met zijn drieën een paar stukken brood hadden gedeeld, vertelde de veldwachter hen welke richting ze het beste uit konden gaan. Hij tikte aan zijn pet. 'Wees voorzichtig, er lopen hier ook Duitse militairen rond.'

Ze liepen slechts enkele minuten toen ze werden opgewacht door een grote rossige man in een donkerblauw kostuum. Hij had hen kennelijk opgewacht.

35

'Je bent niet de enige.'

TIJDENS HET WEKELIJKSE PLANNINGSOVERLEG GING HET VOORAL over kerstdecoraties die we voor onze opdrachtgevers moesten ontwerpen. Ons kantoor stond al enkele weken vol met dozen spuitsneeuw, stapels groene en gouden stof, kratten kerststalletjes en zakken vol met kerstverlichting. Over drie weken moesten de etalages van de winkels er weer uitzien als een behaaglijke wereld vol met lichtjes, groen geluk en tevredenheid.

Toen ik na het eind van het overleg wegliep met Jochem, sloeg hij een arm om me heen. 'Je zit ergens mee', zei hij. 'Al sinds de zomervakantie. Je bent zo stil, ik maak me zorgen.'

Hij ging me voor naar zijn kantoor, sloot de deur en schonk twee koppen thee in. 'Gooi het er maar uit', zei hij.

En ik vertelde hem het hele verhaal. Vanaf de uitreiking van de Yad Vashem-onderscheiding aan Maarten Hoffman tot het gesprek met mijn vader en mijn broer. Wat ik inmiddels allemaal wist over mijn grootvader. Dat ik 's nachts moeilijk in slaap kwam en dat ik zo bang was dat iemand alles over mijn familie zou ontdekken. Mijn tranen depte ik met een van de kerstservetten die tussen alle monsters op zijn bureau lagen.

Als Jochem al geschokt was, liet hij het niet merken.

'Ik weet het, Jochem, het klinkt belachelijk. Ik ben niet verantwoordelijk voor de daden van mijn grootvader. Maar toch.'

'Zal ik je eens wat vertellen?' zei hij. 'Je bent niet de enige. Mijn grootouders zaten ook bij de NSB.'

Ik keek hem verbluft aan.

'Wist je', ging hij verder, 'dat er bij het Nationaal Archief in Den Haag bijna vijfhonderdduizend dossiers liggen van mensen die vermoedelijk fout waren in de oorlog? Stel dat die mensen gemiddeld twee kinderen hadden, en dat die kinderen ook allemaal twee kinderen hebben gekregen, dan zijn er nu zo'n twee miljoen mensen in Nederland met een opa of oma die op zijn minst een dubieuze rol in de oorlog hebben gespeeld.'

Met mijn vingers vouwde ik het servet in steeds kleinere vlakjes.

'Laten we er een miljoentje van aftrekken', zei hij laconiek. 'Dan blijft het nog steeds één op de vijftien. Zoals ik al zei: je bent niet de enige.'

Hij pakte een snoer met kerstverlichting uit de tas en wikkelde die om zijn hoofd als een doornenkrans. 'Weet je Susan, wij zijn gedoemd', zei hij. 'Besmet. Getekend voor het leven.' Hij ging op zijn stoel staan en spreidde zijn armen alsof hij klaar en bereid was om gekruisigd te worden.

Ik schoot in de lach en gooide mijn propje servet naar hem toe. 'Jochem, ik kan je wel zoenen.'

Door het raam van Ankes huis zag ik Sterre met Fleur aan de tafel zitten. Zo te zien waren ze aan het tekenen. Het licht boven de tafel brandde al, het werd steeds vroeger donker. Ik belde aan om Sterre op te halen die na schooltijd met Fleur was meegegaan. Anke liet me binnen. Het was bijna een maand geleden dat we elkaar voor het laatst hadden gesproken.

‘Hoi.’

‘Dag Anke, hoe is het?’

‘Goed hoor. Ik heb iets op het vuur staan.’ Ze draaide zich om en liep meteen door naar de keuken. Ik rook een mengsel van wat Oosterse kruiden. Ik vroeg Sterre om haar schoenen aan te doen en liep door naar de keuken. Anke roerde in een wokpan met groenten en kip.

‘Susan, sorry dat ik zo’n tijd niets van me heb laten horen. Ik vond het vervelend dat je niet direct naar me wilde luisteren toen ik iets op het spoor was van je grootvader, maar later toen ik de informatie over hem had gevonden, twijfelde ik of ik het je wel moest laten zien. Het is nogal ... confronterend.’

Sterre had haar jas van de kapstok gepakt en deed haar sjaal om. Ik zag hoe ze de sjaal onder haar kin netjes vastknoopte en een paar haren uit haar gezicht streek. Dat onschuldige lieve gezichtje. Hoe graag zou ik haar alle ellende in de wereld willen besparen.

‘Luister Anke, het liefst wil ik niets meer te maken hebben met het verleden van mijn grootvader, maar ik waardeer het dat je zo’n moeite hebt gedaan. Kom anders morgen om een uur of half negen. Dan ligt Sterre in bed. Als je tenminste een oppas hebt?’

‘Lisa kan wel even oppassen. Ze is al vijftien.’

36

'Leg ze maar aan de ketting,
het zijn gevaarlijke spionnen.'

'WAAR GAAN JULLIE NAARTOE?'

De man in het donkerblauwe kostuum stond wijdbeens op het pad, zijn armen over elkaar geslagen. Hij keek hen observerend aan. Hun kleding was nog steeds nat, de gummilaarzen zaten onder de opgedroogde modder en met hun ongeschoren gezichten zagen ze er waarschijnlijk uit als twee landlopers.

Sam nam de man op. Hij was minstens twee meter lang, en duidelijk een arbeider van het land, misschien een boer. Zijn handen waren groot als kolenschoppen en onder zijn pak waren de contouren van een gespierd lichaam zichtbaar. Sam twijfelde aan wiens kant deze man zou staan. Hij sprak met een licht accent wat zou kunnen wijzen op Duitse sympathie.

'Wij zijn op pad in opdracht van de Duitsers en...'

Rijlaarsdam trapte ineens hard op zijn voet. 'We moesten voor de Duitse Wehrmacht werken, en we zijn ontsnapt,' zei hij snel. Hij haalde de foto van Hare Majesteit tevoorschijn die ze bij het afscheid van Osendal hadden gekregen. 'We proberen naar de Engelse linies te ontsnappen.'

De man keek achterdochtig van Rijlaarsdam naar Sam. 'Jullie dragen geen uniform.'

'Die wilden ze ons niet geven, maar we kregen wel explosieven mee,' zei hij haastig.

De man was duidelijk op zijn hoede. 'Laat eens zien?'

'Eh, die hebben we gisteren zodra het kon weggegooid', zei Sam. 'Omdat we de opdracht niet wilden uitvoeren.' Hij keek voorzichtig opzij naar Rijlaarsdam, die heftig knikte.

'Welke opdracht?'

'Als we voertuigen van geallieerden zagen zouden we ze moeten hebben opblazen.'

'Waar zijn ze, die explosieven?' De man keek hen dreigend aan.

'We hebben ze weggegooid', zei Sam. 'In de buurt van de eendenkooi.' Sam wees achter zich, maar door de laaghangende mist waren de bosjes bij de eendenkooi niet meer te zien.

De man keek mee en schudde zijn hoofd. 'Persoonsbewijs.'

Ze zochten in hun zakken naar hun persoonsbewijs en gaven het hem.

Hij bestudeerde ze aandachtig. Bij die van Sam keek hij op; er verscheen een glinstering in zijn ogen. Hij grijnsde breed en stak de persoonsbewijzen in zijn zak. 'Meekomen jullie!'

Eenmaal aangekomen in het door de Canadezen bezette deel werden Sam en Rijlaarsdam overgedragen aan Koos Veth. Veth was een grote kalende man met een roodblauw gestreept overhemd en daaronder een bierbuik. Hij woonde in het middelste van een rijtje arbeidershuisjes aan het eind van het dorp. Hij was de belangrijkste verzetstrijder in het dorp.

Via het achtererf werden ze de woning binnen geduwd. Op de drempel moesten eerst de gummilaarzen uit. Rijlaarsdam begon te praten maar Veth gaf hem geen gelegenheid zijn eerste zin af te maken. Hij ging pal voor Rijlaarsdam staan, die heel klein leek tegenover Veth.

'Oranjegezind hè. En waarom zou ik jou geloven?' bulderde hij. 'Volgens mij ben jij een vuile verrader. Wie zegt mij dat jullie geen spionnen zijn en dat jullie op weg waren om rapport uit te brengen aan de Duitsers?' Veth deelde een rake klap uit op de ribben van Rijlaarsdam. 'Wie zegt mij dat dit niet de vijfde keer of de tiende keer is dat jullie dit doen?' Opnieuw een harde klap, nu in zijn buik. Rijlaarsdam klapte voorover. 'Wie zegt mij dat jullie niet al tientallen mensen hebben verraden die nu inmiddels dood zijn?' En opnieuw sloeg Veth in op Rijlaarsdam die in elkaar zakte en dubbelgevouwen op de grond lag, happend naar adem. Sam hield zijn blik angstig naar beneden gericht.

De deur van de kamer ging open. Een jongen van een jaar of negen kwam binnen. Hij was kennelijk op het stemgeluid van Veth afgekomen.

'Ga naar buiten, jongen. En snel! Dit is niets voor kinderen,' riep Veth, buiten adem van het slaan, en hij wees naar de deur.

De jongen keek even van Rijlaarsdam, die lag te kermen van de pijn, naar zijn vader en liep naar buiten.

Toen was Sam aan de beurt. Veth greep hem bij zijn schouders en sloeg hem tegen de kin. Het zag hem zwart voor de ogen. Hij had geen tijd te herstellen want door de volgende klap in zijn buik viel hij voorover op de grond. Veth gaf nog een trap in zijn rug en Sam kermde het uit van de pijn.

De achterdeur ging open en Sam zag aan de schoenen dat de jongen weer binnenkwam.

'Kijk jongen, ' zei Veth met luide stem, 'dat zijn nou landverraders. En dit is hun verdiende loon.'

Daarna draaide Veth zich weer om naar Sam en Rijlaarsdam en sloeg hen buiten westen.

Sam voelde een stekende pijn in zijn hoofd en in zijn ribben. Hij keek om zich heen. Rijlaarsdam lag op de grond. Hij bevond zich in een schuur vol met oude rotzooi: een fiets zonder banden, een grote werkbank met een paar hamers, nijptangen en een grote bankschroef. Er hingen twee zagen boven de werkbank, een grote met grove kartels en een iets kleinere. Naast de werkbank zag hij een deur met een dichtgetimmerd raam.

Na enige tijd hoorde hij voetstappen buiten het schuurtje. De deur ging open en een vrouw kwam binnen met een emmer water en een theedoek in haar hand. Ze had dunne, wat geknepen lippen en haar handen voelden koud en streng. Ze depte hun wonden met de doek en verbond een grote wond boven Sams oog, zodat het bloed niet meer in zijn ogen prikte.

'Dank u wel, mevrouw', zei Sam. Zijn stem klonk raar, verwrongen.

Haar handen gingen door met verbinden. Koel en zakelijk bracht ze een kompres aan en leek niet te hebben gehoord wat hij zei.

Met de emmer water en de doeken liep ze naar Rijlaarsdam, in wie niet veel leven meer leek te zitten. Toen ze klaar was stopte ze de rooddoorlopen doek in de zak van haar schort.

'Jullie worden straks overgebracht naar een andere plek.'

Ze frommelde aan de doek in haar schort en zonder iets te zeggen pakte ze de emmer weer op en verdween naar buiten. De deur werd afgesloten.

Sam had geen benul meer van de tijd. Door het spaarzame licht was hij het gevoel voor dag en nacht al kwijt. Rijlaarsdam sliep. Hij had nog niet gesproken. Boven zijn gesnurk uit hoorde Sam plotseling het geluid van een dichtslaande deur en het geluid van naderende voetstappen. De deur zwaaide open en Koos Veth stond in de deuropening met een zaklamp in zijn hand; in zijn schaduw stond een kleinere man met een pistool op hen gericht. Rijlaarsdam kreeg een schop en Veth beval hen op te staan en de handen op de rug te leggen. Sam stond op en keerde zijn rug naar Veth toe, zijn handen tegen elkaar. De handboeien zaten strak, hij voelde de druk op zijn huid. Moeizaam lopend liepen ze het erf af naar de wagen die klaarstond.

Veth opende het linker achterportier en duwde eerst Sam en daarna Rijlaarsdam in de auto. Hij sloot het portier en nam plaats naast de chauffeur en de man met het pistool opende het andere achterportier en stapte in naast Sam. Hij hield het wapen voortdurend op hen gericht.

Toen ze een minuut of tien onderweg waren waagde Sam het erop. 'Waar worden we naartoe gebracht?'

De chauffeur van de wagen draaide zijn hoofd om en keek even naar Sam toen richtte hij zijn aandacht weer op de weg. 'Weet je wat we meestal met tuig als jullie doen? Doodranselen. Heel langzaam doodranselen. Je mag nog van geluk spreken dat we jullie niet hier en nu uit de auto zetten en dan neerschieten.'

Toen de auto vaart minderde keek Sam naar buiten. Ze hielden stil voor een boerderij. De wagen reed een kleine oprit op en stopte bij de achterzijde. Een man in een blauwe overall deed open.

'Dus dit zijn ze?'

'Ja', zei Veth. 'Leg ze maar aan de ketting, het zijn gevaarlijke spionnen. En als je ze laat ontsnappen, ben je er geweest.'

Ze liepen over het erf. Helemaal achterin stond een rij kippenhokken. Veth hield de deur open. Het achterste hok was leeg. Ze kregen een beugel om hun enkels met daaraan een ketting met aan het uiteinde een grote zwarte kogel. Ze werden op de grond geduwd en de deur van het hok ging op slot.

Iedere ochtend bracht de boer een kommetje gevuld met een grijsachtige brij die naar roggepap smaakte. De boer bekeek hen met een blik die het midden hield tussen afschuw en nieuwsgierigheid. 's Nachts sliepen ze op de grond tussen het zaad van overgebleven kippenvoer en hier en daar een verdwaalde veer.

Na een week of drie werden ze overgebracht naar een gebouw van de Canadezen. Direct na aankomst werden ze van elkaar gescheiden. Sam werd ondervraagd door twee mannen, allebei met een knauwend accent. Ieder van hen stelde telkens vragen, steeds weer opnieuw en vaak dezelfde. Sam, die tot de conclusie was gekomen dat hij maar beter zo eerlijk mogelijk kon zijn, vertelde beide Canadezen in zijn beste Engels dat Rijlaarsdam en hij van de Duitsers de opdracht hadden gehad de rivier over te steken om vast te stellen waar de geallieerde onderdelen zich bevonden. '*But we not want to do that. So we escaped.*'

Een van de twee gaf hem na deze woorden een flinke stoot tegen de kaak. 'You better tell such stories to your mum.'

Langzaam wreef hij over zijn gevoelige kaak en vertelde van de eendenkooi waar ze zich hadden schuilgehouden en van hun ontmoeting met een veldwachter die zijn ontbijt met hen wilde delen. 'That was very friendly from him', voegde hij er nog aan toe.

Nadat Sam voor de vierde keer uit zijn cel was gehaald en was verhoord, durfde hij te vragen of ze hem papier en pen wilden geven, voor het geval hij zich iets van belang herinnerde. Tot zijn verbazing gaven ze hem meteen een schrift, met twee pennen erbij. De twee Canadezen overlegden even en verlieten de kamer. Op een losse bladzijde schreef Sam een aantal dingen die hij ook al tijdens het verhoor had verteld. Het schriftje bewaarde hij onder zijn hemd.

Na enige tijd kwam een Nederlandse commandant van het Militair Gezag de verhoorkamer binnen. Hij nam niet de moeite zich voor te stellen. 'Je bent een vuile verrader, Warenaar. En die verhalen van je zijn allemaal leugens. Volgens de Canadezen zijn jullie in dienst van de SD. Ze vermoedden zelfs dat jullie Gestapo-agenten zijn. De Nederlandse rechtbank zit nog in Londen, dus jullie vallen onder het Militair Gezag. Hij grijnsde sarcastisch. 'Onder ons dus. Jullie zullen worden overgebracht naar het huis van bewaring.'

37

'Ik geloof niet in sprookjes, Anke.'

ANKE STOND BIJ DE TAFEL MET EEN TAS AAN HAAR HAND. ZE WAS met de fiets gekomen en het regende zo hard dat ze drijfnat was geworden. In haar haren glommen druppels. 'Wat een storm', zei ze terwijl ze haar gezicht droogdepte met de mouw van haar vest. Ze friemelde aan het hengsel van haar tas. Ze keek me aan alsof ze bang voor me was. Ik schonk een hete kop thee voor haar in en ging tegenover haar zitten. Ze warmde haar handen om de kop en vroeg:'Wat wil je, eerst het goede of eerst het slechte nieuws?'

'Eerst het slechte maar.'

We gingen aan de tafel zitten, tegenover elkaar. 'Ik heb gebeld met het bevolkingsregister', begon ze. 'Daar kenden ze je grootvader niet. Een vrouw legde me uit dat er sowieso weinig materiaal bewaard is gebleven over Nederlanders die voor de Duitse kant hadden gekozen. Toen ze beseften dat de Duitsers de oorlog gingen verliezen hebben ze heel veel cartotheken vernietigd.'

'Dus dat ze zijn naam niet kende, zegt niets.'

'Nee, dat zegt niets. Maar ...' Anke haalde een mapje uit haar tas tevoorschijn. 'Ze vertelde ook dat er een boekje is geschreven over het bevolkingsregister van Amsterdam in de oorlogstijd. Er was nog maar één exemplaar van. Ik mocht het alleen inkijken, maar ik heb stiekem foto's gemaakt van een aantal bladzijden.' Met een betekenisvolle grijns wees ze op het mapje voor haar op de tafel. Ze had de pagina's geprint. 'In 1943 is er door het verzet een aanslag op het bevolkingsregister gepleegd. De verzetslieden die deze aanslag uitvoerden zijn bijna allemaal aan de Duitsers verraden; het staat hier uitgebreid in beschreven. Je grootvader wordt niet genoemd in verband hiermee. Maar ergens in 1944 kom ik zijn naam tegen.'

Buiten gierde de novemberwind om het huis. Ik trok mijn benen omhoog op de stoel en sloeg mijn armen om mijn knieën. 'Kom maar op', zei ik.

'Het gaat om een aanslag van de Sicherheitsdienst in de zomer van 1944. De SD had lucht gekregen van het feit dat er door werknemers persoonskaarten werden vervalst. Iemand heeft toen namen aan de SD doorgespeeld. Wie dat is geweest, is nooit opgehelderd. Maar hier staat dat ze je grootvader verdenken.'

'Wanneer is dat boekje geschreven?'

'In de jaren zestig.'

'Zijn er ook doden bij die aanslag van de Sicherheitsdienst gevallen?' Mijn stem bibberde. Ik dacht aan de grootvader van Michiel, die omgekomen was toen hij bij het bevolkingsregister werkte.

Ze knikte.

'Als je het allemaal in detail wilt lezen, hier staat het.'

Susan begon te lezen.

"Maar hoe kwam de S.D. aan namen. Dat is nimmer vastgesteld kunnen worden. Men verdacht een zeer agressief N.S.B.-er, S. Warenaar, schrijver bij het Bevolkingsregister, die juist in die tijd geheel in dienst van de S.D. was getre-

den. Deze man is na Dolle Dinsdag de Waal overgestoken om voor de Duitsers te gaan spionneren. Hij werd door de Canadezen gegrepen en terechtgesteld. Of hij of een van zijn vrienden of vriendinnen verraad heeft gepleegd weten we dus niet, maar zeker is, dat de S.D. beschikte over een lijstje waarop de namen van een aantal ambtenaren voorkwamen, die alle min of meer bij het illegale werk waren betrokken."

Ik bleef staren naar de tekst op het papier voor me. Ik voelde de tranen opkomen.

'Sorry, Susan.' Anke legde haar hand op de mijne. 'Ik had je liever iets anders laten weten.'

'Jij kunt er niets aan doen. Bovendien, hij is toch al dood.' Ik veegde een traan weg van mijn wang. 'En het goede nieuws?'

'Ten eerste: Hij is niet voor deze daad veroordeeld. Dat betekent in principe dat hij het niet heeft gedaan. Dit boekje is uit 1960; je grootvader was vijftien jaar daarvoor al geëxecuteerd.'

'Hoe dan ook,' ging ze verder, 'aangezien je grootvader wel is terechtgesteld, moet hij uiteindelijk voor een ander zwaar vergrijp de doodstraf hebben gekregen.'

Ik schrok. Zou Maarten Hoffman daar dan toch iets mee te maken hebben gehad? Ik dacht terug aan mijn gesprek met hem tijdens de Yad Vashem-plechtigheid. Wat zei hij ook al weer over mijn grootvader. Ik sloot mijn ogen en zag het weer voor me: die intense blik tijdens het diner, en zijn overslaande stem: 'Maar ik heb 'm teruggepakt, die vreselijke vent.'

Ik mompelde tegen Anke dat ik een fles wijn uit de kelder ging halen. Op de keldertrap bleef ik even zitten, met de koele fles tegen mijn wang. Langs de koude muur zag ik een torretje naar beneden kruipen. Ik volgde hem met mijn blik totdat hij verdween in een gaatje naar de kruipruimte onder het huis.

'Susan?' Anke's stem klonk van boven het keldergat. 'Wat ben je aan het doen?'

‘Ik kom eraan!’ riep ik. ‘Ik kon de goede fles niet vinden.’

Bovengekomen schonk ik voor ons beiden een glas in, ik probeerde het trillen van mijn hand in bedwang te houden. ‘En wat is het tweede minder slechte nieuws?’ vroeg ik.

‘Ik heb je grootvaders naam gegoogeld,’ zei ze, ‘en hij kwam in geen enkel document dat ik vond voor. Maar dat wist je zelf waarschijnlijk al. Toen heb ik alle relevante documentatie doorgenomen die ik kon vinden over NSB’ers, en dan vooral over diegenen die zijn geëxecuteerd. En ik heb een lijst van geëxecuteerde landverraders gevonden – het waren er in totaal veertig – maar daar stond de naam van je grootvader ook niet tussen. Deze zijn allemaal vanaf 1946 terechtgesteld.’

‘Vanaf 1946?’

‘Ja, Mussert als eerste, op 7 mei 1946.’

‘Dat is vreemd. Mijn grootvader is twee dagen voor Bevrijdingsdag geëxecuteerd, 3 mei 1945. Ruim een jaar eerder dus dan de andere executies.’

‘Ik snap het ook niet goed’, zei Anke. ‘In het boekje staat dat hij door de Canadezen is opgepakt. En op 3 mei 1945 was het land nog niet eens bevrijd, laat staan dat de rechtspleging over de landverraders echt op gang gekomen was; de Nederlandse rechtbank zat nog in Londen. De enige manier om erachter te komen wat er precies is gebeurd, is zijn dossier opzoeken. Ik ben al bij het Instituut voor Oorlogsdocumentatie geweest, maar daar heb ik niets over hem kunnen vinden. Wel bestaat er een krijgsdossier van hem in het BHIC, het provinciaal archief van Brabant, en er ligt ook een dossier in het Nationaal Archief in Den Haag. Alleen is er beperkte toegang tot die dossiers. Ik heb de adresgegevens en de dossiernummers alvast voor je opgezocht.’ Ze schoof een briefje naar me toe.

Met afgrijzen keek ik ernaar. ‘Ik snap nu waarom die Conny van het *Noordhollands Dagblad* zo met je wegloopt.’

Ze lachte haar witte tanden bloot. ’Ik heb met Conny een paar keer gesproken over het gegeven dat er zoveel onopgehelderde zaken zijn in het verleden en hoe interessant het is om daar over te schrijven. Ze vroeg me haar te helpen met een artikelenreeks over persoonlijke oorlogsdrama's.'

'...En nu ik het er toch met je over heb,' zei ze, 'ik zou best een artikel over jóúw grootvader willen schrijven, een verhaal over een NSB'er die misschien ten onrechte is geëxecuteerd.' Haar ogen glommen van opwinding. 'Als jij het ermee eens bent, natuurlijk.'

Vol afschuw keek ik haar aan. Hoe haalde ze het in haar hoofd.

'Nou ja, misschien is het ook beter om het verhaal mee te nemen in de roman die ik over mijn grootvader wil schrijven. Dan kan ik zijn achternaam veranderen. Niemand hoeft immers te weten dat het over jouw grootvader gaat, toch? Dus mocht je naar de archieven gaan, dan zou ik graag mee willen.'

'Anke ...' Met een klap zet ik mijn glas op de tafel. 'Ik ben helemaal niet van plan om naar die archieven te gaan. Ik wil niet weten wat mijn grootvader nog meer op zijn kerfstok heeft. Ik weet genoeg. Meer dan genoeg. Sterker nog, ik wou dat ik niets wist van wat ik nu te weten ben gekomen. En ik wil ook niet dat jij je ermee gaat bemoeien.'

Ze schoof haar stoel een stukje achteruit. 'Het was maar een idee,' zei ze snel, 'en natuurlijk moet jij daarover beslissen, het is jouw familie, jouw verleden. Ik ga toch niet zómaar in iemands verleden zitten te wroeten?'

'Nee, natuurlijk niet', zei ik zonder veel overtuiging.

'Bovendien heb je schriftelijke toestemming voor inzage nodig, je moet een duidelijk omschreven reden hebben, en je moet kunnen aantonen dat je familie bent van de persoon in kwestie.'

'Dus een ander kan niet zomaar in het dossier van mijn grootvader gaan zitten neuzen ... '

Ze knikte.

Ik voelde me ineens stukken beter. 'Hoe dan ook ... Bedankt voor het vele werk dat je gedaan hebt, Anke. Je bent een ware speurneus.'

Ze dronk de laatste slok van haar wijn en keek op haar horloge. 'Ik ga weer. Anders wordt het te laat voor Lisa. Die wil ook wel naar bed. Dit is voor jou.'

Ze legde het mapje met de geprinte pagina's over het bevolkingsregister en de brief met de gegevens over de archieven op de tafel.

'Dank je. Erg aardig van je. Maar ik ga er niet heen. Wat heb ik eraan om meer te weten?'

'Jij misschien niets, maar misschien vindt je vader het interessant. Of je broer.'

'Ik ga mijn vader er niet meer mee lastigvallen. Hij heeft gezondheidsproblemen. En mijn broer is al helemaal niet geïnteresseerd.'

Ze liep naar de kapstok en pakte haar jas, die nog nat was van de regen. Druppeltjes water hadden een plasje op de grond van de gang gevormd. Ze deed de capuchon over haar hoofd en stopte haar haren eronder.

'Nog even over die archieven, Susan.' Ze keek me aan, en zei toen: 'Als de geheimhoudingstermijn van het dossier vervalt, kan in principe iedereen het lezen.'

Die avond kon ik niet in slaap komen. De regen sloeg tegen mijn raam. Ik checkte mijn mobiele telefoon op het nachtkastje. Een bericht van Michiel. Hij zou overmorgen terugkomen uit Engeland. Hij was bijna drie weken weggeweest, en ik keek ernaar uit hem weer te zien. Ik speelde met de gedachte hem te vragen na Sinterklaas een keer bij ons thuis te komen, om Sterre en hem de gelegenheid te geven elkaar te leren kennen. En dan de kerstdagen. In gedachten zag ik Michiel en Sterre al samen lichtjes in de boom hangen.

Ik zat opeens rechtop. Het kon helemaal niet. Het kon niet. Want stel ... Ik stapte uit bed en keek naar de zwiepende takken van de wilg boven het water. Stel dat wij echt een relatie krijgen. Hij komt op mijn verjaardag en zit naast Anke. Zij vertelt hem trots dat ze wil schrijven over oorlogshelden. En hij stelt voor dat ze ook eens met oom Ger moet praten. En hij vertelt, doodgemoedereerd, wat hij mij ook verteld heeft: dat zíjn grootvader is verraden door iemand bij het bevolkingsregister. Voor Anke zou het niet erg moeilijk zijn een verband te leggen en om de bewijzen – als die er zouden zijn – uit de archieven te halen en de puzzelstukjes in elkaar te passen.

Pas uren later viel ik in slaap en raakte ik verstrikt in een koortsachtige droom. Het haakje van het raam schiet los en de takken van de treurwilg groeien langzaam en werken zich door het raam naar binnen. Ze slingeren zich over het nachtlampje en daarna over mijn bed naar de deur, krioelend als maden op zoek naar eten. Een paar takken vinden de kier onder de slaapkamerdeur. Sterre! De droom verandert, ineens loop ik met Sterre aan mijn hand op het Binnenhof met een paar dossiers onder mijn arm die ik uit het archief heb gestolen en in de vijver wil gooien. Ik kijk achterom, de krioelende takken zitten me op de hielen, komen steeds dichterbij, ik loop sneller, sneller, ik ren, ik trek Sterre mee, de takken raken me en wild sla ik ze van me af, doodsbang dat ze Sterre zullen grijpen.

38

'Ja, zo lust ik er nog wel een paar!'

BEWAARDER GEERTSMA KWAM DE CEL BINNEN MET EEN PAAR pannetjes eten. Hij was zo lang dat hij zijn bovenlichaam iets voorovergebogen moest houden om naar binnen te kunnen. 'Het is een schande. In het land is er voor de gewone mens na bijna vijf jaar oorlog geen fatsoenlijk eten meer te krijgen, en jullie krijgen drie maaltijden per dag voorgeschoteld. Drie!' Sam wilde bijna antwoorden: nou, geef het dan aan iemand anders, maar dat leek hem niet verstandig.

Samen met drie andere gevangenen van vak A werd hij het slechtst behandeld van alle gevangenen hier. Naast Rijlaarsdam, waren dat Tiemens en Hansen, twee andere NSB'ers. Met Tiemens wisselde hij weleens een woordje, meestal tijdens het legen van hun steken in de centrale wasruimte. Met Hansen had hij minder contact. Hansen was een norse, woest uitziende man die de hele wereld, inclusief de Duitsers, de schuld gaf van het feit dat hij gevangen was genomen.

Iedere middag kregen ze warm eten en 's avonds was er brood. Het beleg bewaarde Sam op de bovenste plank in het enige kastje in de kale cel. Verder stond er een opklapbed – dat iedere ochtend direct na het ontwaken omhoog moest worden geklapt omdat het streng verboden was er overdag op te zitten – en een tafel met een houten stoel. In de buitenmuur zat een klein getralied raampje met matglas. Als Sam erdoorheen keek, kon hij de donkere omtrek ontwaren van de kastanjeboom die op de luchtplaats stond. Luchten betekende in hun geval rondjes om de kastanjeboom lopen en een sigaret roken, als je die had. Praten met de andere gedetineerden was verboden, al keek Bartels, de minst strenge van de twee bewaarders van vak A, weleens een andere kant uit.

Na de intensieve verhoren van de afgelopen weken moest Sam wennen aan de stilte in de gevangenis. Behalve Tiemens, die vlak naast hem zat, en Rijlaarsdam een enkele keer tijdens tijdens het luchten, sprak hij nauwelijks met iemand. De NSB'ers werden zo veel mogelijk apart gehouden van de andere gevangenen, vooral voor hun eigen veiligheid. Ook onder gedetineerden bestond er een hiërarchie op basis van de misdaad die was begaan. Je schoonmoeder vermoorden of je dochter verkrachten was lang zo erg niet vergeleken bij wat zij waren: landverraders.

Net toen hij zijn pannetje eten had leeggeschraapt, klonk er sleutelgerinkel op de gang. Geertsma opende de deur en liet de raadsman van Sam binnen, advocaat mr. J.J.J. van Kempen. De bewaarder bleef wachten voor de celdeur, en gluurde zo nu en dan door het raampje boven de schaftklep. Sam had de advocaat pas vorige week ontmoet, toen ze zijn verdediging hadden doorgesproken en bekeken hadden welke mogelijkheden er waren.

'Ik heb de veldwachter gevonden en hij heeft een verklaring afgelegd', zei mr. Van Kempen. Hij had een lange, rechte neus waarvan de vleugels trilden als hij sprak. Op zijn neus zat een gehoornde bril met dikke glazen die zijn ogen drie keer zo groot maakten en die meebewoog net of het zijn woorden extra kracht bijzette. 'In zijn verklaring wordt bevestigd dat jullie niet in staat zouden zijn geweest de militaire spionage uit te voeren vanwege de zware mist en de drassige grond.

'Dat is goed nieuws', zei Sam opgelucht.

'Wat je goed nieuws noemt. Jij denkt blijkbaar nog steeds dat je hier binnen een paar weken uit komt...' Van Kempens bril bewoog vervaarlijk. 'Tevens heb ik enkele mensen gesproken uit het biljartcafé waar jullie de stemmingsberichten hebben gemaakt. Maar daar vonden ze jullie een paar rare vogels; jullie hadden niet bepaald een betrouwbare indruk achtergelaten. Daar kunnen we dus niets mee.' Van Kempen zocht in zijn tas en overhandigde Sam een brief van het Militair Gezag, ondertekend door de Generaal-Majoor, Chef van de Staf Militair Gezag. Sam las de brief drie keer door om de inhoud te kunnen begrijpen. Er werd hem ten laste gelegd dat hij:

> "...*in de maand oktober 1944 of daaromtrent, in de provincie Noord-Brabant, tezamen en in vereniging met een of meer andere personen, althans alleen, opzettelijk in tijde van oorlog, met name in de oorlog tussen Duitsland enerzijds en Nederland met zijn bondgenoten anderzijds, de vijand met name Duitsland hulp heeft verleend, althans opzettelijk dien vijand als verspieder heeft gediend door opzettelijk daartoe alstoen aldaar in opdracht en in dienst van leden der Duitse weermacht zich te begeven naar Brabant, met de opdracht door te trekken naar het bevrijde deel ter vaststelling en opname van de ter plaatse aanwezige Engelse legeronderdelen en hun opstellingen.*"

'Wat staat daar in vredesnaam?'

'Daar staat dat je wordt beschuldigd van het verspieden, en daarmee verraden van de geallieerden. Spionage dus.'

'En wat staat hier dan?' Sam wees op de laatste alinea en las de woorden hardop voor:

> "...*zijnde de uitvoering van zijn voorgenomen misdrijf niet voltooid, alleen tengevolge van van zijn wil onafhankelijke*

omstandigheid, dat hij werd overvallen en verrast en aangehouden door de Nederlandse autoriteiten."

'Daarin staat toch dat ik het niet heb gedaan? Of ben ik nou gek?' Hij keek zijn raadsman verward aan.

'Ja, dat staat er inderdaad, maar er staat ook dat je wél van plan was het misdrijf te begaan.'

Verontwaardigd schoof Sam zijn stoel naar achteren en sprong op. 'Ja, zo lust ik er nog wel een paar!'

Van Kempen keek hem scherp aan. 'Ik zou maar een toontje lager zingen, Warenaar. Je draait de boel om, jij bent degene die fout is, niet zij. Jij bent een landverrader, niet zij. Jij hebt geheuld met de vijand, niet zij.'

Sam schoof zijn stoel terug en ging weer zitten. 'En wat nu?' Op de tafel lag het schriftje dat hij bewaard had, met daarnaast de twee pennen. In zijn kastje lag wat beleg en op de onderste plank enkele schone onderbroeken.

'Wachten op je vonnis. Ga er maar van uit dat je niet binnen een paar maanden op vrije voeten wordt gesteld. Het is al heel wat dat mensen als jij een verdediging krijgen. Ga je vrouw maar schrijven dat je voorlopig niet thuiskomt.'

'Mijn vrouw zit in Duitsland. Samen met mijn zoontje.' Bij de gedachte aan hen werd hij opeens overvallen door een gevoel van oneindige verlatenheid en snel draaide hij zijn gezicht weg van de raadsman.

Mr. Van Kempen stond op. 'Dan zul je weinig bezoek krijgen.'

Nadat de celdeur was gesloten, ging Sam aan zijn tafel zitten. Hij sloeg het schriftje open, staarde naar de lege bladzijden en begon te schrijven. Hij dacht terug aan een gebeurtenis uit zijn vroege jeugd, toen zijn moeder nog leefde en het leven nog een onbeschreven blad was dat op talloze manieren kon worden ingekleurd. Tijdens het schrijven van zijn verhaal begon hij zich iets beter te voelen. Hij ging verder en schreef over zijn verliefdheid op Emma, over de eerste keer dat zij de liefde bedreven, zijn huwelijk en de geboorte van Pieter. Bij dat laatste werd de inkt vlekkerig van zijn tranen op het papier.

'Het ziet er niet best voor ons uit, kameraad.' Vandaag werd hij gelucht met Tiemens, die gedurende het rondje om de kastanjeboom een klein stukje voor hem uitliep.

Sam keek naar de kleine magere man met de gebogen schouders. Bij iedere stap hees hij zijn veel te grote broek op om te voorkomen dat hij erover struikelde. Sam controleerde even of de bewaarder hem zag, en fluisterde terug: 'Niet zo snel de moed laten zakken, man. Laten we er het beste van hopen.'

Tiemens keek opzij. 'Volgens mij dringt het niet tot je door hoe erg de Nederlanders ons haten. Zeker in de delen die nog bezet zijn. En die Van Kempen, daar heb ik geen enkele fiducie in', zei hij met zachte stem.

'Maar je moet wel vertrouwen houden in het rechtssysteem. We kunnen toch niet zomaar veroordeeld worden.'

Tiemens keek weer even om. Hij zei niets. Maar in zijn ogen verscheen een kleine twinkeling.

Tijdens het werk, dat bestond uit brieven in enveloppen steken, kreeg Sam van Tiemens een foto toegestopt. Hij keek snel en zag Emma en Pieter. Tiemens, die via zijn vrouw nog weleens contacten had met andere NSB-leden, had de foto via zijn netwerk weten te bemachtigen. 'Als dank voor wat je voor mij doet', zei hij. Sam hielp Tiemens met het spellen van sommige woorden in de brieven die hij aan zijn vrouw schreef. Woorden hadden Tiemens nooit geïnteresseerd, maar nu des te meer. 'Het is het enige wat ze nog van me krijgt', zei hij.

Terug in zijn cel bekeek Sam de foto van Emma en Pietertje uitgebreid. De foto was gemaakt met de camera van zijn zwager Hendrik, in een andere wereld, in een andere tijd, op een zomerse dag aan het strand. Bloemendaal 1939 stond er in schuinschrift op de achterkant. Emma was een zandberg aan het maken samen met Pieter. Ze zat in het zand, haar ogen dichtgeknepen tegen de zon. Naast haar zat Pieter, een klein ventje van nog geen vier jaar, zijn korte beentjes in het zand. Sam kreeg een brok in zijn keel.

Hij hoopte zo dat Emma op de een of andere manier had vernomen waar hij zich bevond en dat zij hem zou schrijven. Hij wilde zo graag weten hoe het met Pietertje was. Of hij zich netjes gedroeg in Duitsland, of hij nog steeds zo stil was als de laatste maanden voor het afscheid, en of hij nog weleens naar zijn vader vroeg. Maar er was nooit een brief voor hem als Bartels de wekelijkse post langs kwam brengen.

Sam hing de foto van Emma en Pieter met een punaise boven zijn bed. Er zat nu een gat in rechts boven Emma's hoofd.

39

Waar heb ik dat meer gehoord?

ZOALS ALTIJD OP ZATERDAG WAS STERRE BIJ RICK. OMDAT IK DE hele week geen oog dicht had gedaan, had ik lang uitgeslapen. Inmiddels was het elf uur en zat ik met een ontbijtje op de bank.

Ik keek naar het schilderij van mijn oma. In mijn hoofd dwarrelden nog steeds de ontdekkingen van Anke en de gevolgen ervan voor een relatie met Michiel. Het was onmogelijk om met hem door te gaan. En niet alleen door Anke met haar interesse voor oorlogsverhalen. Stel dat Michiel erachter zou komen, dan was de kans groot dat hij mij niet meer zou willen. Hij, de kleinzoon van een verzetsman die mogelijk door toedoen van mijn grootvader was gestorven.

Michiel was eergisteren teruggekomen uit Engeland en hij had al twee keer op mijn voicemail ingesproken. Ik moest hem vandaag bellen, ik kon hem niet blijven ontwijken.

Ik liep naar boven en trok mijn hardloopkleren aan. Even overwoog ik nog om Anke te vragen of ze meeging, maar ik verwierp de gedachte meteen weer. Ik had even geen zin meer in haar.

Ik jogde in de richting van het Veldpark, langs de Zaan. Toen ik over het bruggetje ging, voelde ik mijn mobiel rinkelen tegen mijn linkerborst. Ik stopte, pakte de mobiel uit mijn borstzak, en keek op het display. Michiel. Zal ik hem nu opnemen? Ik staarde een paar tellen naar de display. Pas na de zevende toon nam ik op. 'Met Susan.'

'Hoi. Met mij. Fijn dat ik je stem weer hoor. Waar ben je? Ik heb je al een paar keer proberen te bereiken.'

Leunend over de reling van het bruggetje keek ik naar een paar eenden in het water..

'Ik wil je weer zien', ging hij verder. 'Het is zo'n tijd geleden, ik heb je gemist. Zal ik vanavond naar je toekomen?'

Zijn stem klonk zo enthousiast. Zo warm. Ik spande mijn spieren.

'Michiel, ik moet je wat vertellen. Ik vind het heel naar om dit zo via de telefoon te zeggen, maar ik ben nog niet toe aan een relatie. Ik heb er de afgelopen week lang over nagedacht. Ik vond het erg fijn om je te leren kennen, en we hebben een heerlijke nacht doorgebracht, maar ...' Mijn stem brak.

Het was heel lang stil aan de andere kant van de lijn. Eindelijk zei hij: Ik ... ik had dit niet verwacht. Ik dacht dat ... Ik wilde je zo graag ... Kan ik echt niet naar je toekomen?'

'Liever niet, Michiel.'

'Maar... Wat is er? Vanwaar ineens deze afstand?'

Waar heb ik dat meer gehoord? Ik strekte mijn benen, liep het bruggetje af en het pad over langs de populieren. 'Luister Michiel, het is beter als je niet langskomt. Dat zou het alleen nog maar moeilijker maken. Het heeft niets met jou te maken, integendeel. Ik voel heel veel voor je. Het is alleen... Ik ben nog niet toe aan een relatie. Ik heb even tijd nodig, meer tijd voor mezelf. Dit gaat zo snel. Ik heb nog maar net een scheiding achter de rug, en ik kan jou in mijn leven, hoe leuk ik je ook vind, nog niet aan. Ik wil mijn tijd nu verdelen tussen mijn werk, mijn huis en Sterre. Haar leventje is al zo overhoop gehaald, het afgelopen jaar.'

'Maar...' Het bleef heel lang stil.

'Ik heb ook dingen uit te zoeken. Dingen uit mijn verleden. Ik heb daar tijd voor nodig. Tijd om alles op een rijtje te hebben. Begrijp je?'

'Maar als je tijd nodig hebt, dan spreken we toch over een paar maanden weer af? Desnoods over een half jaar. Ik wil je alle ruimte geven. Ik... ik ben erg gek op je, Susan.'

'Nee Michiel. Het is beter van niet. Ik wil je niet aan het lijntje houden.'

Het duurde heel lang voordat hij antwoord gaf. Zijn stem klonk hees. 'Zoals je wilt, Susan.'

'Het spijt me Michiel, maar ik kan echt niet anders.'

Sterre klonk opgetogen toen Rick haar terugbracht. Ze had gisteren haar schoen bij hem mogen zetten, en ze liet me enthousiast zien wat ze gekregen had. Ik pakte de dvd van haar aan en zette de televisie aan. Samen kropen we op de bank en ik trok de paarse sprei over ons heen. Terwijl ze zich tegen me aanvleide keek ik naar de bewegende beelden op de televisie, zonder de film te volgen. Toen die was afgelopen keek ze even naar me. 'Mam', zei ze bezorgd. 'Vond je het zo zielig? Het is maar een film, hoor.'

De volgende ochtend bakte ik pepernoten met Sterre, en 's middags vierden we Sinterklaas met mijn ouders bij ons thuis. We draaiden Sinterklaasliedjes en ik maakte foto's van Sterre's opgewonden gezichtje iedere keer dat ze een cadeautje uitpakte. Mijn moeder had courgettesoep meegenomen, en we aten er versgebakken broodjes en salade bij. Samen met mijn vader controleerde ik nog even het huis op scheuren en tochtgaten en ik maakte via internet een afspraak met iemand van een Zaans funderingsbedrijf.

's Avonds toen mijn ouders waren vertrokken zat ik aan de tafel met mijn mobiel in mijn hand. Ik hoopte ergens dat Michiel zou bellen, hoewel ik wist dat het niets zou veranderen aan mijn besluit. Om 22.53 uur ontving ik een sms'je. "Lieve Susan. Ik snap het wel, maar mijn gevoel kan het nog niet begrijpen. Weet ajb dat ik er voor je ben als je me nodig hebt xxx." De tranen sprongen in mijn ogen.

40

'Een roman. Moet ik dit geloven?'

OP DE WEG TERUG VAN DE CENTRALE WASRUIMTE WERD SAM opgewacht door Geertsma. Ruw sleurde die hem naar zijn cel en dwong hem op de stoel te zitten.

'Wat is dit?' Hij zwaaide met een schrift heen en weer, bungelend tussen duim en wijsvinger.

Sam keek naar het magere gezicht dat hoog boven hem uittorende. 'Eh, een schrift. Daar schrijf ik mooie herinn...' Halverwege de zin bedacht hij zich. 'Ik ben bezig met het schrijven van een roman', zei hij zonder een spier te vertrekken.

'Zo zo. Een roman. Moet ik dit geloven?' Geertsma bekeek het schrift tussen zijn duim en wijsvingers alsof het een aanklacht tegen Hare Majesteit zelve was. Hij lachte, een droge, spottende lach.

Sam lachte mee alsof hij het ook een goede mop vond maar keek angstvallig naar het heen en weer bungelende schrift.

De bewaarder bladerde er even in. 'Ik zal het overdragen aan de directeur. Het zal worden onderworpen aan een grondig onderzoek.'

Aan het eind van de middag vloog de deur open en werd Sam naar het kantoor van de directeur gebracht. Het was een statige kamer met hoge boekenkasten tegen de wanden. In het midden een groot mahoniehouten bureau met stapels mappen en rapporten. Daarachter zat de directeur achterovergeleund in zijn stoel een sigaar te roken. Geertsma en Bartels stonden aan weerskanten van het bureau en keken hem bars aan. Sam moest tegenover hen staan en hield zijn handen op de rug.

'We hebben onderhavig document uitvoerig doorzocht.' De man had een diepe stem die van achter uit zijn keel leek te komen en hij sprak geaffecteerd, alsof hij wilde benadrukken hoe belangrijk hij was. Hij tikte met de hand waarin hij zijn sigaar vasthield op het schrift. 'Gebleken is dat de inhoud voor persoonlijke doeleinden bestemd is. Omdat er geen tenlastelegging aan het volk en/of het politieke adres in worden beschreven noch anderzijds melding gemaakt wordt van enigerlei vorm van spionageactiviteiten, heeft de commissie van het Huis van Bewaring besloten het document niet langer in beslag te nemen. Voor alle duidelijkheid citeer ik hierbij een willekeurig stukje.'

Hij veegde een paar restjes gemorste as van het schrift en legde de sigaar in de asbak. Toen sloeg hij het schrift open op een bladzijde waar een klein wit papiertje uitstak.

Het was uitgerekend zijn herinnering over die nacht dat hij en Emma voor het eerst de liefde met elkaar hadden bedreven, die nacht na de zangles op het bankje in de steeg. De stem van de huismeester klonk hol en krakerig en hij sprak de woorden brakend uit – de woorden die Sam met zoveel liefde had geschreven – terwijl hij af en toe opkeek met een blik vol spot. De bewaarders keken naar de punten van hun schoenen en Sam zag hun schouders schokken van ingehouden pret. Het voorlezen duurde misschien maar een minuut. Daarna richtten zij hun blik op hem en hij had zich niet ellendiger kunnen voelen dan wanneer hij poedelnaakt op het podium zou hebben moeten staan bij een van Musserts hagenspraken in Lunteren.

De directeur sloot het schrift en drukte de sigaar uit die al die tijd onaangeroerd in de asbak had liggen branden.

'Eh, Warenaar. Je krijgt het schrift dus terug.' Hij wapperde de rook weg boven de asbak. 'Vergeet alleen niet dat we het recht hebben om op ieder willekeurig ogenblik een celcontrole te verrichten en alle bescheiden weg te nemen die belastend materiaal zouden kunnen bevatten.'

Haastig knikte Sam dat hij het begreep en nam het schrift weer in ontvangst.

Toen Bartels zijn celdeur opende zei hij: 'Ik moet zeggen dat je wel verdomd beeldend schrijft, makker.'

41

'Dat is geen stomme pop.'

OM RUIMTE IN ONS KLEINE HUISJE TE CREËREN VOOR DE KERSTboom had ik het Queen Anne-stoeltje van oma boven op de overloop gezet. Ook had ik het schilderij met de porseleinen pop op de plek teruggezet waar het altijd had gestaan, in het washok.

Terwijl ik de gang inliep met een doos kerstballen in mijn hand, werd er aangebeld. Het was de man van het funderingsbedrijf, waarmee ik een afspraak had gemaakt. Hij deed enkele metingen, inspecteerde de kelder en zei dat ik de palen moest laten uitgraven om zeker te weten of ze door de palenpest waren aangetast. Toen ik hem uitliet, beloofde hij me voor Oud en Nieuw te laten weten in welke staat het huis zich bevond, en of een bouwkundig adviesnodig was.

Ik pakte de doos met kerstballen die ik in de gang had laten staan op en liep de kamer in. Er stond een kerstboom met een piek die bijna tot aan het plafond reikte; een laat protest tegen Rick die het allemaal maar onzin vond en altijd een klein boompje kocht.

Sterre keek in de doos en zocht een paar kerststerren uit die ze zelf in de boom mocht hangen. Ik vroeg me opeens af of Michiel een kerstboom had. Ik stelde me voor dat hij die naast het tv-toestelletje neerzette, en zorgvuldig de kaarsjes in de boom hing. Meteen daarna drukte ik de gedachte weer weg. Hij had vast zo'n zielig overgebleven boompje van de Hornbach dat niemand wil hebben, gevuld met afgedankte ballen van zijn moeder en getooid met een piek die scheef staat.

Sterre was ingespannen bezig de ster in de boom te hangen. 'Mam, help je me met versieren? Ik kan het niet alleen.'

Ik legde de spuitsneeuw waarmee ik de ramen aan het versieren was weg en liep naar haar toe. Ja, ik had het ook allemaal anders bedacht, lieverd, dacht ik terwijl ik op een stoel klom om de piek in de boom te hangen.

Oscar, die bij ons binnen speelde, keek gebiologeerd naar Sterre's kerststerren. Hij zat griezelig dicht onder de kerstboom. 'Kijk je wel uit, jongen? Straks valt de boom om.'

Hij keek naar de versierde takken boven zijn hoofd. Achter zijn brillenglazen gluurden een paar enorme grote ogen omhoog die de lichtjes van de kerstkaarsjes weerkaatsen. In zijn armen had hij de porseleinen pop. Hij trok het jurkje glad en streelde het wangetje.

'Dat is een stomme pop', zei Sterre.

'Dat is geen stomme pop', zei hij. Hij drukte de pop wat dichter tegen zich aan en verstopte hem onder zijn trui. Een lok donker haar en een stukje oranje stof stak eronder uit.

'Weet je wat, Oscar', zei ik. 'Je mag wel een nachtje op de pop passen. Doe je er dan wel voorzichtig mee?'

Heftig bewoog hij zijn hoofd op en neer. Hij trok de pop tegen zich aan en aaide haar over het stenen wangetje.

In een van de Negen Straatjes in Amsterdam vonden Anke en ik een leuk eetcafé. Ze had me gebeld om te vragen of ik vrijdag met haar mee uit eten wilde. Het was een paar dagen voor kerst, de ramen waren versierd met rood lint en boven de bar hing een kerstslinger met witte ballen. We namen plaats aan een tafeltje bij het raam.

Ik had haar gevraagd om niet over het verleden van mijn grootvader te praten. Ze vertelde me uitgebreid over haar nieuwste verovering, een jongen van achtentwintig die ze had leren kennen op een feestje van haar werk. 'Zo'n lekker ding joh. En we hebben zulke goede gesprekken. Echt diepe gesprekken, dat had ik nou nooit met Bert. Je zou echt niet denken dat er twaalf jaar leeftijdsverschil tussen ons zit.' Ze haalde een foto van het feestje uit haar zak, en ze wees een slungelige man aan met lang haar en een studentenbrilletje.

'Zie je wat een leuke knul?' Ze boog zich over de foto. 'Die gezichtsuitdrukking van hem alleen al. Echt een intelligente blik, vind je niet?'

Ik prikte een olijf aan mijn vork. 'Zeker.'

Ze keek me aan. 'Jou hoor ik nooit over mannen, Susan. Zou jij het niet weer eens heerlijk vinden om stapelverliefd te zijn?

'Natuurlijk wel. Maar niet nu. Voor het komende jaar heb ik andere plannen. Ik denk erover om weer als freelancer te gaan werken. Te beginnen met een dag per week en het daarna uitbreiden totdat ik voldoende opdrachten heb om weer een eigen bedrijf te runnen.' Ik wenkte de ober voor de kaart met de nagerechten.

In de weerspiegeling van het raam zag ik ons daarbinnen zitten. Twee aantrekkelijke, goed opgeleide vrouwen. Sterk en zelfbewust.

42

‘Heb je dat wel gezegd dan?’
vroeg Rijlaarsdam dringend.

HET WAS HALF DECEMBER TOEN MR. VAN KEMPEN SAM WEER bezocht. Eenmaal in de cel bij Sam keek hij hem ernstig aan.

‘Ga maar even zitten, Warenaar. Ik heb namelijk slecht nieuws voor je. Heel slecht nieuws.’ Van Kempen hield even op met praten en zocht in zijn papieren. Sam bewoog onrustig op zijn stoel heen en weer. Gespannen wachtte hij het vervolg af.

‘Het Militair Gezag heeft de hoogte van je straf bepaald. De eis is... ’De advocaat wachtte even. Sam durfde hem niet aan te kijken en hield zijn ogen gericht naar de grond. ‘...twintig jaar.’

Van Kempens woorden klonken hard in de kleine ruimte en echoden in Sams oren. Krampachtig hield hij zich vast aan de rand van het zitvlak van zijn stoel. Twíntig jaar? Hij had heus niet verwacht dat hij er met een paar maanden cel van af zou komen. Maar twintig jaar voor een opdracht tot militaire spionage die hij niet had uitgevoerd? Voor het gemak vergat hij de opdrachten die hij had gedaan voor Osendal; zijn oude leventje van voor de gevangenis leek hem al zo ver weg en hier in het zuiden wisten ze niet eens van het bestaan van Osendal af.

Nadat mr. Van Kempen was vertrokken was, bleef Sam nog lange tijd onbeweeglijk zitten. Hij wilde zich een voorstelling maken van een periode van twinitg jaar, dus ging hij twintig jaar terug in de tijd. Hij was dertien. Zijn vader had zijn baan als beurtschipper verloren en ze woonden in een huurwoning in Drenthe. Hij zat met Sliksma op de ambachtsschool en na schooltijd speelde hij bij zijn vriend op de boerderij. Hoe zou zijn leven zijn verlopen als hij Sliksma destijds niet had ontmoet? Dan was hij waarschijnlijk nooit bij de NSB gegaan. Maar dan had hij ook Emma nooit leren kennen.

Van Kempen had gezegd dat het vonnis voorlopig was, en dat er eerst nog enkele gesprekken met het Militair Gezag zouden volgen voordat het vonnis officieel werd uitgesproken. Dus misschien zou het allemaal nog meevallen.

'Nog een paar weken, kameraad, dan weten we hoe we ervoor staan.' Rijlaarsdam bood Sam een sigaret aan. Ze stonden vlak naast elkaar, leunend tegen de kastanjeboom. Bartels stond op tien meter afstand bij de ingang van de luchtplaats. Hij stak zijn hand op en spreidde zijn vingers uit, ten teken dat hij het door de vingers zag, maar niet langer dan vijf minuten.

Rijlaarsdam had altijd sigaretten, hij was de enige die nog weleens post kreeg, en zijn broer zorgde ervoor dat hij niets te kort kwam. Een keer had hij zelfs een hele Kwattareep in zijn cel gehad, die hij helemaal alleen had opgepeuzeld, had Tiemens verteld. Rijlaarsdam had hetzelfde vonnis als Sam gekregen, maar zijn broer had nu een andere advocaat voor hem geregeld. Een peperdure, zo verzekerde hij Sam.

'Hoe staat het met jouw verdediging? Ik ben wel tevreden met mijn advocaat. Slimme vent. We hebben een paar goede gesprekken gehad.'

'Hmm. Bij mij loopt het een beetje moeizaam.'

Ze keken naar de rook die omhoog kringelde en tussen de takken van de kastanjeboom verdween.

'Heb je wel vertrouwen in je advocaat?' vroeg Rijlaarsdam.

'Hij staat niet bepaald aan mijn kant', zei Sam.

'Hoe bedoel je? Wat heb je gezegd dan?'

Eerlijk gezegd wist Sam zich niet meer zo goed te herinneren wat hij wel of niet had gezegd tijdens de verdediging. 'Hij bleef maar doorzagen over bepaalde onderwerpen.'

'Je moet gewoon zeggen wat ze willen horen. Ik heb mijn raadsman bijvoorbeeld heel duidelijk gezegd dat ik bepaalde zaken misschien niet zo handig had aangepakt. Dat ik zowel Duitsers en Nederlanders als vrienden had. Dat ik iedereen hielp als dat nodig was. Dat de mens voor mij op de eerste plaats stond en dat ik daarbij altijd mijn eigen geweten liet spreken.'

'Ja, dat ben ik helemaal met je eens.'

'Heb je dat wel gezegd dan?' vroeg Rijlaarsdam dringend. 'Want dat zijn belangrijke zaken.'

Sam probeerde de gesprekken met Van Kempen terug te halen. 'Weet je wat het is, kameraad, hij bleef maar doorzagen over de NSB. Of ik nog steeds achter de uitgangspunten van de NSB sta.'

'Wat heb je gezegd?'

Sam herinnerde zich de doordringende blik van Van Kempen en het brilletje op zijn neus, dat zijn ogen twee keer zo groot maakte. Hij had gedacht aan het Leidend Beginsel en aan de verhalen van Osendal. En hij vond dat hij altijd eerlijk moest zijn, ook tegen zijn advocaat.

'Ik heb ja gezegd.'

'Wat?' Rijlaarsdam schreeuwde het woord over de binnenplaats. Hij wierp zijn peuk met een driftig gebaar in de richting van de boom. 'Ben je wel goed bij je hoofd, Warenaar? Het gaat hier over leven en dood. Jouw leven en jouw dood! Dat is echt het allerstomste wat je kunt doen. Geen wonder dat-ie er maar over bleef doorzagen! Hij had vast een ander antwoord willen horen, een antwoord waar hij iets mee kon!'

Sam kromp ineen. 'Maar het was wel de waarheid', zei hij en hij hoorde zelf hoe dom het klonk.

De vijf minuten waren voorbij en Bartels sommeerde hen naar binnen te gaan. Terwijl ze de gang van het gebouw in liepen, keek Rijlaarsdam Sam vol medelijden aan. Terwijl ze wachtten tot Bartels de sleutels van zijn cel had gevonden fluisterde hij: 'Soms draait het niet om de waarheid, Sam.'

Sinds zijn gesprek met Rijlaarsdam sliep Sam nog slechter. 's Nachts viel hij niet in slaap, dommelde wat maar werd wakker van het minste geringste geluid. Overdag was dan zo moe dat hij in slaap viel tijdens het schrijven. Hij had vaak dezelfde droom: hij lag op een hoge operatietafel in de kamer van zijn schoonouders. Om hem heen stond de hele familie van Emma; haar ouders, haar twee zusjes – Gonda met een baby op haar arm –, haar neven en nichten en zelfs de ongetrouwde zus van haar opa, met haar wrat op haar rechterooglid. Ze gluurden naar hem. Eerst zag hij dan alleen gestalten, daarna zag hij hun hoofden met priemende ogen.

Emma's vader had een taartmes met een stevig houten handvat in zijn hand. Hij sneed Sam open van zijn adamsappel tot iets onder zijn navel. Eerst een kleine kerf, toen iets dieper en daarna nog dieper. Het zweet parelde op zijn voorhoofd, zijn kleine brilletje zakte steeds van zijn neus en telkens drukte hij het met zijn wijsvinger terug, waardoor er steeds meer bloed aan zijn neus en aan zijn bril kwam te zitten. Het snijden deed Sam geen pijn. In ieder geval minder pijn dan de priemende ogen van de omringende familie. Toen de man klaar was duwde hij de snee met de achterkant van het mes open, zodat het voor iedereen duidelijk zichtbaar was wat er in de opengesneden torso zat.

De familieleden verdrongen elkaar om te kunnen kijken en bogen hun hoofden steeds verder omlaag en tuurden langdurig naar binnen.

'Niets te zien, helemaal leeg', mompelden ze. 'Ik zei het je toch, hij is leeg', zei de vader van Emma. 'Eén lege holte.'

'Zal ik even een bakkie koffie inschenken?' vroeg Emma's moeder.

'Moeten we hem niet eerst dichtmaken?' vroeg Gonda.

Riet twijfelde. 'Maar dan wordt de koffie koud.'

Iedereen liep naar de voorkamer waar zijn schoonmoeder rondging met een schaal eigengebakken zandmoppen. De kinderen kregen een flesje priklimonade. Met een rietje.

43

“Maar waar ben jij nou bang voor?”

IK FIETSTE DE STOEP VOOR MIJN HUIS OP. ANKE EN IK HADDEN een gezellige avond gehad, hoewel ze het grootste deel van de avond over haar ‘lekkere ding’ had gesproken. Maar gelukkig had ze met geen woord gerept over mijn grootvader. Ik zette mijn fiets tegen het hekje en toen ik het slot naar beneden duwde zag ik op het bankje aan de kade een donkere gestalte zitten. Ik schrok.

‘Michiel. Ben jij het? Wat doe jij hier?’ Ik liep naar hem toe.

Hij pakte mijn handen en drukte ze tegen zijn wang. ‘Ik wilde je zien. Dat is alles.’

Ik aarzelde om hem te vragen mee naar binnen te gaan, maar alsof hij mijn gedachten raadde, zei hij: ‘Ik blijf niet hoor. Ik was in de buurt, en ik kon het niet laten om even langs te rijden. Ik wist niet precies waar je woonde, maar dit was het kleinste huisje aan de kade.’ Hij wees naar mijn huis.

Ik glimlachte. Ik wist niet goed wat ik moest zeggen, of doen. Het liefst had ik mijn armen om hem heen geslagen, door zijn donkere haren gewoeld en gevraagd of hij wilde blijven.

Hij sloot zijn handen om mijn gezicht en keek me onderzoekend aan.'Susan, volgens mij zit je ergens mee. Vertel het me, misschien kan ik je helpen.'

Ik ontweek zijn blik en staarde naar de wollen sjaal die hij om zijn hals droeg. Ik kon niets uitbrengen.

Hij haalde een pakje uit zijn binnenzak. 'Ik heb een klein cadeautje voor je. Een kerstcadeautje.' Ik pakte het uit. Het was de cd van Eluvium die hij had opstaan toen ik bij hem was.

'Dank je wel. Lief van je.' Ik gaf hem een kus op zijn wang.

'Ik ga er weer vandoor, Susan. Ik wens je prettige feestdagen. En ik wil dat je weet dat ik er voor je ben als je iemand nodig hebt.'

Ik nam afscheid en keek hem na terwijl hij naar zijn auto liep.

'Michiel, wacht!' riep ik tegen de auto die in de verte verdween.

Met mijn jas nog aan zat ik in de donkere huiskamer, de kerstboom als een duistere gestalte tegenover me. Ik sms'te Jochem. 'Ben je nog wakker?'

Binnen een halve minuut belde hij. 'Wat is er aan de hand?'

'Sorry dat ik jou ermee lastigval, Jochem, maar ik moet met iemand praten. Ik heb een leuke man ontmoet. Michiel heet hij. Ik vind hem echt heel leuk, maar ik ben bang dat hij op de een of andere manier lucht krijgt van het familiegeheim van mijn vader, en daarom heb ik gezegd dat ik niet met hem verder wilde. Maar nu was hij hier net, en ik...' Ik keek naar de cd die ik van hem had gekregen. 'Jochem, ik weet niet wat ik nou moet doen.'

'Ik begrijp het niet', zei hij. 'Wat is nu eigenlijk het probleem?'

'Mijn grootvader werd ervan verdacht namen van mensen bij het bevolkingsregister te hebben doorgegeven aan de Sicherheitsdienst. Het is niet zeker dat hij dat heeft gedaan, maar het zóu zo kunnen zijn. En Michiels grootvader heeft ook vroeger bij het bevolkingsregister gewerkt, en die is verraden.'

'Zo,' zei Jochem, 'dat is niet niks.' Het was even stil aan de lijn. 'Maar je weet het dus niet zeker. Hoe kom je aan die informatie dan? '

'Mijn vriendin Anke is erachter gekomen. Ze is journaliste. Ze wil verhalen schrijven over oorlogsdrama's, en ze is geïnteresseerd in dat van mijn grootvader. En op de een of andere manier staan haar grootvader en de grootvader van Michiel allebei in verhouding tot mijn grootvader. Ik weet niet precies hoe, en ik wil het ook niet weten. Ik wil alleen niet dat Anke erachter komt, en het verleden van mijn vader gaat gebruiken.'

'Maar hoe kan zij erachter komen?'

'Door in de archieven te duiken. Of eerlijk gezegd, dat weet ik niet eens zeker, maar het kán in de archieven staan.'

'Maar waar ben jij nou bang voor? En wat heeft dat te maken met die Michiel van je?'

'Als ik een relatie heb met Michiel is het onvermijdelijk dat ze elkaar ook beter leren kennen. En dat hij haar in zijn onschuld iets vertelt over zijn grootvader en het bevolkingsregister, waardoor ze hem dingen vertelt of zelfs op het idee komt dieper in dat verleden te duiken.'

'Maar waarom ga je niet gewoon zelf naar de archieven? Dan weet je het maar.'

'Nee, dat doe ik niet', zei ik beslist.

'En wat als je wel zou gaan en er blijkt in de archieven niets van bewijs te vinden te zijn?'

Ik lachte, wat een slimme opmerking. 'Dan weet niemand of mijn grootvader de verrader is geweest van Michiels grootvader. En bovendien heeft Anke dan niet de feiten waar ze voor haar verhalen naar op zoek is.'

'En als dat zo is, zou je die Michiel dan wel een kans geven?'

Ik dacht een tijdje na. 'Dat weet ik niet, want er kan altijd iets tussen hem en mij in blijven staan. Een vermoeden dat ik heb over onze grootvaders en waar hij niets van af weet. Ik weet het niet, Jochem. Is dat een goede basis voor een relatie?'

'Of... Misschien een rare vraag: kun je Michiel niet gewoon in vertrouwen nemen? Hij zal jou toch niets kwalijk nemen over iets dat jouw grootvader misschien heeft gedaan? En als hij om je geeft, zal hij toch niets tegen Anke zeggen? Dan is er toch niets aan de hand?'

Ik knikte, zonder me te realiseren dat hij dat niet kon zien.

'Ben je er nog, rare?'

'Ja,' zei ik, 'ja, ik ben er nog.'

44

Een mooi woord voor galgje.

MR. VAN KEMPEN DEED ZIJN BEST NEUTRAAL TE KIJKEN NADAT hij het officiële vonnis van de rechtbank aan Sam had voorgelezen. Sam kon niet geloven dat hij het goed had gehoord. De doodstraf, ze hadden het vonnis gewijzigd van twintig jaar in de doodstraf. Verslagen keek hij naar de grond, zijn armen slap langs zijn lichaam. 'Terdoodveroordeling', zei hij hardop tegen zijn tafel. Raar woord eigenlijk. Maar liefst negentien letters. Een mooi woord voor galgje.

'Het enige wat ik nu nog voor je kan doen', zei de raadsman, 'is een brief schrijven aan Hare Majesteit met een verzoek tot gratie. Dat zal ik direct na Oud en Nieuw doen.'

De advocaat knikte naar de bewaarder, die de deur voor hem opende. Sam merkte niet dat de man zijn cel verliet. Onbeweeglijk zat hij aan zijn tafel, en telkens weer vroeg hij zich af: waar is het misgegaan? Wanneer had hij uit de trein kunnen stappen die hem naar de afgrond had gevoerd?

Na enige tijd kwam er een gedachte bij hem op en hij pakte zijn schriftje en begon te schrijven. 'Jouw verhaaltjes lopen toch altijd goed af,' zei Emma hem ooit. Maar hoe kon hij hier een goed einde aan maken? Hij was in een personage veranderd uit een slecht boek. Hij was de regie kwijt. Had het stokje niet meer in handen. Maar als hij niet meer schreef hield hij op te bestaan. Hij had zichzelf gevangen in zijn eigen boek. Koortsachtig bewoog zijn hand over het papier. De zinnen verschenen in sneltreinvaart. Steeds werkte hij toe naar een wending in het verhaal, een gezichtspunt waardoor hij de trein een andere kant op kon laten rijden. Om nog te kunnen redden wat er te redden viel.

Telkens bedacht hij een nieuw einde. Sam die als verloren held de geschiedenis in ging. Sam de onverschrokkene. Sam die grootse daden verrichtte. Sam de Ruyter. Sam de wijze man uit Aramarswena. Dagen achtereen speelde hij met de gedachte een compleet verzonnen ontknoping van zijn eigen leven te schrijven, heimelijk verlangend dat als Emma en Pieter het schriftje zouden lezen ze dat als de waarheid konden aannemen. Zodat ze een goede herinnering aan hem hadden en trots op hem konden zijn. Hij verzon dat hij een contraspion was die met gevaar voor eigen leven een heel bataljon had weten te stoppen en dat hij nu in een ziekenhuis was beland, omringd met rozen en een schare fans die hem vanuit het open raam toejuichten. Hij verzon dat hij Hitler – vermomd als Osendal – een paar flinke meppen met de biljartkeu tegen zijn hoofd verkocht en hem dwong een biljartbal in te slikken om hem daarna vast te binden aan de kruk in de kelder met het grote witte laken over zijn gezicht waarna Maria hem – Sam dus – opgelucht omarmde, omdat hij haar had verlost uit de wurgende greep van de man die het toverstokje in handen had. En hij speelde zelfs met de onwaarschijnlijke gedachte dat Bartels hem zo aardig zou gaan vinden dat hij in Sams papieren van het Militair Gezag zou gaan zitten knoeien en zijn vonnis zou veranderen in levenslang.

Er zou dus geen Sam meer zijn, tenzij ... Hare Majesteit in Londen hem gratie zou verlenen. Hij hoopte zo dat ze de hand over haar hart streek en zich eens goed in zijn dossier ging verdiepen en uit de stukken – bijna alleen maar opgetekend door onbekenden die niets van hem wisten behalve dat hij een NSB'er was en op de verkeerde tijd op de verkeerde plaats was geweest; toegegeven, een héél verkeerde tijd en een héél verkeerde plaats – opmaakte, tussen de regels door uiteraard, dat hij toch wel een goede inborst had, dat hij geen lege huls was en dat zij daarom de trein, die lijnrecht op de afgrond afstevent, toch nog de goede kant op kon leiden, omdat zij, Moeder des Vaderlands, vermoedde dat die trein wel vertrokken was vanuit zuivere motieven.

45

‘Ik … ik ben bezig met een onderzoek naar de fundering van mijn huis.’

DE VOLGENDE OCHTEND LAG ER EEN ENVELOP OP DE DEURMAT. Ik maakte hem open. Hij was van de funderingsman.

> *‘Zo op het eerste gezicht ziet het er niet naar uit dat het perceel is verzakt. De fundering lijkt prima in orde. Als u nader onderzoek wilt doen, dan kunt u contact opnemen met onderstaand nummer. Voor informatie over de palen is het handig als u beschikt over de bouwkundige gegevens van het perceel. Deze kunt u opvragen bij het gemeentearchief.’*

Enigszins gerustgesteld vouwde ik de brief terug in de envelop. Daarna zocht ik de gegevens van Anke over de archieven en ik startte mijn laptop op. Omdat dat even duurt, las ik Anke’s gegevens nog even goed door. Ik opende mijn outlookprogramma en schreef een mail naar het BHIC in Den Bosch en het Nationaal Archief in Den Haag:

'Ik wil graag onderzoek doen naar het leven van mijn grootvader Sam Warenaar, geboren 1 juni 1911, gestorven op 3 mei 1945. Kunt u mij toegang verlenen tot het dossier met onderstaande gegevens? Een kopie van mijn legitimatiebewijs stuur ik u per post toe. De reden van mijn verzoek: wie aan een toekomst wil bouwen, moet zijn verleden kennen.'

Met mijn paspoort in mijn binnenzak sprong ik op mijn fiets en reed naar het centrum. Onderweg kwam ik mijn moeder tegen, ze was ook op de fiets. Ze ging naar de markt. 'Ga je mee?' vroeg ze. 'Dan drinken we een kopje koffie in de stad.'

'Nee, ik ga naar de bieb, ik moet een kopie van mijn legitimatiebewijs maken. Daar staat een kopieerapparaat', verduidelijkte ik.

Mijn moeder trok haar wenkbrauwen op. 'Maar dat kan toch ook later?'

'Nee', zei ik snel. 'Het heeft haast. Ik... ik ben bezig met een onderzoek naar de fundering van mijn huis en ik moet naar het gemeentearchief voor de bouwtekening. En daarvoor hebben ze een kopie van mijn legitimatiebewijs nodig.' Hoe verzon ik het bij elkaar.

Zodra ik de kopie had gemaakt, fietste ik door naar het huis van mijn ouders.

'Papa', viel ik met de deur in huis, 'heb je er iets tegen als ik naar de archieven ga? Ik wil uitzoeken wat je vader heeft gedaan.'

Hij stond in de keuken en vulde water in de koffiepot. 'Koffie?'

Ik leunde tegen het aanrecht. 'Nee, ik hoef geen koffie,' zei ik ongeduldig. 'Pap?'

'Waarom zou je dat willen weten?'

'Nou gewoon... Ik heb er lang over nadacht en ik wil het gewoon weten. Het is toch mijn grootvader.'

Zwijgend deed hij de koffie in het filter.

'Heb jij die wens nooit gehad, om uit te zoeken wat hij precies heeft gedaan?'

'Nee.' antwoordde hij kort. Hij zette het knopje van het koffieapparaat aan. Het begon te pruttelen. 'Je moeder is naar de markt. Ze zou van die lekkere stroopwafels meenemen. En kerstbrood. Frank komt ook nog een paar dagen logeren in de kerstvakantie.' Hij zette twee koffiekopjes klaar en schonk ze vol.

'Ik zei toch dat ik geen koffie hoefde', zei ik snibbig en ik gooide mijn kopje leeg in de gootsteen.

Hij keek me even aan, onderzoekend.

'Pap', waagde ik nog een keer. 'Waarom zou je niet willen weten wat er is gebeurd?'

Hij haalde zijn schouders op. 'Je weet niet wat je aantreft', zei hij uiteindelijk. Hij keek uit het raam. 'Je moeder zal zo wel terugkomen.'

'Pap, wist jij dat er bijna vijfhonderdduizend dossiers over NSB-leden in het Nationaal Archief liggen? Dat er op dit moment van iedere vijftien mensen er wel één of twee zijn die foute ouders of grootouders hebben?'

Mijn vader opende de ijskast en haalde de melk eruit. Een snelle flikkering in zijn ogen verraadde dat hij verrast was.

'En denk je niet dat het prettig zal zijn om er eens met iemand over te praten?'

Hij trok zijn schouders recht. 'Ik hoef geen lotgenoten', zei hij. 'En ik dacht dat we het er genoeg over hadden gehad.'

In mijn ogen prikten tranen. 'Maar ik moet... ik wil naar die archieven. Het is belangrijk voor mij.'

'Als dat belangrijk voor jou is', zei hij, 'moet je het uitzoeken. Dat ik het niet wil weten, betekent niet dat jij het niet mag uitzoeken.'

In een opwelling sloeg ik mijn armen om zijn schouders en drukte een kus op zijn wang.

Ik keek hem aan en vroeg aarzelend: 'En wil je dat ik je vertel wat ik gevonden heb?'

Hij schudde zijn hoofd. 'Nee. Daar heb ik geen behoefte aan.'

Hij keek me na toen ik wegfietste. 'Doe voorzichtig, Susan.'

46

'Na de oorlog is er geen mens meer die over je praat.'

SINDS HIJ HET OFFICIËLE VONNIS HAD VERNOMEN, NU BIJNA een maand geleden, was Sam niet meer uit zijn cel gekomen. Hij had zich weten te onttrekken aan het werk met de melding dat buikklachten had. In plaats daarvan zat hij vaak te schrijven. Het schriftje was bijna vol.

Op een morgen, net na het ontbijt, ging de deur van zijn cel open en stak Bartels zijn hoofd om de hoek. Aarzelend vroeg hij: 'Hoe is het met je roman, Warenaar?'

'Goed', zei Sam zonder op te kijken.

'Mag ik er eens in lezen?'

'Nee.'

'Waarom niet?'

'Dat wil ik niet.'

'Je schrijft toch om gelezen te worden?'

Bartels betrad de cel en leunde tegen de deurpost.

'Dat is zo', moest Sam toegeven. 'Ik zou het mooi vinden wanneer iemand zou denken: door die verhalen van Warenaar is mijn kijk op de wereld veranderd.'

'Is dat niet een beetje arrogant?'

'Ja, als je het zo zegt wel.' Sam grinnikte schaapachtig. 'Maar ik wil... Ik wil iets goeds doen.'

Bartels begon te lachen en sloeg zich op de dijen van plezier. 'Dat heb je dan wel bijzonder origineel aangepakt, Warenaar. Even de feiten: waar bevind jij je momenteel?'

'In de gevangenis.'

'Waar in de gevangenis?'

'Op cel A3. De strengst bewaakte afdeling.'

'En wat is je vonnis?'

'Terdoodveroordeling.'

'Juist. Sam Warenaar, je bent een armzalig NSB-mannetje. Na de oorlog is er geen mens meer die over wil praten. Geen mens meer die zich jou wil herinneren. Jouw bestaan heeft er niet toe gedaan. Niet in goede zin, althans. Nou, laat je me dat verhaal nog lezen of niet? Anders neem ik het in beslag en dan zie je het nooit meer terug.'

Sam gaf het.

Bartels sloeg het open en las het laatste stukje hardop in de cel voor.

> *Het is nu februari 1945. Lieve Emma, ik weet niet meer wat ik schrijf en waarom en voor wie, jou of Pieter. Ik mis jullie allebei zo en ik denk maar aan één ding, waren wij maar weer terug in de tijd. Kan de toekomst ooit weer zijn zoals het verleden was? De avonden nadat wij Pieter in bed hadden gelegd en we nog even bij de deur naar zijn slapende gezichtje keken om daarna samen thee te drinken. En dan kwam je bij me zitten, Emma, zo tegen me aan, met je voeten tegen mijn benen, en lazen we beiden een boek zoals we dat zo vaak deden zonder te beseffen hoe bijzonder het was. Soms lijkt het alsof ik dit kennelijk allemaal moet meemaken, alleen maar om tot de ontdekking te komen dat dit het allerbelangrijkste was, de liefde, die eindeloos alledaagse*

dingetjes en de talloze onzegbare details uit ons dagelijks leven. Soms...'

'Stoppen nu, Bartels', riep Sam, zijn handen tegen zijn oren gedrukt.

Langzaam liet de bewaarder het schriftje zakken. 'Stakker', was het enige wat hij zei toen hij vertrok, met het schriftje onder zijn arm.

Sam kreeg last van een hardnekkige buikgriep en hij zat vaker op de steek dan in zijn stoel. Na een paar dagen kon hij niet meer zitten van de pijn aan zijn billen en hing hij slap in zijn stoel, met zijn hoofd op de tafel.

Sleutelgerinkel. Zijn celdeur werd opengedaan. Het was een ongebruikelijk tijdstip en Sam verwachtte dat het mr. Van Kempen was met nieuws over zijn gratieverzoek. Maar het was Bartels. Hij zwaaide met het schriftje en smeet het voor hem op de tafel. De kaft was los gaan zitten en er zaten hier en daar vlekken op de voorkant. Ongerust controleerde Sam of er niet meer aan was veranderd.

'Het is helemaal geen roman', zei de bewaarder. 'Het zijn flarden tekst en brieven.'

Er verscheen een listige blik in zijn ogen. 'Luister, ik heb je hulp nodig. Mijn verloofde heeft het uitgemaakt. Ze vond me te... saai. Als jij me nou eens helpt met een mooie brief.'

'Wat moet erin komen?'

'Ik schrijf de feiten op, jij maakt er een brief van. Een mooie brief. Anders zie je je schrift nooit meer terug.' Bartels trommelde met zijn vingers op de tafel, verliet de cel en kwam even later terug met een briefje in zijn hand.

'Eén ding, Bartels', zei Sam. 'Hou je oprecht van haar?'

De bewaarder knikte.

'En heb je papier voor me? Ik heb papier nodig. Veel papier. Je begrijpt natuurlijk wel dat ik zo'n brief niet in één keer goed krijg. Een echt goede brief, daar gaan veel kladversies aan voor-af...'

Bartels keek hem peilend aan en knikte toen. Later die dag, tegelijk met de pannetjes van het middageten, legde hij een flinke stapel vellen op Sams tafel neer.

Nadat Sam had gegeten, las hij wat de gevangenisbewaarder op het bovenste vel had geschreven.

Harm Bartels, gevangenisbewaarder, 25 jaar. Aantrekkelijk persoon, bedachtzaam en zwijgzaam. Iets te zwaar (dit had hij doorgestreept en vervangen door: fors postuur). Type ruwe bolster, blanke pit.

Greet Koopman, 24 jaar, grote vrolijke blauwe ogen, blond haar, royale boezem, verkoopster op de markt (alleen op zaterdag en donderdag).

Sam dacht even na en begon te schrijven.

> *Lieve Greetje,*
>
> *Ik schrijf je deze brief niet omdat ik teleurgesteld ben, maar omdat ik je liefheb. Ik heb de waarheid, dat jij onze verloving hebt verbroken, nu enkele weken op me in laten werken en ik leg me neer bij je beslissing. Sterker nog, ik begrijp je helemaal. Het moet best zwaar geweest zijn, verloofd te zijn met een man als ik. Heeft een zwaar beroep, ziet veel leed en heeft daardoor diepe, diepe gevoelens. En die kunnen niet zo makkelijk aan de oppervlakte komen.*
>
> *Ik wens je veel geluk in je verdere leven, als verkoopster op de markt, maar vooral in de liefde. Ik hoop dat je ooit een goede man zult vinden die je met heel je hart liefhebt en dat jullie -, eenmaal getrouwd – een aantal mooie en ongetwijfeld briljante kinderen zullen krijgen, de vruchten van jullie liefde. Denk niet dat ik jaloers zal zijn. Ware liefde kent geen jaloezie. Ik hoop met heel mijn hart dat jij, poesje, gelukkig wordt en ik prijs mij tijdens mijn verdere leven gelukkig in de schaduw van jullie liefderijke gezin. Vergeet de pijn van mij*

maar snel. Mijn leven is rijk omdat ik ooit van een vrouw als jij heb mogen houden.
De beste groeten, Je Harm.

Bartels las de brief twee keer. Om zijn mond verscheen een gelukzalige glimlach. 'Als je nog meer papier nodig hebt, Warenaar, dan hoor ik het wel.' En hij verliet de cel met de brief als een kostbaar geschenk in zijn handen.

Een week later stak hij zijn hoofd om de celdeur. Greet was weer bij hem terug.

'Dankzij de brief?'

'Ja. En nu koestert ze mijn zwijgzaamheid.' Waardig keek hij Sam aan.

'Nou, dan is alles toch goed?'

'Ja.' Hij bleef dralen.

'Is er nog iets, Bartels?'

'Zou je misschien... af en toe een mooi verhaaltje voor haar willen maken? Uit mijn naam?'

Sam haalde zijn schouders op. 'Zou kunnen. In principe', begon hij. 'Als jij een goed woordje voor me doet bij de directie?'

Bartels knikte haastig.

'...en me op de hoogte houdt van het nieuws.'

Bartels knikte weer.

'...en me af en toe een extra boterham geeft.'

Bartels bleef knikken 'Dat ook.'

'...en ervoor zorgt dat ik genoeg papier krijg tot ik hier uit mag.'

'Geen probleem.'

47

Met bonkend hart sloeg ik het eerste dossier open.

HET BHIC IN DEN BOSCH WAS GEVESTIGD IN EEN VOORMALIG fort, de Citadel, langs de Willemsvaart. De medewerker van de informatiebalie verzocht me het ontheffingsformulier voor raadpleging van niet-openbare documenten te tekenen, en overhandigde me daarna twee dossiers. Ik nam ze mee naar de studiezaal, waar een paar oudere heren gebogen zaten over stapels dossiers. Vast gepensioneerde mannen die bezig waren met genealogisch onderzoek, of schrijvers, op zoek naar een interessant verhaal. Met trillende vingers peuterde ik aan de linten die de dossiers van Sam Warenaar bij elkaar hielden. Het ging moeilijk.

Ik stond op.

'Even een luchtje scheppen,' zei ik tegen de baliemedewerker. 'Het is een mooie dag.'

Ik liep een eindje langs de Willemsvaart. Ik kon ook gewoon nu de trein terug nemen. Sterre ophalen. Oud en Nieuw vieren, oliebollen eten. Ganzenbord spelen. En memory. Nee. Geen memory.

Na een half uur keerde ik terug naar het archief. Ik zou de

dossiers lezen of het volstrekt willekeurige papieren waren, van een volstrekt onbekende man die al meer dan zestig jaar dood was. Meer niet.

Met bonkend hart sloeg ik het eerste dossier open. Op de voorkant las ik "Rolboek Krijgsraad te Velde Militair Gezag". Er stonden de namen van de veroordeelden in, hun daden, het vonnis en de datum van de uitspraak. Achter Sam Warenaar las ik: "opzettelijke hulpverlening aan de vijand". Het aanvankelijke vonnis van twintig jaar gevangenisstraf blijkt later te zijn veranderd in doodstraf. Maar waarom? Ik bladerde door het dossier en las de vonnissen van de andere gevangenen. De meeste hebben zo'n één à twee jaar celstraf gekregen. Onder Sam Warenaar staat ene Rijlaarsdam vermeld. De aanklacht tegen hem is hetzelfde als die van Sam, alleen is zijn vonnis later gewijzigd in vijftien jaar celstraf in plaats van verzwaard tot de doodstraf. Op diezelfde bladzijde staan nog twee namen van mannen die de doodstraf hebben gekregen, Tiemens en Hansen. Ook de datum van de voltrekking staat erbij: 3 mei 1945.

Met een klap sloot ik het dossier van de krijgsraad en ik schoof het persoonlijke dossier van Sam Warenaar naar me toe. Zou hierin staan wat hij heeft gedaan? Wie hem heeft opgepakt? Of, erger nog, wie er door hem is opgepakt? Ik bladerde in de correspondentie van verschillende overheidsinstanties tot ik bij het begin van het dossier kwam: een vertaling van het *interrogation report* van de Canadezen waarin het verhoor van Sam Warenaar is vastgelegd, in oktober 1944.

> *"Sam Warenaar was in 1933 toegetreden tot de NSB. Na een paar maanden moest hij dit lidmaatschap opzeggen omdat hij als ambtenaar voor het Amsterdamse Bevolkingsregister ging werken. Hij werd pas weer lid in 1942. In de oorlog werkte hij als schrijver op het bevolkingsregister, alwaar hij telefonische inlichtingen gaf aan de politie en het Duitse gezag.*

Sam Warenaar heeft verklaard stemmingsberichten te hebben geschreven in opdracht van de Sicherheitsdienst. Dat vond hij geen verraad, verklaarde hij. Op de vraag of hij nog steeds achter de NSB stond had hij volmondig ja geantwoord. In september 1944 treedt hij in dienst van de SD. Hij vertrekt met een kameraad naar het zuiden van het land met de opdracht vast te stellen waar de geallieerde legeronderdelen zich bevinden. 'Deze opdracht stuitte mij tegen de borst', aldus Warenaar. Hij beweert deze opdracht niet te hebben uitgevoerd en met zijn kameraad te zijn gevlucht."

Ik staarde naar buiten. Tijdens de opdracht tot militaire spionage is Sam Warenaar op de grens van het bezette gebied opgepakt door mensen die hem in de gaten hielden. Er stond niet bij door wie, de naam Hoffman wordt niet genoemd.

Opgelucht haalde ik adem, en voordat ik verderging bladerde ik haastig door de andere documenten op zoek naar de naam Hoffman of Arendtse. Pas nadat ik niets gevonden had, kwam het gejaagde kloppen in mijn hart tot rust en kon ik de andere documenten aandachtig lezen.

In een beschikking van de Majoor van de Krijgsraad te Velde, gedateerd 18 november 1944, stond in zeer wollig Nederlands – ik moest de brief drie keer lezen – dat Sam Warenaar verdacht wordt van het "als verspieder zich begeven naar de plaatsen waar de geallieerde legeronderdelen zich bevonden". Dat hij de opdracht uiteindelijk niet had uitgevoerd, kwam alleen maar doordat hij voortijdig werd opgepakt. In de notulen van de openbare rechtszitting op 12 december 1944 wordt de eis tegen hem bekendgemaakt: twintig jaar gevangenisstraf. Ik vond een getuigenverklaring van een veldwachter die bevestigde dat de mannen de spionage niet konden hebben gepleegd. Het was praktisch onmogelijk, omdat het gebied te drassig was. Op 27 december 1944 volgt de uitspraak van de openbare rechtszitting. De eis, twintig jaar gevangenisstraf,

wordt in het vonnis zonder opgave van reden gewijzigd in de doodstraf.

In januari 1945 dient zijn raadsman, mr. Van Kempen, een gratieverzoek in bij Koningin Wilhelmina.

In februari stuurt de Nederlandse rechtbank in Londen driemaal een verzoek om toezending van de ontbrekende stukken die pleiten voor gratie.

Op 5 maart 1945 volgt een brief van de rechtbank in Londen waarin staat dat zij de gratie niet kan behandelen, omdat de krijgsraad – ondanks herhaalde verzoeken – heeft verzuimd de stukken die pleiten voor de gratieverlening van Sam Warenaar mee te sturen. Het ging om de pleitnota van de raadsman, het verhoor van de verdachte en de notulen van de krijgsraad.

Verward bladerde ik terug naar de notulen van de krijgsraad. Deze zat gewoon in het dossier. Opnieuw las ik de eis: twintig jaar gevangenisstraf. Maar deze notulen kónden ook niet worden meegestuurd ter ondersteuning van het gratieverzoek. Dat zou zinloos geweest zijn, want daar stond helemaal niet in dat er doodstraf was geëist. Voor de zekerheid checkte ik de andere ontbrekende documenten waar de rechtbank om had verzocht om de gratie te kunnen verlenen. Ook deze stukken zaten gewoon in het dossier.

Op 31 maart 1945 stuurt de Nederlandse rechtbank in Londen een brief. De gratie van Sam Warenaar is afgewezen door het ontbreken van de stukken op grond waarvan tot gratie zou kunnen worden besloten.

In de bijgevoegde notulen van de Nederlandse rechtbank in Londen staat dat een van de aanwezigen van de rechtszitting vóór gratieverlening stemde. Zijn redenering was dat het niet mogelijk is om iemand ter dood te veroordelen voor een vergrijp waarvoor geen bewijzen zijn. Verder wordt vermeld:

> *"Uit het gebezigde bewijsmiddel volgt dat W zich persoonlijk alleen heeft schuldig gemaakt aan het zich in opdracht en*

in dienst van de vijand begeven naar de plaatsen waar de geallieerde onderdelen lagen. Maar naar het oordeel van de grootst mogelijke meerderheid der Rechtbank is dit echter wel enige vorm van verlenen van hulp aan de vijand."

Aldus de president van de Nederlandse rechtbank in Londen.

Op donderdagmorgen 3 mei 1945 om half zeven wordt Sam Warenaar samen met H. Tiemens en P. Hansen geëxecuteerd op de fusilladeplaats bij Kamp Vught.

48

'Een misverstand?'

SAM BEGAF ZICH VOOR HET EERST WEER OP DE LUCHTPLAATS. Hij was aanzienlijk verslapt. Zijn benen trilden. Buiten leek het maar niet zachter te worden. De winter was in geen tijden zo streng geweest als dit jaar. Hij trok de kraag van zijn jas dicht. Hij vroeg zich af wat zijn eigen familie van hem dacht. Zouden ze weten dat hij hier in de gevangenis zat? Hij betwijfelde het. Niemand had contact met hem gezocht sinds hij uit Amsterdam vertrokken was, nu zeven maanden geleden. Misschien dachten ze wel dat hij hen gevolgd was naar Duitsland.

Nog altijd had hij niets vernomen van Emma. Hij was zo benieuwd hoe het haar verging, of ze de Duitse taal een beetje kon spreken, of ze voldoende geld en eten had. En hoe het met Pietertje ging. Het kon best zo zijn dat Emma de brieven wel ontvangen had, maar dat het onmogelijk was om iets terug te sturen. Hij dacht er steeds aan een brief aan Pieter te sturen, maar iedere keer verscheen er in zijn hoofd een grijze, lege holte als hij dacht aan wat hij hem zou schrijven.

Beste Pieter,
Gaat alles goed met je? Ik denk veel aan je. Als we elkaar weer zien, gaan we...

Wat moet je schrijven naar je zoon, als je weet dat hij jou misschien nooit meer zal zien? Die in het gunstigste geval een vader heeft die jaren in de gevangenis zit wegens spionage en landverraad? Wat moest hij in hemelsnaam schrijven? 'Pas goed op je moeder'? 'Wijk nooit van het rechte pad'? 'Als je een vrouw en kinderen hebt, blijf dan bij ze, wat er ook gebeurt en laat niets tussen jullie komen'? Hoe geloofwaardig kon hij nog zijn.

Naast Rijlaarsdam was nog een stoel vrij. Sam schoof zijn stoel aan de tafel waar de brieven in enveloppen gestoken werden. Het was voor het eerst na de zijn heftige buikgriep dat hij weer deelnam aan de werkzaamheden. Hij had Bartels meermalen gevraagd hoe het met zijn verzoek om gratie stond, maar Bartels kon hem niets vertellen.

Rijlaarsdam sloot een envelop en boog opzij naar Sam. 'Hé, Sam. Tijd niet gezien. Wat zie je eruit.' Hij keek naar Sams ingevallen gezicht. 'Weet je al wat?'

Sam knikte verslagen.

'Ik ook', zei Rijlaarsdam. 'Vijftien jaar.' Hij stak twee handen op en daarna nog een.

Sam keek naar de vingers. Zijn adem stokte in zijn keel.

'En jij?'

Geertsma keek waarschuwend hun kant op. 'Kop dicht, Rijlaarsdam!'

Sam maakte langzaam het gebaar van een mes langs zijn keel. De tong van Rijlaarsdam, net bezig met een envelop, bleef uit zijn mond steken. Zijn ogen werden zo groot als schoteltjes.

'Och man, wat vreselijk. Wat vreselijk.'

Sam wist niet wat hij moest zeggen. 'Er is gratie aangevraagd,' zei hij uiteindelijk. 'Direct na het vonnis.'

'Maar dat is twee maanden geleden! En je hebt nog niets gehoord?'

'Nee.' Sam keek naar de stapel enveloppen op de tafel. 'Misschien is het een goed teken', zei hij monter. 'Als ze er zeker van waren dat ik ter dood veroordeeld moest worden, hadden ze vast wel meteen iets laten weten.'

'Maar hoe kan dat nou? Hoe kun jij nou een doodvonnis hebben gekregen en ik maar vijftien jaar?'

'Maar? Vijftien jaar is ook geen pretje.' Sam vertrok zijn mond in een grimas. 'Maar inderdaad, beter iets dan niets.'

Vrijwel elke nacht in zijn cel droomde hij dat Emma daar ook was. Ze stond naast het kastje waar Sam zijn rantsoen in bewaarde en riep hem, ongeduldig zwaaiend met de sleutels van zijn celdeur. 'Je mag eruit', zei ze. 'Het is allemaal een misverstand.' Ze lachte haar Emma-lach .

'Een misverstand?' Hij ging rechtop in zijn bed zitten.

Ze deed de deurtjes van zijn rantsoenkastje open. 'Je mag je rommel weleens opruimen, Sam Warenaar.'

'Wat is een misverstand?'

'O, dat je hier gevangen zit.' Ze zwaaide de sleutel heen en weer. 'Pietertje,' riep ze door de gang. 'Pieter, kom, je vader is hier.'

Pieter kwam aanrennen en keek zijn vader nieuwsgierig aan. Hij bleef bij de deur staan 'Wat is dit, pap?'

'Een schaftklep, mijn jongen', zei Sam schor. Hij was groot geworden. *Kom bij me jongen, kom bij me*, wilde hij zeggen, maar hij kreeg de woorden niet over zijn lippen.

'Nou, kom op, dan gaan we. Wat kijk je nou, Sam?'

Ze kwam naast hem zitten. Pietertje vroeg of hij tikkertje mocht doen op de gang. 'Met wie?' vroeg ze.

'Met de bewaarder.'

'Prima hoor,' zei ze luchtig. 'Als je de deuren van de andere cellen maar dicht laat.'

'Een misverstand?' vroeg hij voor de derde keer. En toen begon ze te vertellen. Dat hij niet in de ban van Bernhard Osendal was geraakt, dat hij niet lid van de NSB was geworden en avonden weg was, dat hij niet Dirks baantje had ingepikt om er zelf beter van te worden, dat hij geen informatie aan Osendal had doorgespeeld, dat hij geen opleiding tot SD'er had gevolgd, zelfs dat er helemaal geen oorlog was en dat...

'En Hilde dan, wat is er met Hilde gebeurd? Is die ook niet...?' hijgde hij.

'Rustig maar, Sam.' Ze opende haar tas en haalde er schone kleren uit. 'Ik heb ook een paar andere schoenen voor je meegebracht.' Ze zette ze naast zijn rantsoenkastje en kwam naast hem zitten op het bed, en bestudeerde het kiekje van haar en Pietertje dat boven zijn bed hing. Hij klom op haar schoot en ze lachte. 'Kijk uit, malle. Straks vallen we nog samen van het bed. Kom, dan gaan we naar onze Hilde, ze is bij mijn ouders. De hele familie is er, ook mijn neven en nichten en zelfs de zuster van mijn opa. Ze wachten met koffie en eigengebakken Zandmoppen. Schiet wel een beetje op, Sam, anders wordt de koffie koud.'

Het geluid van de sleutels op de gang. De stem van de bewaarder: 'Jij bent 'm!' Het vrolijke zingen van de gevangenen in hun cel. Het geklap van Emma op de maat van de liedjes. Het gelach van zijn zoon. De glimlach van zijn vrouw. Het gerinkel van de sleutels van de bewaarder.

'Wakker worden, Warenaar!' Geertsma snauwde hem toe door het luikje van zijn celdeur. Maar Sam wilde niet wakker worden. Hij wilde een boek schrijven, vanaf het einde naar het begin, zijn leven zou steeds mooier worden, Emma zou weer dichterbij komen, Hilde zou tot leven worden gebracht en dan leefden ze nog lang en gelukkig. Hij wilde terug in zijn droom.

49

Ik schrok van zijn handschrift.

OP HET STATION VAN DEN HAAG CENTRAAL KOCHT IK EEN PAKje Marlboro. Ik was gestopt met roken sinds mijn zwangerschap, nu ruim acht jaar geleden. Voordat ik de deuren van het grote gebouw van het Nationaal Archief betrad, ging ik op een van de bankjes op het plein zitten en probeerde een lucifer uit het doosje te halen dat ik erbij had gekregen. Het begon licht te sneeuwen. Een zwerver kwam naast me zitten. 'Wil je soms een vuurtje?' Hij knipte een grote gasaansteker aan. 'Met zulke trillende handen kun je van je levensdagen geen sigaret aansteken.' Grijnzend bracht hij zijn hand naar mijn sigaret. Hij miste een boventand en drie ondertanden.

'Dank u wel', zei ik en ik bood hem een sigaret aan.

Na twee trekjes stopte ik het luciferdoosje in mijn jaszak en gaf ik het pakje sigaretten aan de zwerver. Duizelig liep ik het gebouw van het Nationaal Archief binnen.

De beveiliging was hier een stuk strenger dan in Den Bosch. Voordat ik de zaal binnenging, moest ik mijn handtas in een kluis achterlaten. Ik kreeg een doorzichtige plastic zak waarin ik de documentatie die ik van huis had meegenomen – de aantekeningen van Anke over de vindplaats van de dossiers en de kopieën van het bevolkingsregister – kon bewaren. Bij de informatiebalie van de studiezaal moest ik een formulier tekenen voor inzage in geheime archiefbescheiden, en een vriendelijke toezichthoudster bracht me naar het eind van de zaal, waar een paar tafels afgescheiden van de rest stonden opgesteld.

Voor mij op de tafel lagen twee dunne dossiers van Sam Warenaar. De toezichthoudster zat schuin tegenover me en hield haar ogen bijna onafgebroken op mij gericht.

Op de voorkant van het eerste dossier stond 'Sam Warenaar, Tribunaal voor het arrondissement'. Er viel een kaartje uit met de tekst:

> *"Warenaar, S. Ambtenaar bevolkingsregister vermoedelijk Gestapo, ontving NSB-instanties welke inlichtingen wensten. Betaald SD agent. Medeschuldig aan verraad van de Heeren Land weer. Sinds augustus 1944 geheel overgegaan in dienst SD."*

Er zat een rapport in met een getypte versie van de toedracht rond zijn arrestatie in oktober 1944. Het kwam overeen met de inhoud van het *interrogation report* uit het BHIC. Bij de conclusie stond:

Warenaar blijkt een onbelangrijke linecrosser te zijn geweest op korte termijn. (...) Het is daarom aan te bevelen dat hij overgedragen wordt aan de Hollandse autoriteiten.

Ik bladerde verder. Een keuring van de Nederlandse hulppolitie in 1942; een handgeschreven verzoek om uitstel en om groot verlof en afmelding in 1943, 'wegens omstandigheden en drukte op kantoor'. Ik schrok van zijn handschrift. Het leek precies op dat van mijn vader. Zelfs op dat van mij.

Ik kwam een briefje tegen over zijn aanstelling tot bureelambtenaar der burgerlijke stand, gedateerd 29 februari 1944. Het was een doorslag van het briefje dat ik thuis al had gevonden in de kist.

Op het tweede dossier stond 'P.O.D. Amsterdam'. Politieke Opsporingsdienst 1947. Dat dossier was dus na het overlijden van mijn grootvader zijn aangelegd. Er zat een oproep in van het Bijzonder Gerechtshof Amsterdam, vermoedelijk uit 1947, om het dossier Warenaar in behandeling te nemen en klaar voor het tribunaal te maken:

> *"Verdenking: Lid NSB. Vrijwillige Hulppolitie. In dienst der SD. Vermoedelijk ambtenaren van bevolkingsregister verraden."*

De tafels en stoelen in de zaal begonnen te draaien. Ik stond op en zei tegen de toezichthoudster dat ik naar het toilet moest. In de spiegel bij de wasbak keek ik naar mijn gezicht. Ik had mezelf nog nooit zo bleek gezien.

Toen ik weer plaats had genomen aan de tafel, ging ik op zoek naar namen van mensen die door hem waren verraden, of namen van mensen die door zijn verraad waren omgekomen. Pas na drie keer lezen wist ik het zeker: er werden nergens namen genoemd.

Ik keek op en schonk de toezichthoudster een opgeluchte glimlach.

Mijn oog viel op een handgeschreven briefje van de weduwe E.S. Warenaar-Van Boven van 2 december 1947 waarin ze vroeg of ze later mag langskomen op het bureau omdat ze ziek is en 'te bed ligt'. Mijn oma, weduwe van vijfendertig jaar oud.

Tot slot een briefje van het Parket Bijzonder Gerechtshof Amsterdam, 6 maart 1948, met de mededeling dat in de zaak tegen de nalatenschap van Warenaar, S. geen maatregelen van verdere vervolging worden overwogen.

Langzaam liet ik de inhoud van de dossiers tot me doordringen. Het was dus niet duidelijk of mijn grootvader iemand had verraden of dat het hem in de schoenen was geschoven. Ik zuchtte opgelucht. Niemand zou ooit weten of mijn grootvader iets te maken had met de dood van Arendtse of Hoffman. En voor mijn grootvader maakte het niet uit, die was toch al dood. En doodgezwegen, dubbel dood.

Helemaal achterin het dossier zat een envelop, gericht aan mevrouw Emma Suzanna Warenaar-Van Boven. Er zat geen postzegel op, vermoedelijk nooit verstuurd. Er zat een stapel handgeschreven vellen in, als uit een schrift gescheurd. Het handschrift was het zelfde als uit het eerdere verzoek. Er viel een fotootje uit: oma Emma als jonge vrouw op het strand. Ze knijpt haar ogen tegen het licht. Naast haar zit een jongetje van een jaar of drie, mijn vader. Ze maken een zandberg. Ik draaide het fotootje om. *Bloemendaal 1939* stond erop. Iets boven het hoofd van Emma zat een gaatje, waarschijnlijk van een punaise.

De toezichthoudster liep de afdeling af. Haar vervanger ging zitten en sleep zijn potlood. In een opwelling stopte ik de envelop onder mijn trui en ik deed alsof ik iets in mijn broekzak zocht. Hij keek even op en ik glimlachte naar hem. Hij knikte terug en ging verder met slijpen.

50

'De hel barst voor ons los, als Nederland bevrijd is...'

'DUS DINSDAGMORGEN 1 MEI OM TIEN UUR BIJ DE DIRECTEUR', herhaalde Geertsma. Hij zwaaide met een brief langs Sams neus.

Sam zat te trillen op zijn stoel. 'Dat is overmorgen al.'

Geertsma knikte en zei spottend: 'Hier, een extra lekker kopje soep. Tegen de zenuwen.'

Sam miste de andere bewaarder. Bartels was geschorst omdat hij te amicaal was geweest met de gevangenen. Hij had een ernstige reprimande gekregen en hij was voorlopig uit zijn functie ontheven. Dat had Sam gehoord van Tiemens, die altijd alles wist.

Nu Geertsma alleen de lakens uitdeelde, waren ze van alle nieuws verstoken. Straks was de oorlog voorbij zonder dat zij het zouden horen.

Sam waagde het Geertsma te vragen of hem wellicht iets over zijn gratieverzoek bekend was.

'Dat ga ik jou niet aan je neus hangen, mislukkeling', beet hij Sam toe.

'Mijnheer Geertsma,' vroeg Sam met een bibberige stem, 'kunt u mij dan wel vertellen of u enig idee hebt wanneer de geallieerden het noorden zullen bevrijden? Dat kan toch niet meer zo lang duren?'

De bewaarder gaf geen antwoord en zette de pannetjes zo onbeheerst neer dat het eten op de grond viel.

Sam liet zich op handen en knieën vallen en slurpte de soep van de grond. Geertsma bleef staan, de veters van zijn schoenen bungelden als sliertjes vermicelli in de soep en hij pakte de lepel van Sam af. Een voor een at Sam de erwten van de grond. Toen hij klaar was en overeind wilde komen, wees de bewaarder op de restjes die hij had laten liggen en duwde zijn gezicht erin.

Die avond deed Geertsma zijn laatste ronde. Hij opende het luik van Sam zijn deur. 'Ach stumper,' zei hij, 'denk je dat er iemand op de wereld is die geïnteresseerd is in het verhaal van een ter dood veroordeelde NSB'er?'

Sam zat aan tafel met zijn armen om zijn schrift heen en schudde stevig zijn hoofd omdat hij als de dood was dat Geertsma zijn schrift zou afnemen. De kaft had nu helemaal losgelaten, en hij hield de losse vellen bijeen in een envelop die hij van Bartels had gekregen in ruil voor een gedicht voor Greetje. Met grote blokletters schreef hij de naam van zijn vrouw op de voorkant.

De dag erna sprak hij Tiemens in de centrale wasruimte. Tiemens hing hetzelfde lot boven het hoofd als Sam, en ook Hansen was ter dood veroordeeld. Tiemens' broek zat vastgesjord met een stuk touw en de uiteinden van de pijpen waren tot op de draad versleten. Een stoppelbaardje lag als grauwe as over zijn kaken. 'Ik hoop dat het allemaal maar snel afgelopen is, Warenaar. Voor mij hoeft het niet meer.'

Sam sloeg een arm om zijn schouders. 'Wacht nu maar eerst eens dat bericht van de koningin af. Niet te snel de moed opgeven.'

'Ja, en dan? De hel barst los als Nederland bevrijd is. Voor NSB'ers begint de oorlog dan pas goed.' Met een somber gezicht spoelde hij de steek schoon.

'Maar maakt het je dan niet blij dat je bij gratie je vrouw weer zult zien en je kinderen weer in je armen kunt sluiten?'

Hij keek Sam aan alsof die krankzinnig was. 'We komen de bak niet meer uit, man. Van z'n levensdagen niet.'

51

'Over. As. Verbrande turf.'

OP DE TERUGWEG ZAT IK ALLEEN IN DE STILTECOUPÉ. OP MIJN schoot lag de plastic tas met de kopieën van het bevolkingsregister en de envelop van mijn grootvader. Ik hield mijn beide armen er stevig omheen. Ik wist niet wat ik ermee moest doen. Mijn vader wilde er niets van weten, mijn broer ook niet. Ik dacht aan Michiel en aan de opluchting die ik voelde toen er niets over een eventuele relatie tussen onze grootvaders in de dossiers te vinden was. Wat had ik er zelf aan om nog meer te ontdekken? Waarom zou ik willen lezen wat mijn grootvader aan zijn vrouw geschreven heeft?

Mijn mobieltje rinkelde. Ik keek op mijn display en nam met tegenzin op.

Frank begon meteen te praten. 'Ik was een paar dagen bij pa en ma, en ik vroeg me af of... Ik vond pa een beetje stil. Hij zag er slecht uit.'

'Ja, hij heeft last van een te hoge bloeddruk. Maar ik dacht dat het nu weer wat beter met hem ging.'

'Ik ben er niet zo zeker van. Susan, waar ik eigenlijk voor belde: ik vroeg me af of jij nog steeds in dat verleden van papa zit te wroeten.'

'Luister, Frank. Ik weet hoe je erover denkt.'

'En die hoge bloeddruk zit me niet zo lekker,' vervolgde hij. 'Wat ik je wilde zeggen, Susan: laat het verleden rusten. Het heeft geen zin het op te rakelen. Laat het rusten, Susan. Dat heeft hij ook gedaan. Het verleden is voorbij. Over. As. Verbrande turf.'

'Ik ben bij de archieven geweest', zei ik plotseling. Ik schrok er zelf van.

'Dat meen je niet.'

'Jawel. Maar er was niet veel schokkends te vinden hoor', zei ik snel. 'Hij is ter dood veroordeeld voor iets wat hij van plan was en niet heeft uitgevoerd, maar het is niet uitgesloten dat hij ook andere dingen op zijn kerfstok heeft gehad. Dat is het hele verhaal.' Ik hijgde ervan. 'En je hebt gelijk, Frank.' Ik keek naar de tas op mijn schoot en voelde ik me opeens onuitsprekelijk opgelucht. 'Het verleden is voorbij. Over. As. Verbrande turf.'

Thuisgekomen liep ik direct door naar de achtertuin, pakte een schop uit het washok en groef een gat in de aarde, die stijf begon te worden door de vorst. Naast mij vormde zich een bergje waaruit een regenworm kroop. Het sneeuwde licht.

Toen het gat diep genoeg was, haalde ik uit mijn jaszak het luciferdoosje tevoorschijn. Ik begon met het mapje met de kopieën van het bevolkingsregister; de envelop van mijn grootvader legde ik alvast op mijn schoot. Ik pakte de eerste kopie uit het mapje en hield de lucifer erbij. Toen het papier vlam vatte, gooide ik het in het gat en keek toe hoe het veranderde in een klein hoopje smeulende as. Ik stak het volgende vel aan en een derde, en keek naar de vlammen die zich verlangend uitstrekten naar ieder nieuw vel dat ik in het gat wierp. De geur van rook verspreidde zich door de achtertuin.

Terwijl ik de laatste bladzijden van het boekje aan het vuur voerde, sprong de lapjeskat van Oscar over de schutting mijn tuin in. Haar pootjes lieten afdrukjes na in het laagje sneeuw. Opgeschrikt door de rook, schoot ze het openstaande washok binnen.

52

'Een lang en gelukkig einde, bijvoorbeeld.'

HET WAS DINSDAG 1 MEI, BIJNA TIEN UUR. SAM KON ELK MOMENT worden opgehaald. Er schoot hem een liedje te binnen dat hij voor Emma zong op de Mokerheide, toen ze net samen waren. Hij zou de tekst nog even voor haar opschrijven, als hij genoeg tijd had.

Geertsma deed de cel open. Sam keek onderzoekend naar zijn gezicht, alsof hij de uitslag van het gratieverzoek daarvan zou kunnen aflezen.

'Het is zover.' De bewaarder haalde een paar handboeien tevoorschijn.

'Waar is het?' vroeg Sam, terwijl hij door bleef schrijven.

'In de kamer van de directeur. Laat die pen los. Na afloop heb je nog wel even tijd om verder aan je roman te schrijven. Een lang en gelukkig einde, bijvoorbeeld.'

53

Mijn grootmoeder keek me zwijgend aan.

IK PAKTE DE POES, DIE OP DE KIST WAS GESPRONGEN, AAIDE haar even over haar besneeuwde vachtje en zette haar buiten. Moe geworden van de reis ging ik op het puntje van de kist zitten en ik schoof het schilderij een stukje opzij. Mijn blik viel op mijn oma in het portret aan de muur. Of beter gezegd, haar blik viel op mij. Haar ogen staarden dwars door mij heen naar een punt in de verte. Een punt dat wij niet kunnen zien. Wat hebt u gezien, oma? Wat hebt u geweten?

De envelop van mijn grootvader lag weer op mijn schoot. Door de openstaande deur dwarrelden vlokken naar binnen. 'Het sneeuwt', zei ik hardop en ik keek naar de barstjes in het porseleinen gezichtje op het schilderij.

Ik keek naar de envelop en begon te twijfelen. In de trein leek het zo'n goed doordacht plan, het enige juiste, zo helder in zijn eenvoud.

Het begon harder te sneeuwen. Dikke vlokken vielen nu op het kleedje op de grond. Ik opende de envelop en keek naar de losse vellen.

Oma? Ik keek op. Wat is er allemaal gebeurd? Wat wist u van uw man? Was hij werkelijk zo naïef? Hoe heeft hij toch voor de foute kant kunnen kiezen? En u, wat vond u ervan? Wist u van het gezin Daniëls? En had u in de oorlog contact met Hoffman zonder dat opa het wist? Weet u of het waar is dat opa iemand verraden heeft bij het bevolkingsregister? Was u daar zo boos om dat u hem daarom de rest van uw leven hebt doodgezwegen? Of... of zweeg u omdat niemand kon begrijpen dat u, ondanks alles, toch nog van hem hield?

Mijn grootmoeder keek me ondoorgrondelijk aan.

Oma, wat moet ik doen? Wat zou u hebben gewild? Moet ik de laatste stem van uw man tot zwijgen brengen? Ik speelde met het luciferdoosje in mijn handen. Doosje open, doosje dicht.

Ik stond op en keek de tuin in, leunend tegen de deurpost. Het kleine hoopje aarde was een maagdelijk sneeuwheuveltje geworden in de inmiddels witte tuin.

Toen draaide ik me om, opende de kist en stopte de envelop diep weg, veilig weggeborgen onder de emaillen vaas.